CHINOBYL

RAFAEL FONTANA

Chinobyl

Uma jornada pelas entranhas da ditadura comunista

Avis Rara é um selo de Ciências Sociais da Faro Editorial.

Diretor editorial **PEDRO ALMEIDA**

Coordenação editorial **CARLA SACRATO**

Preparação **DINE NANTES**

Revisão **THAÍS ENTRIEL E BÁRBARA PARENTE**

Imagem de capa **TOMAS RAGINA | SHUTTERSTOCK**

Imagem de capa **HUMPHERY | SHUTTERSTOCK**

Mapa da China **PETER HERMES FURIAN | SHUTTERSTOCK**

Foto do autor **SERGIO MOURAJ**

Imagens internas **CEDIDAS PELO AUTOR**

Dados Internacionais de Catalogação na Publicação (CIP)
Angélica Ilacqua CRB-8/7057

Fontana, Rafael
Chinobyl / Rafael Fontana. — São Paulo : Faro Editorial, 2021.
352 p.

ISBN 978-65-5957-062-1

1. Ciências sociais 2. China 3. Política internacional I. Título

21-3099 CDD 306

Índice para catálogo sistemático:
1. Ciências sociais

1ª edição brasileira: 2021
Direitos de edição em língua portuguesa, para o Brasil, adquiridos por FARO EDITORIAL.

Avenida Andrômeda, 885 — Sala 310
Alphaville — Barueri — SP — Brasil
CEP: 06473-000
www.faroeditorial.com.br

A China é um país que não existe.
Morei lá para conferir.

O povo chinês e sua cultura milenar merecem a nossa admiração.
O mesmo não se pode dizer do Partido Comunista Chinês.

SUMÁRIO

IV OS ANOS EM PEQUIM

V DE VOLTA AO BRASIL

INTRODUÇÃO

Logo no primeiro mês vivendo na China como professor universitário, consegui um trabalho extra para um fim de semana. Qual não foi minha angústia ao descobrir, já no local do trabalho, que meus contratantes chineses haviam alterado meu currículo, transformando um jornalista brasileiro em um neurocirurgião com mestrado nos Estados Unidos.

Os convidados do evento já estavam chegando e vinham me cumprimentar sorridentes, não tinha mais como voltar atrás. Fui tomado pelo pavor.

"Meu Deus! Serei preso por falsidade ideológica. Como vou sair dessa enrascada?"

Bem-vindos ao País do Faz de Conta.

Lamento desapontar aqueles que se alimentam de teorias da conspiração, porque aqui continuarão famintos. Todo o material contido neste livro é sustentado por fatos. Fatos esses que podem ser confirmados por documentos, testemunhas, imagens e trocas de mensagens. E também constam no banco de dados do serviço de inteligência do Partido Comunista Chinês, o PCCh.

Portanto, basta solicitar as informações ao partido que ele irá, ironicamente, negá-las ou desmenti-las, como lhe é peculiar. Negar fatos faz parte da rotina de uma ditadura. A mentira e a dissimulação compõem o DNA do regime socialista chinês, assim como estavam impregnadas na antiga União das Repúblicas Socialistas Soviéticas (URSS).

No caso soviético, cabe salientar, justamente uma mentira tornou-se crucial para ajudar a implodir o regime que controlou o bloco comunista por 74 anos: a encenação sobre o que realmente havia ocorrido no acidente nuclear de Chernobyl. Se, sozinha, a explosão da usina não derrubou o governo, a falácia ao seu redor, sim, acelerou a desintegração da União Soviética, como admitiu o ex-presidente da URSS Mikhail Gorbatchev anos depois da catástrofe.

Gorbatchev era o líder máximo da União Soviética no momento da tragédia de Chernobyl, quando subalternos interessados apenas em ascender na hierarquia do Partido Comunista tentaram esconder os verdadeiros motivos da explosão. Agora, basta trocar o nome do país para China e o nome do líder para Xi Jinping, e pronto. Porque, de resto, o objetivo dos burocratas socialistas é o mesmo: a ascensão sem medir consequências.

Mas o que seria o equivalente a Chernobyl para abalar o aparentemente inabalável regime chinês? O vírus originado na província chinesa de Wuhan em dezembro de 2019, que levou à pandemia da gripe conhecida como Covid-19, tem potencial para se tornar a Chernobyl do século XXI. Tudo dependerá da reação internacional, sobretudo do Ocidente, às informações distorcidas propagadas pelo PCCh. E, sobretudo, a eternização de Xi Jinping como ditador chinês irá gerar sérios distúrbios no país pelos próximos anos.

Nesse contexto, a proposta deste livro consiste em mostrar fatos que são conhecidos por alguns, escondidos por muitos e negados pelos membros do Partido Comunista. Essa realidade já deixou de ser segredo para aqueles que, como eu, alcançaram a intimidade com a sociedade chinesa, mas ela precisa aparecer para um número maior de pessoas, quiçá milhões de cidadãos e autoridades de todos os continentes.

Nesta obra faço análises sobre o regime socialista implantado na China em 1949, que segue causando graves problemas globais neste século.

Onde comecei

Desde 2006, tenho tido a oportunidade de me aprofundar nos conhecimentos sobre a China, a Ásia, a geopolítica do Pacífico, o pensamento contemporâneo chinês e a atuação do último grande Partido Comunista remanescente do século XX em todo o mundo. As experiências contemplam desde os estudos de mandarim até uma mudança para a China, em 2015, onde atuei como professor universitário e jornalista da mídia estatal chinesa, momento em que consegui me entranhar por diferentes esferas do aparato comunista.

Quando não estava trabalhando, eu colhia informações de profissionais da mídia, diplomatas, estudantes universitários, professores e agentes de inteligência estrangeiros, entre outros residentes de várias regiões da China, tanto nativos quanto expatriados. No total, eu me comuniquei com mais de quatrocentas pessoas, e ainda hoje mantenho uma rede de contato com cerca de 180 moradores e ex-moradores do país, uma parte deles jornalistas.

Em meio a histórias e considerações pessoais, o livro permeia o universo de um país com cinco mil anos de história, um território maior que o brasileiro, 56 etnias reconhecidas, dezenas de idiomas e uma massa populacional de 1,4 bilhão de pessoas, dos quais cerca de 90 milhões são membros do Partido Comunista.

As histórias deste livro apresentam uma miríade de personagens de diferentes nacionalidades com quem convivi por anos, alguns deles tiveram o nome trocado para manter sua segurança, já que muitos ainda vivem na China, ou porque seus familiares residem em território chinês e poderiam sofrer represálias do governo. São histórias curiosas, divertidas, emocionantes e tensas — como o episódio em que, desavisado, recomendei aos alunos da Universidade de Hebei, em Xiao An She, a leitura do livro *1984*, de George Orwell, banido havia décadas na China. A recomendação de um livro proibido pelo regime poderia ter me custado uma deportação.

Os capítulos compreendem temas que vão de religião, esportes e política, permeando gastronomia, tecnologia e estilo de vida, entre outros assuntos. Com o virar das páginas, o leitor perceberá que, quando comecei a me interessar pela China, considerava saber o suficiente sobre o país. Mas a verdade é que eu não sabia nada.

Agora, é chegada a hora de compartilhar com vocês a minha versão da história, a história de Chinobyl.

PARTE I

Rito de iniciação

1. A armadilha do 5G

Março de 2020.

Na região central de Brasília, o membro do Partido Comunista Chinês olhou para a longa mesa de madeira da sala de reunião da Huawei, sem fitar nenhum de nós em particular, e deu um recado bem claro:

— Precisamos de ideias para retaliar o Brasil.

Com uma feição de perplexidade bastante incomum, Atílio falou-me com os olhos o que verbalizaria momentos depois na copa, quando parei para tomar uma xícara de café, na conversa mais séria que tivemos em meses:

— Mas quem pode retaliar um país é somente outro país, nunca uma empresa.

— Exato, Atílio, agora você me entende?

Aquela reunião matinal de diretoria condensou 14 anos de informações que colhi sobre a China. Não há espaço para dúvidas: a Huawei, bem como milhares de outras empresas que se definem como privadas, constituem na realidade células do Partido Comunista Chinês, o PCCh. Da mesma forma, ficou evidente que a espionagem, o roubo de tecnologia e a cópia de projetos são vitais para a sobrevivência do partido no comando do país mais populoso da Terra.

A agressividade de companhias chinesas ao retaliar países que criam barreiras aos planos expansionistas do governo chinês revela que essas empresas operam em território estrangeiro sob as diretrizes do regime comunista. E nada mais grave para eles, neste momento, que tentar impedir a infraestrutura 5G, sob controle do regime comunista, que tem potencial de garantir a espionagem por longos anos.

Evidentemente, a Huawei não é a única empresa a serviço do governo chinês. Toda grande corporação do país possui oficiais públicos entre seus funcionários, boa parte deles ocupando cargos executivos. A situação se repete em centenas de companhias chinesas, incluindo nomes conhecidos no Ocidente, como Lenovo, Tik-Tok, Zoom, BYD, PetroChina, ZTE, Xiaomi, Midea e DJI, assim como Alibaba,

Baidu, Tencent, Wanda Group, Haier, Banco ICBC, entre outras empresas com presença maciça mundo afora.

O ciclo de anos de informações que obtive sobre a China coincidentemente começou e se encerrou envolto na mesma empresa, a Huawei, uma companhia estratégica para abastecer de informações o regime que mais trucidou a própria população. Estima-se que, sob o comando do PCCh, pelo menos 60 milhões de chineses tenham morrido por decisões irresponsáveis e trágicas do partido, seja pela fome, pela privação de liberdade ou simplesmente executados.

Naquele mês de março de 2020, no momento em que um vírus originado em território chinês se alastrava rapidamente pelo mundo, causando mortes e danos econômicos incalculáveis, a prioridade da subsidiária brasileira da Huawei se limitava a impor retaliações ao Brasil caso o governo ousasse dificultar a instalação da sua rede 5G no país.

Desumano?

Ora, pergunto: o que as pessoas sabem sobre desumanidade na China?

O que sabem sobre o Partido Comunista Chinês?

O que você sabe?

Curriculum Vitae

Em 2006, o conhecimento que eu detinha sobre a China era o mesmo da maioria da população. Talvez um pouco acima da média, dada a minha curiosidade precoce por mapas, globos terrestres, atlas e geografia em geral. Quando criança, a cada oportunidade que se apresentava, eu me debruçava sobre esse material em um mundo ainda sem internet.

Eu cresci, surgiu a internet, mas tudo o que eu sabia até 2006 era que a China era o quarto maior país do mundo na visão dos norte-americanos, e o terceiro na visão dos próprios chineses. Sabia obviamente que se tratava do país mais populoso da Terra, que os chineses falavam mandarim, lutavam kung fu, que a capital era Pequim e o principal centro econômico ficava em Xangai. Sabia que tomavam bastante chá, comiam arroz e de vez em quando também comiam cachorro. Sabia, ainda, que em 2006 a China tinha o quarto maior Produto Interno Bruto (PIB) do mundo, um pouco atrás da Alemanha e longe de alcançar o Japão, mas com taxas de crescimento anuais de 10%, muito superiores às dos países desenvolvidos.

Enfim, eu sabia, agora admito, mais que a média das pessoas sobre essa nação. Mesmo assim, aquele punhado de informações se resumia a pura ignorância.

Naquele ano de 2006, recebi a ligação de um amigo com quem não falava havia meses, pedindo ajuda para preparar o currículo de uma sobrinha recém-formada, chamada Angélica. A moça tinha experiência em vendas e havia concluído o curso de engenharia. Ela havia passado quase um ano estagiando em uma empresa de telefonia, e havia surgido a oportunidade de aplicar seus conhecimentos em uma multinacional de tecnologia que exigia o currículo em inglês, e a jovem não se sentia segura com o idioma.

— É uma empresa americana ou inglesa? — perguntei.

— É chinesa.

Chinesa?

Curioso, pensei. Por que raios pedem um currículo em inglês? Certo, deixa para lá. Elaborei o currículo com todo o cuidado, o que a ajudou a ser chamada para uma entrevista, agora em português.

— Qual o nome da empresa?

— Huawei — respondeu o amigo, em uma das inúmeras pronúncias que os brasileiros adotaram para a empresa.

Ráuêi, *Rauáei*, *Ruáuai*, seja lá como for, não importa, eu nunca tinha ouvido aquele nome antes, mas fui pesquisar. Fiquei surpreso com os números da companhia. E, dias depois, o mais importante: a sobrinha do meu amigo foi contratada.

A minha ajuda foi recompensada com a reaproximação do velho amigo. A nova funcionária da Huawei acabou virando minha amiga por tabela, uma amizade que manteríamos por anos a partir daquele episódio.

Naquele ano, notícias envolvendo a China eram pouco divulgadas no Brasil. Em novembro de 2006, por exemplo, a médica sino-canadense Margaret Chan assumiu o comando da Organização Mundial da Saúde (OMS), abrindo o caminho para a China acessar informações estratégicas sobre os sistemas de saúde do mundo todo.

Ela dirigiu o braço sanitário da Organização das Nações Unidas (ONU) por quase onze anos, deixando o cargo um ano e meio antes da eclosão da mais aterrorizante pandemia mundial dos últimos cem anos, originada na cidade chinesa de Wuhan: a Covid-19. Mas, repito, esse tipo de informação em 2006 era desconhecido no Brasil.

O ano de 2007 passou quase em branco nas minhas memórias sobre a China. Só não passou totalmente despercebido porque dois amigos brasileiros da área de tecnologia, que também trabalhavam na Huawei havia um ano, pediram demissão da empresa ao mesmo tempo. Eu me encontrei com os dois, Heraldo T. e Oswaldo J., em um jantar na cobertura de Oswaldo, localizada no bairro Sudoeste, em Brasília.

— Aconteceu alguma coisa? — perguntei. — Nunca vi vocês desistirem de um trabalho assim.

Heraldo começou a me explicar que já estava articulando sua mudança de emprego para uma empresa coreana, mas depois admitiu ter sido praticamente forçado a deixar a Huawei.

— Eles fazem contratos oferecendo produtos e serviços que não possuem. E querem que nós, brasileiros, assinemos os contratos — revelou.

— É assim mesmo? — perguntei para Oswaldo.

— É. A empresa é uma farsa. Depois que o contrato é assinado, envolvendo milhões de reais, é quase impossível voltar atrás, então eles entregam um equipamento de qualidade inferior e o cliente arca com os problemas mais tarde — disse-me.

Um dos contratos milionários naquele período estava sendo negociado com o Banco do Brasil, o maior banco estatal da América do Sul.

— E por que vocês não denunciam? Poderia ser uma denúncia anônima — sugeri.

— Não adianta — afirmou Oswaldo, explicando que o governo Lula jamais iria se indispor com uma empresa chinesa.

Em 2007, não imaginávamos que a Huawei era, na verdade, uma empresa a serviço do governo de Hu Jintao, então presidente da China, que esteve no cargo de 2003 a 2013.

Em 2008, tudo começou a mudar na minha relação com o outro lado da Terra. No ano das Olimpíadas de Pequim, o Instituto Confúcio desembarcou no Brasil. Mesmo antes da inauguração oficial da primeira unidade do instituto no Brasil, na Universidade Estadual Paulista (Unesp), cursos de mandarim foram inaugurados no segundo semestre de 2008 tanto na Unesp quanto na Universidade de Brasília (UnB) — as instituições onde eu, respectivamente, me formei e trabalhava.

Naquele tempo, eu atuava como assessor de imprensa da UnB. O salário, não muito alto, era compensado com a possibilidade de fazer cursos gratuitos na universidade, entre eles os de idiomas. Assim me chegou a oportunidade, de repente.

— Rafael, você viu que a universidade passou a oferecer um curso de mandarim? Por que você não faz? — perguntou-me Ronald, um colega fotógrafo.

— Ué, mandarim? Por que eu iria me interessar em falar chinês? Vou pensar — respondi.

Alguns dias depois, comecei a refletir um pouco mais: "... a economia chinesa está crescendo, muitas empresas estão vindo para o Brasil. Além disso, gosto de idiomas e vou manter a cabeça funcionando para evitar alguma enfermidade no futuro". Eu já tinha lido que o aprendizado de idiomas e de música, entre outras atividades, ajudava a prevenir doenças degenerativas.Bem, não custava tentar.

Na primeira aula do semestre, éramos 25 alunos. Na última, uns doze, no máximo.

Metade da turma desistiu porque o idioma é um tanto áspero para quem está habituado somente às línguas ocidentais. Primeiro, porque não existe alfabeto. O sistema de caracteres te obriga a memorizar de início dezenas de desenhos que parecem não fazer sentido.

Ou você estuda, ou desiste. Naquele semestre, confesso orgulhoso que estudei para valer, a ponto de ficar entre os melhores da turma. Passei a entender, semanas depois de encerrados os Jogos Olímpicos, o que os chineses tanto gritavam nas competições: *Zhōngguó* (中国). Ou seja, China. A pronúncia em português seria algo como "*Tchun güó*". E os chineses gritavam a plenos pulmões nas arenas: *Zhōngguó, Zhōngguó, Zhōngguó!* (中国, 中国, 中国!).

As Olimpíadas encheram os chineses de orgulho, desde a cerimônia de abertura, considerada uma das mais belas deste início de século, até o quadro de medalhas, quando a China terminou pela primeira vez na história à frente de todos os rivais. E, principalmente, conquistaram mais medalhas de ouro que os Estados Unidos: 48 a 36. Na soma, incluindo as medalhas de prata e bronze, os Estados Unidos ficaram à frente da China, com 112 contra 100. Mas não importa, a consagração da China, aos olhos do Partido Comunista, estava completa.

Os boatos sobre as fraudes na cerimônia de abertura não abalaram os membros do partido, habituados a lidar com encenações. A pequena Lin Miaoke, que, aos oito anos, encantou o mundo cantando na cerimônia, estava na verdade dublando a voz de Yang Peiyi.

O politburo (comitê central do partido) relativizou o episódio. Para os comunistas, era mais importante mostrar ao mundo uma chinesinha bonita e sorridente, em vez da gordinha com um dente faltando, algo bastante normal para quem tem apenas sete anos de idade. A verdadeira dona da voz foi escondida, e a bonitinha alcançou seu momento de glória. A imprensa internacional percebeu a fraude, veiculou matérias, tentou emplacar um pequeno escândalo, mas ficou por isso mesmo. Uma pequena bobagem dessas não poderia estragar a festa, segundo os chineses.

Afinal, na visão dos comunistas chineses, a verdade pode sempre ser sacrificada em prol de um objetivo maior.

Em 2008, ano das Olimpíadas de Pequim, o candidato democrata Barack Obama foi eleito presidente dos Estados Unidos, em uma chapa formada com Joe Biden, antes senador, depois vice-presidente do país, e atual presidente.

Na China, Xi Jinping foi designado como o provável sucessor de Hu Jintao para o cargo de presidente, ou líder supremo, como muitos definem essa função na Coreia do Norte e na China. Hu Jintao começava o primeiro ano do seu segundo e último mandato de cinco anos.

Com o intuito de preparar terreno para seu substituto, o Partido Comunista nomeou Xi Jinping vice-presidente da República Popular da China e vice-presidente da Comissão Militar Central. Até aquele momento, eu não sabia da existência de Xi, e o mundo também não dava atenção àquele que se tornaria a maior ameaça à paz mundial neste começo de século.

2. "Finja ter outra profissão"

Viajar para a China e morar lá são experiências completamente distintas. Isso vale para outros países, claro, mas poucas nações escondem tão bem dos turistas aquilo que são incapazes de omitir dos moradores. No começo de 2009, as minhas férias se aproximavam e eu precisava decidir qual seria o destino da minha viagem. Eu já havia concluído o primeiro semestre de estudos de mandarim e estava empolgado com o novo idioma. Como conhecia bem a Europa e já tinha visitado os Estados Unidos e países latino-americanos, ousei na decisão:

— Vou viajar para a China — contei para a Renata, uma amiga que gostava de experiências diferentes.

— Para a China? O que você vai fazer lá? Aquilo é uma ditadura, você sabe.

Se da Renata, de quem eu esperava entusiasmo, veio esse tapa na cara, imagina quando eu comentei com os amigos e familiares mais desconfiados.

— Como assim? Você vai a trabalho? — perguntou Fábio, meu primo.

É, não seria fácil conseguir a aprovação popular para a viagem, mas eu estava decidido e segui em frente. O caminho não é tão fácil quando você decide viajar para um país de regime fechado, a começar pelo visto, o que torna tudo ainda mais desafiador.

A Embaixada da China em Brasília exigia que eu tivesse as passagens de ida e volta compradas, além da reserva no hotel, uma exigência comum a todos os turistas. Eu, teimoso, afirmei na embaixada que só compraria a passagem depois de conseguir o visto. Afinal, se o visto fosse negado, eu teria um trabalho imenso para remarcar o bilhete aéreo ou conseguir um reembolso parcial.

— Olha, acho difícil, todo mundo traz a passagem aqui para conseguir o visto — alertou-me a atendente brasileira da embaixada.

— Vou tentar mesmo assim — insisti.

Preenchi todos os formulários, reuni farta documentação, levei comprovante de renda, de endereço, de trabalho, referências. No dia de entrega dos documentos, uma senhora chinesa do setor consular, com cara de quem queimou livros na Revolução Cultural,* fez um sinal com o dedo indicador para eu me aproximar, sem emitir nenhuma palavra.

Então me aproximei do guichê, e ela colocou rente ao vidro espesso que nos separava uma das folhas que eu havia preenchido. Ela apontou para um dos quadradinhos marcados à caneta azul por mim e perguntou com a voz baixa, mas firme:

— Você é jornalista?

— Sim, sou jornalista — respondi. E por isso eu havia ticado justamente a profissão de jornalista, uma das poucas disponíveis naquele formulário. As outras eram professor, estudante, funcionário público e talvez mais uma ou duas, além da opção "Outras profissões".

Sem alterar a voz, articulando-se com o típico sotaque de chineses falando português, a senhora de feição severa, com aquela idade que nunca somos capazes de adivinhar das chinesas, mas eu chutaria uns 58 anos, perguntou em tom monocórdio:

— Você viajará como jornalista? Pretende fazer alguma reportagem?

— Não — respondi —, eu vou como turista mesmo, só para passear, conhecer os locais turísticos, a Muralha, Cidade Proibida, essas coisas.

— Então marque outra opção — afirmou a mulher, mantendo o timbre tranquilo. — Finja ter outra profissão.

Eu simplesmente não acreditava no que estava ouvindo. Uma senhora chinesa séria, daquelas que na adolescência seriam capazes de ter tatuado o rosto de Mao Tsé-Tung na nádega esquerda, estava sugerindo que eu omitisse minha profissão e inventasse qualquer outra para conseguir o visto.

Bom, eu queria viajar para o país dela, então precisaria dançar conforme a música. Porém, incrédulo, tinha receio de cair em alguma cilada, e pedi orientação àquela oficial chinesa que evitava fitar meus olhos.

— Qual profissão a senhora sugere?

— Você não trabalha em uma universidade pública? Então marque a opção "funcionário público".

---

* Iniciada na China por Mao Tsé-Tung em 1966 para reafirmar sua autoridade sobre o governo chinês, a Revolução Cultural propunha eliminar os "elementos impuros" da sociedade chinesa, além de reavivar o espírito revolucionário entre os jovens.

Acatei a sugestão e fui embora, ainda atônito. Se antes desse episódio eu estava inseguro sobre a obtenção do visto, agora é que eu duvidava mesmo. Comecei a pensar em alternativas: Austrália, só para atravessar o planeta como eu havia planejado? África? Não, eu queria mesmo era ir para a Ásia. Japão! Isso! O Japão seria perfeito para me vingar de um visto chinês negado. E quando eu retornasse da viagem, começaria a estudar japonês só de pirraça.

Ainda hoje me recordo de que, no começo da minha relação com a realidade chinesa, nem de longe eu desconfiava de que todos os diplomatas lotados nas embaixadas da China precisam ser membros do Partido Comunista ou parentes próximos de um membro. Para mim, aquela oficial da embaixada chinesa em Brasília definitivamente fugia dos padrões rígidos de comportamento de um chinês-padrão. "Uma subversiva", concluí. Admito, de novo: eu não sabia quase nada sobre a China, muito menos sobre o partido. Era só o começo do aprendizado.

Dias depois, voltei para a embaixada, emocionalmente preparado para receber um "não". Entrei na sala de espera, pelo menos dez pessoas haviam chegado antes e aguardavam o atendimento. A mesma senhora sisuda, embora simpática ao seu estilo, fez aquele sinal de aproximação com o dedo que de imediato fez minha espinha congelar.

Constrangido por furar a fila, ainda que involuntariamente, me aproximei do vidro grosso. Sem emitir nenhuma palavra, nem ao menos responder ao meu "*Ni hao!*", a mulher passou o meu passaporte pela fenda.

Agradeci e saí da sala sem coragem de abrir o passaporte. Caminhei até o estacionamento, passei pelas pequenas folhas espalhadas pelo chão e entrei no carro. Ainda com as janelas fechadas, respirei profundamente, tomei coragem e abri o passaporte.

— *Yesss!* — gritei.

Dois golpes chineses

Desembarquei em Pequim no dia 15 de março de 2009, munido de pouca tecnologia. Meu celular Nokia servia basicamente para efetuar ligações de voz e enviar mensagens, só que não funcionava em território chinês.

Desci do avião e tomei um trem dentro do aeroporto que levava os passageiros até o local da retirada de bagagens. Aquele procedimento, em 2009, era novidade para mim. Pela primeira vez eu trafegava sobre trilhos dentro de um aeroporto só para pegar a mala. *Essa tal de China já começou a me impressionar,* pensei.

Passei tranquilamente pela imigração, peguei a mala e fui procurar o guichê do trem expresso que conectava o aeroporto internacional até um bairro próximo do centro.

Tentei obter informações em inglês. Tentativa inútil. Eu estava no segundo maior aeroporto do mundo, cercado por milhares de chineses, e nenhum deles falava inglês, só mandarim. Tudo o que eu trouxera de informação era o nome do hotel e o endereço impresso em uma pequena folha de papel. Um senhor inglês que conhecia bem a cidade me recomendou o trem expresso até a estação 东直门 (*Dōngzhímén*). Segui o conselho, e na estação tomei um táxi até o hotel, gastando todo o mandarim que aprendi em quatro meses de aula, além de gastar uma boa grana, porque o taxista, um tanto quanto ávido por dinheiro, optou por dar umas voltinhas a mais. Na hora lembrei-me de alguns dos taxistas do Rio de Janeiro.

Mas não importa, eu estava realmente feliz por pisar em solo chinês, e o hotel, embora três estrelas, era muito melhor do que eu esperava, com um custo relativamente baixo, porque com 1 real eu comprava 4 yuans naquela época — o câmbio estava bastante favorável para os brasileiros que almejavam conhecer a China. Comecei a atinar em 2009 que os hotéis do Ocidente são uma porcaria em comparação com os asiáticos, sobretudo na questão custo-benefício.

Um estabelecimento três estrelas nas grandes cidades chinesas se equipara facilmente a um quatro estrelas no Ocidente. Após 36 horas de viagem, subi até o quarto e tomei um longo banho quente, para iniciar meu pequeno tour pela capital do país em seguida.

A noite caiu rapidamente enquanto eu admirava a cidade pela janela, então desci para procurar um restaurante. Sempre que viajo, priorizo experimentar a culinária local e fujo do que já provei em outros lugares, assim como passo reto por restaurantes lotados de turistas. São sempre os piores. Não demorou muito e encontrei um restaurante pé-sujo grau 3, daqueles ao qual você nunca levaria sua esposa, e só chinês raiz se atreveria a encarar.

No pequeno salão, as mesas dispostas próximas umas das outras eram tão baixas quanto as banquetinhas para se sentar. O meu mandarim não era o suficiente para escolher os pratos, mas uma coisa boa na China é que os cardápios vêm com fotos de quase todos os pratos. Ou então as imagens das iguarias estão pregadas na parede. O lado ruim é que nem sempre a foto condiz com o que chega à sua mesa.

Pelo menos o *bāozi* (包子) eu sabia do que se tratava: o famoso pãozinho branco cozido no vapor recheado com carne e vegetais, às vezes ovo. Você já deve ter visto o quitute na animação produzida pela DreamWorks, *Kung Fu Panda*. São aqueles bolinhos que ele come vorazmente.

A temperatura caiu tão rapidamente quanto a noite, estabilizando-se em torno de dois graus, e uma das primeiras cenas que vi nas ruas, gravei com um carinho especial pelo resto da minha vivência na China. O vapor saindo das formas circulares de bambu, onde o *bāozi* cozinha até ficar macio e suculento, forma um cenário acolhedor e ao mesmo tempo familiar, remetendo-nos a filmes antigos, à comida caseira, além de trazer uma sensação de aquecimento naquele clima frio.

Depois de terminar a porção de *bāozi*, pedi uma batata com condimentos e também costelinhas de porco. Por condimentos entenda-se pimenta, muita pimenta, aquelas de fazer arder o nariz. Os pratos picantes da China em nada lembram a gastronomia chinesa que você já provou no Brasil, Estados Unidos, Inglaterra, Espanha, Peru, ou em qualquer outro lugar fora da China.

Pimentas à parte, as porções no país costumam ser fartas, e logo na primeira refeição comi além do recomendável, encerrando com uma cerveja local, a *Qīngdǎo píjiǔ* (青岛啤酒), conhecida no Ocidente como Tsing Tao, pronunciada com o "g" mudo. *Píjiǔ* significa "cerveja", algo importante para memorizar quando se está na China e as pimentas tomam conta das suas papilas gustativas.

Mais que satisfeito, deixei o restaurante e circulei pelas ruas próximas do hotel, algo que sempre faço quando visito um país pela primeira vez. Logo mapeei duas estações do metrô, cada uma situada a menos de cinco minutos de caminhada do hotel, sendo uma delas da velha estação central de trem de Pequim. Linda, uma das poucas construções autênticas da Pequim moderna, tirei várias fotos de ângulos diferentes para enviar para os meus pais quando conseguisse alguma conexão de internet.

Meu aparelho celular ainda era daqueles sem câmera nem wi-fi, então as fotos eram capturadas em uma recém-comprada câmera digital da Canon, que em algum momento seriam transferidas ao computador para, posteriormente, serem publicadas no Orkut e no Facebook. Jovens, acreditem, o mundo já foi assim.

O fuso horário de onze horas não surtia efeito no meu sono, nem sequer sentia cansaço, mas me obriguei a ir logo para o hotel na tentativa de dormir o quanto antes, porque queria acordar cedo e aproveitar cada um dos dez dias que passaria em Pequim e nos arredores.

Qualquer pessoa que visita a China a turismo tende a ficar encantada com o que vê. Afinal, conhecerá uma nação irreal, fabricada para agradar turistas. Um país sem problemas visíveis, com ruas bastante limpas, uma aparente liberdade, infraestrutura de cair o queixo, segurança completa, nenhum mendigo nas ruas, transporte eficiente e pessoas dispostas a servir. Óbvio, os visitantes só manterão contato, durante poucos dias, com a realidade turística do país preparada para cativar visitantes estrangeiros. Nada além disso.

A minha primeira vez em território chinês também deveria ter sido assim, mas houve uma diferença impactante: eu fui sozinho.

O primeiro golpe

Minha lua de mel com a China durou menos de 24 horas.

Despertei animado na manhã seguinte à minha chegada e tomei um café reforçado, com chá, frutas, ovos e *bāozi* de novo. Eu havia feito um cálculo de distância e verifiquei que a Cidade Proibida ficava a vinte minutos de caminhada do meu hotel. O dia estava limpo, temperatura bem agradável, então resolvi andar.

A caminhada me revelava prédios grandiosos, arquitetura em escala, muita ousadia nas formas e propostas. Passei pelo imenso shopping Oriental Plaza de 王府井 (Wangfujing), a principal rua comercial do centro de Pequim.

Eu já podia enxergar os muros da Cidade Proibida quando surgiu repentinamente ao meu lado um simpático chinês com seu ciclo-riquixá, ou simplesmente riquixá, aquelas bicicletas para transportar passageiros, como se fossem uma pequena carruagem, muito comuns nos países orientais. Ele ofereceu seu serviço de transporte. Achei divertido, mas de fato restava pouco para chegar à Cidade Proibida, então recusei. O sorridente rapaz insistiu, falou-me que era baratinho, valendo-se de um inglês perto do incompreensível.

— Quanto custa? — perguntei.

Ele fez um sinal com a mão, levantando três dedos.

— Três yuans? — questionei, para confirmar o valor.

— Yes — respondeu-me o meu recém-contratado taxista.

Bem, isso custa menos de 1 real, pensei. E ainda dou uma gorjeta no final. Subi no banco macio atrás da bicicleta, coberto como naquelas pequenas charretes, e o chinês começou a pedalar, perguntando de onde eu era.

— Eu sou brasileiro.

— Ohhhhh — suspirou de alegria o rapaz um tanto magrinho, mas de pedaladas fortes. — 巴西 [Bāxī, que significa "Brasil"] — disse ele, e continuou: — Futebol, Copa do Mundo, Ronaldo.

É, o mundo conhece só isso do Brasil mesmo: futebol. E nem sei se essa lembrança vai durar muito tempo. Mais uma geração sem títulos mundiais e seremos lembrados apenas pelo churrasco. Nenhum asiático médio, em particular o chinês, conhece o café brasileiro, a bossa nova, o samba ou o Carnaval. Tudo se resume a futebol.

Enquanto o meu chofer pedalava e repetia os elogios ao futebol brasileiro, outro chinês trafegando em uma bicicleta comum emparelhou com a gente. Os dois falaram algumas palavras rapidamente e trocaram de lugar em uma velocidade incrível. Aquele que eu havia contratado inicialmente sumiu como um esquilo por uma ruazinha sinuosa, enquanto o que assumira seu lugar, um pouco mais forte, começou logo a falar:

— Brasil, hein, legal. Futebol! — De novo, a mesma conversa. — Vou te levar para conhecer um *hutong* — afirmou ele, já desviando o caminho para uma rua transversal.

— Ei, escuta, eu não tenho planos de conhecer um *hutong* hoje, obrigado. Outro dia eu vou. Pode me levar à Cidade Proibida, por favor — pedi.

Os 胡同 (*Hútòng*) são vilas antigas e tradicionais da China, especialmente de Pequim. E, de fato, eu gostaria de conhecer um, mas já havia programado o tour para outro dia.

O rapaz fez-se de desentendido e seguiu penetrando por ruas cada vez mais estreitas, silenciosas e vazias. Eu avistei o muro da Cidade Proibida se distanciando, até desaparecer encoberto pelos muros e telhados das casinhas.

— Por favor, volte ao caminho anterior ou então pare aqui — pedi.

E ele:

— Estamos quase chegando, você vai gostar.

Sem dar ouvidos aos meus apelos, ele entrou por vielas tortuosas, mostrando-me casas antigas, de cem anos, às vezes duzentos ou mais, realmente bonitas, mas a história toda já estava me irritando e a Cidade Proibida ficara distante, quando de repente ele entrou por um beco sem saída e, por fim, parou.

— Pronto. Chegamos — disse.

Percebi algo estranho, cheguei a suspeitar de uma brincadeira, mas, no fundo, sabia que não era coisa boa. Olhei para os lados, não havia ninguém naquele beco, até as casas pareciam vazias, inabitadas. Empostei a voz e disse:

— Está bem. Agora por favor me leve de volta ao local onde estávamos, perto da Cidade Proibida.

— Não posso, aqui é o máximo que podemos avançar. Bicicletas são impedidas de se aproximar daquela área — respondeu-me o rapaz.

Este cidadão está mentindo para mim, pensei. Mas tudo bem, vou pagar logo e caminhar o trajeto de volta. Então tirei uma nota de cinco yuans da carteira e estendi a mão.

— Fique com o troco — falei.

— Troco? — ele riu, em tom de deboche. — São 300 yuans pelo passeio — disse.

— O quê? Você está brincando? Eu combinei 3 yuans com o seu amigo.

O rapaz fechou a cara. Veja bem, não foi uma inflaçãozinha qualquer, o picareta queria cem vezes o valor combinado anteriormente. Ele começou a falar alto, em inglês, sinalizando o número 3 com a mão.

— Trezentos, entende? Ele combinou 300 yuans, é o valor-padrão, então pague-me os 300.

Percebi a trama e me lembrei do único golpe semelhante que eu havia sofrido em dez anos de experiência com viagens internacionais. Acontecera na Hungria, em 2001, outro país que viveu décadas sob um regime socialista e experimentava uma abertura paulatina tanto na política quanto na economia. Em Budapeste, dois homens, supostamente irmãos, insistiram para eu trocar dólares com eles, porque a mãe estava doente, eles precisavam comprar remédio, quase choraram. Troquei um valor baixo, algo como 50 dólares, e tomei calote da metade do total. Quando percebi o desfalque, em poucos segundos, os dois vigaristas já haviam desaparecido no meio da multidão.

Agora, na China, a situação era diferente. Estávamos só eu e o achacador, como num duelo de faroeste, em um beco pouco amigável, sem nenhuma alma viva por perto. Eu me encontrava do outro lado do planeta, literalmente, e meu oponente se sentia em casa. Aos berros, o autoconfiante trapaceiro tentava me intimidar, fato que me obrigou a reagir para manter o controle da situação.

— Pago 5 yuans ou nada! — falei ainda mais alto.

Assustado com a minha reação, ele arregalou os olhos até então apertados e retrucou em tom de ameaça, com saliva escapando pelos cantos da boca:

— Você só sai daqui se pagar os 300 — gritou, prostrando-se no estreito e único caminho que me levaria para fora daquele cenário inóspito.

Respirei fundo, mirei os olhos do sujeito e fui para cima dele decidido a resolver a pendenga no atrito físico. Percebendo a minha determinação, o chinês saiu da frente antes de levar um esbarrão, e passou a me seguir gritando:

— Pague o que você me deve! São 300 yuans, este é o meu trabalho, isso não é justo, dediquei o suor do meu rosto.

O trambiqueiro continuou com suas ameaças, aos berros, até que me virei, tirei a carteira do bolso, contei os trocados e fiz minha última oferta:

— 16 yuans ou nada — que equivaliam a 4 reais.

— Isso não é justo! — ele bradou, novamente.

— Então você escolheu NADA — falei e virei as costas.

— Está bem, está bem, 16 yuans — finalmente, ele concordou. — Vamos fechar em 16 yuans... mas não é justo. Não mesmo.

A armadilha tomou, além dos trocados, pelo menos uma hora do meu dia, pois tive de refazer a pé todo o trajeto que os golpistas haviam percorrido pedalando.

Enquanto andava, fiquei imaginando se fosse uma mulher na minha situação. Provavelmente teria pagado os 300 yuans.

Pelo menos, aprendi a lição: jamais confiar em desconhecidos na China. Jamais!

A lição durou sete dias.

O raio caiu no mesmo lugar

Os demais dias como turista iniciante em Pequim transcorreram sem problemas. Aliás, foram de fato incríveis. Estive na Muralha da China, nas Tumbas Ming, no Templo do Céu, no Palácio de Verão, no Mercado das Pérolas, no Mercado da Seda, na Praça da Paz Celestial, no Templo Lama e até no zoológico. Sim, sempre visito os zoológicos mundo afora quando sobra um tempo. Já conhecia os zoos de Londres, Berlim, Colônia, Buenos Aires e, claro, precisava prestigiar o de Pequim, porque estava eufórico para ver os pandas pela primeira vez.

Na minha penúltima noite na capital chinesa, resolvi sair para um passeio na rua comercial de Wangfujing. Raramente saio para as compras durante as viagens, acho uma bela perda de tempo, mas à noite havia pouco a fazer além de jantar cedo, um costume chinês, então caminhei para aqueles lados de Wangfujing, a uns quinze minutos do hotel, e acabei entrando no shopping Oriental Plaza, maior que os shoppings que eu conhecia no Brasil, na Inglaterra e nos Estados Unidos.

Para os desavisados, vale salientar que comprar produtos ocidentais em shoppings chineses sai mais caro que comprar em seu país de origem. Uma camisa polo da Lacoste, por exemplo, sai pelo dobro do preço praticado no Brasil. Uma da Nike, quase o triplo, e por aí vai. Ou seja, a oitocentos metros do Grande Palácio do Povo, centro do poder comunista chinês, situa-se uma meca do consumo para gente rica, pessoas abastadas mesmo. Ali reúnem-se as mais caras grifes do mundo, a maioria europeias, algumas japonesas e outras norte-americanas.

Entre uma vitrine e outra, veio ao meu encontro uma bela jovem chinesa puxando papo em inglês, com um excelente domínio do idioma, algo até então inédito naquela viagem. Ela me perguntou sobre a decoração das lojas, disse-me que estudava decoração e queria saber a opinião de um estrangeiro.

A conversa evoluiu, ela me contou sobre a mudança da sua cidadezinha natal para Pequim, onde começou a estudar arquitetura, falou da saudade que sentia dos pais, dos seus planos de viajar para fora, ou seja, uma conversa mais profunda do que a ocasião pedia. Então, ela me perguntou se eu conhecia os bares e restaurantes de Sanlitun (三里屯), o famoso distrito onde se concentra a vida noturna da capital chinesa.

Além das compras, essa é outra grande inutilidade para mim em viagens: vida noturna. Isso porque são todas iguais, de Bangkok a São Paulo, de Nova York a Paris, sempre as mesmas músicas, os mesmos drinques, as mesmas luzes e a mesma gente chata. Prefiro aproveitar o dia, os monumentos, museus, parques e praças; ruas, livrarias e locais históricos, além de admirar a arquitetura, as paisagens e, obviamente, desfrutar da gastronomia em restaurantes, bistrôs, cafés e casas de chá. Respondi a ela que havia lido a respeito da Sanlitun, mas que não conhecia.

— Você não pode ir embora da cidade sem conhecer — disse a chinesa que se chamava Júlia.

Júlia? Você deve estar se perguntando. Sim, todos os chineses adotam um nome ocidental quando começam a ter contato com estrangeiros. Isso porque o nome deles é praticamente impronunciável para quem não tem familiaridade com o mandarim. E ninguém memoriza aquilo que não consegue pronunciar.

Declinei, mas a sedutora chinesa não se deu por vencida. Queria de qualquer jeito uma companhia para a noitada pequinesa. Agradeci e fui me despedindo quando ela fez sua última investida:

— Espera! Eu me lembrei de um bar muito bom aqui perto do shopping. Ele é novo e muito conceituado. Vamos lá, apenas um drinque, por favor! Vamos, *pleeease*!

Como é que se nega um pedido tão carinhoso assim? Certo, um só drinque não faz mal a ninguém, e eu ainda conheceria um conceituado bar chinês. Vamos lá. Caminhamos por uns quatrocentos metros no sentido leste até adentrar uma daquelas vielas escuras e estreitas do centro de Pequim. Chegamos ao bar, com a fachada bem decorada, uma iluminação cuidadosa, parecia mesmo um lugar sofisticado. Ao atravessar a porta, uma escadinha nos levava para o subterrâneo do estabelecimento, lembrando alguns bares e restaurantes que frequentei em Praga.

O bar estava vazio, éramos os primeiros clientes da noite. Fazia sentido, pensei, ainda estava cedo e o movimento certamente começaria mais tarde. Apressada, Júlia pediu uma garrafa de champanhe, uma cerveja especial e uma margarita, água Perrier, uma porção de castanhas e outra de frutas. É, os chineses consomem frutas nos bares, às vezes para acompanhar a cerveja. Elas vêm cortadas em pequenos pedaços: kiwi, melancia, abacaxi, melão, uva. Júlia já ia pedindo mais porções e bebidas quando a interrompi.

— Espere, por favor, eu não estou com fome. Comi em um restaurante mais cedo. Não precisa pedir nada para mim, obrigado. Além disso, seria só um drinque, lembra?

Ela riu, fez-se de desentendida.

— Desculpe-me, é nosso costume na China pedir tudo de uma só vez para ter fartura na mesa — explicou-me.

E, realmente, ela não estava mentindo, como eu descobriria anos mais tarde. Os minutos foram passando, reparei naquele cenário, no fato de não haver cardápio, observei os chineses mal-encarados que trabalhavam no bar, as mesas vazias, uma escada estreita, sem nenhuma outra saída... Oh, não! Naquele momento me lembrei dos golpistas da bicicleta da semana anterior.

Não acredito que caí em mais uma cilada chinesa, pensei. *Preciso dar o fora daqui.*

— Garçom, a conta, por favor.

— Mas ainda é cedo, vou pedir outro champanhe — disse Júlia.

— De jeito nenhum, mal tomamos a primeira garrafa. Estou indo embora.

Enquanto eu explicava para ela que precisava ir embora, o garçom trouxe rapidamente a conta: 300 malditos dólares! De novo o número 300, mas dessa vez não eram yuans, e sim dólares, ou o equivalente, na época, a 2 mil yuans. Encrenca, lá vamos nós de novo.

Pedi um cardápio para checar os valores, e recebi como resposta um "não temos cardápio". A situação só piorava.

— E como vou saber o preço de cada item? — perguntei.

— Está tudo na conta — respondeu o chinês afrontoso, já cercado de outros comparsas. Eu não tinha muito tempo para pensar, então imediatamente saquei a câmera fotográfica do bolso do meu casaco e tirei uma foto do grupo.

— Ei, não pode tirar foto aqui dentro — advertiu um deles.

— Mas eu já tirei e levarei para a polícia. E vou pagar essa conta apenas com a presença dos policiais aqui — falei.

A situação foi ficando mais tensa, até que um chinês veio até mim tentando tomar a câmera de minhas mãos, dizendo que iria apagar a foto.

— Encoste nesta câmera e você será preso — falei sério.

Eles se entreolharam. Os chineses não costumam se intimidar, mas a menção a uma prisão parece ter surtido efeito, levando a uma tentativa de diálogo.

— Olha, a conta é 300 dólares, você nos deve isso, então pague e ficará tudo bem — afirmou uma chinesa que parecia ser a gerente do lugar.

Aí foi a minha vez de negociar. Como durante dias eu já havia consultado os cardápios dos restaurantes, eu tinha uma ideia bem concreta do valor das bebidas na cidade. Aquilo que havíamos consumido em pouco mais de meia hora não chegava nem a 100 dólares, o que já era uma fortuna para os padrões chineses no ano de 2009.

— É o seguinte — comecei. — Primeiro, o valor é absurdo, eu aceito pagar a metade. Segundo, essa moça não é minha convidada. Então eu pago a minha parte, ela que arque com o resto.

Júlia começou a se agitar. Protestando, falou que era, sim, minha convidada, e que eu deveria pagar toda a conta. Confirmei anos depois, quando me mudei para a China, o que eu suspeitava. As moças formam uma parceria com os bares, atraindo clientes, normalmente turistas que caem no canto dessas sereias de olhos puxados. Depois, a jovem pede uma grande quantidade de bebida, com o objetivo de embriagar a vítima para depois extorqui-la com uma conta astronômica, irreal. Comigo não funcionou.

Por fim, eu não tinha mais dinheiro comigo, então precisaria passar o cartão de crédito. Entreguei o cartão e pedi para passar o valor equivalente a 75 dólares. De novo, se agitaram, ameaçaram e retomei o meu discurso triunfal da tríade "foto, polícia, prisão". Sob os já conhecidos protestos de "Isso não é justo", eles finalmente passaram o cartão com o montante que estipulei. Júlia estava inconformada, e recebia olhares de reprovação dos seus parceiros, afinal, ela trouxera ao bar uma vítima problemática.

Subi as escadas estreitas escoltado por um dos seguranças e saí do bar, sempre de olho em cada detalhe ao meu redor, certificando-me de que não haveria mais nenhuma surpresa desagradável. Peguei o caminho de volta para o hotel indignado com a pilantragem daqueles chineses. Passaram-se cinco minutos e me deparei com uma viatura da polícia. Dirigi-me até os oficiais e contei parte da história em inglês, parte em chinês e outra parte em mímica, porque eles não dominavam o inglês.

Passei aos policiais o nome e o endereço do bar, localizado relativamente próximo da estação de metrô de Dongdan (东单), mostrei a foto e me disseram: "Certo, vamos verificar". Segui direto para o hotel e fiz o mesmo registro na recepção, já que ao menos a recepcionista entendia bem o inglês. De novo: "Certo, vamos verificar", disse ela.

Eu nunca receberia uma resposta sobre o caso, nem da polícia, tampouco do hotel, isso estava bastante claro.

Mas desta vez aprendi a lição, pensei.

Jamais confiar em desconhecidos na China. Jamais!

A lição perdura até hoje.

PARTE II

Rito de passagem

1 Beijing, ou Pequim, capital da China, onde o autor trabalhou na mídia estatal chinesa e no 19 Congresso do Partido Comunista, realizado em 2017. Oito anos antes, em 2009, ele havia vi sitado a cidade como turista, enquanto estudava mandarim.

2 Shijiazhuang, capital da província de Hebei, a aproximadamente 260 km de Pequim, primeir cidade chinesa onde o autor viveu, de 2015 a 2016, trabalhando como professor universitário.

3 Taipé, ou Taipei. Na capital de Taiwan, o autor fez o Curso de Desenvolvimento Nacional ofe recido pelo governo do país, com lideranças de 14 países latino-americanos.

4 Hong Kong, no sul da costa chinesa, tem sofrido forte repressão da ditadura comunista, qu descumpre os acordos firmados com a Inglaterra para a devolução da região ao controle chi nês. A cidade faz vizinhança com Macau, ex-colônia portuguesa, e Shenzhen, sede de empre sas de tecnologia como a Huawei.

5 O autor esteve em na capital da província de Yunnan, Kunming em 2018 a caminho de Pu'er, cer ca de 400 km ao sul da capital, onde se produz um dos melhores chás da China, enquanto elefan tes selvagens perambulam por suas florestas, perto da fronteira com Laos, Vietnã e Mianmar.

6 Em Xian repousam os Guerreiros de Terracota, um dos mais notáveis sítios arqueológicos d mundo, onde o autor esteve e conheceu brasileiros com quem viajou posteriormente para Templo Shaolin.

7 Wuhan, na província de Hubei, registou os primeiros casos da gripe chinesa Covid-19. A negli gência do Partido Comunista resultou em milhões de mortes no mundo todo.

8 Em Zhengzhou, capital da província de Henan, o autor gerou uma situação embaraçosa ao fu gir do roteiro imposto pelo Partido Comunista numa entrevista coletiva.

9 Harbin era a sede da Embraer na China, fechada após os chineses copiarem a tecnologia bra sileira para desenvolver seu próprio jato. Na capital de Heilongjiang, o autor visitou a cidad de gelo e experimentou um frio de 30 graus negativos, próximo da fronteira com a Rússia.

3. Empresas estatais?

Voltei de férias maravilhado com o que vira na China, apesar de ressabiado com os pequenos golpes. Porém, os atribuí à falta de sorte e ao fato de viajar sozinho em vez de viajar em grupo ou em uma excursão, modalidades de turismo que ajudam a evitar as investidas dos trapaceiros.

Nem as atrações dos quatro dias que passei em Dubai na jornada de volta rivalizaram com o encanto dos momentos desfrutados em Pequim. E olha que o Burj Khalifa, o edifício mais alto do mundo, já havia alcançado a altura de 828 metros, embora tenha sido inaugurado oficialmente apenas em janeiro de 2010.

Nos Emirados Árabes, percebi imediatamente a falsa opulência dos novos ricos, que escondem suas fraquezas atrás de joias e uma sofisticação recém-fabricada, jeca ao seu estilo, mas me faltou a mesma percepção na capital chinesa. Toda aquela riqueza ancestral da China certamente ajudou a inebriar os sentidos. A arquitetura acumulada por diferentes dinastias, as formas que eu antes só havia vislumbrado em pinturas, gravuras, livros, filmes e documentários, pude desfrutá-las todas ao vivo e em cores, muitas cores, diga-se de passagem. Os templos budistas, com detalhes lapidados à mão em cada telhado, a perícia em cada uma das milhares de vigas daqueles 9.999 ambientes da Cidade Proibida, como é conhecido o antigo Palácio Imperial.

Os jardins ostentando bonsais em tamanhos de árvores reais, uma estética que só se alcança com cinco séculos de cuidados, ou mais. Nenhum novo jardim pode reunir todo aquele esplendor se não tiver ao menos alguns séculos de existência. Apenas o tempo, a natureza e a paciência de gerações de hábeis jardineiros são capazes de esculpir algo tão impactante à visão humana.

Afora a China ancestral, que concentra cerca de 80% do turismo estrangeiro no país, ao circular pelas grandes metrópoles o turista percebe uma infraestrutura impressionante, avenidas tão amplas que fazem as vias de Brasília parecerem ruelas de cidades interioranas, sem contar os arranha-céus de padrão nova-iorquino, além de um certo exagero nas proporções das fachadas e salões, comuns a regimes totalitários que remetem a algumas obras remanescentes da Alemanha nazista, passando pela magnitude da engenharia fascista de Mussolini, até desembocar nos equipamentos públicos monumentais da extinta União Soviética.

Cabe mencionar, ainda, a suntuosidade dos hotéis que tive a oportunidade de conhecer durante a viagem, nem que fosse para tomar um único café da manhã mais requintado. Um dos hotéis de grife europeia, localizado perto de Wangfujing, deixava disponível em seu estacionamento dois dos mais luxuosos modelos de Rolls-Royce para atender exclusivamente aos hóspedes da suíte presidencial, dirigidos por motoristas estrangeiros poliglotas vestidos com ternos Armani. Assim se apresenta aos turistas, embebido em luxo e ostentação cafona, o último grande regime comunista do planeta.

Em meu retorno à rotina do Brasil, em abril de 2009, tudo parecia muito pequeno em comparação com o vibrante crescimento econômico chinês. Regressei com mais vigor e vontade de estudar mandarim. O mesmo, porém, não ocorreu com o trabalho, principalmente ao conviver diariamente com uma chefia desagradável, responsável por uma debandada dos melhores profissionais de comunicação da Universidade de Brasília.

Um fiapo de esperança surgiu quando os editores da revista com a qual eu colaborava decidiram publicar um material especial sobre grandes empresas, que, de quebra, geraria uma receita comercial à revista recém-lançada pela universidade. Sugeri incluir as grandes empresas chinesas na pauta, e me propus a fazer pessoalmente o levantamento delas.

— Nem pensar. As empresas chinesas são todas estatais — disse a editora, uma jornalista brasileira militante de partidos de esquerda.

Ela nunca fingira imparcialidade política, era uma socialista assumida, daquelas que discursavam a favor de Fidel Castro enquanto sorvia vinhos franceses, vestia roupas com um número ainda maior que o seu corpanzil e caminhava descalça pela reitoria para afrontar os padrões, como se a esquisitice já não fosse um padrão nas universidades públicas brasileiras.

— Como assim? — indaguei. — As empresas chinesas não são todas estatais — protestei com um excesso de ingenuidade, agora reconheço.

Mas aquela mulher no fundo tinha razão, ao mesmo tempo que ela cometia um erro. A jornalista-militante estava certa ao derrubar a minha pauta, mas errada em excluir do foco comercial as empresas controladas pelo regime chinês, justamente aquelas que há mais de uma década despejam milhões de dólares na mídia ocidental com o intuito de reproduzir sua propaganda política.

A propósito, o investimento em comunicação, propaganda e *soft power* [poder brando] constituía uma emergência para a China, já que os chineses são desde sempre ótimos negociadores, porém incapazes de melhorar sua imagem perante o mundo. Em fevereiro de 2009, por exemplo, dias antes da minha viagem para o outro lado do mundo, Xi Jinping esteve no Brasil pela primeira vez, cumprindo agenda em países da América Latina como vice-presidente chinês.

Em sua passagem pelo México, o político em ascensão dentro do Partido Comunista Chinês deu declarações desastrosas para um grupo de chineses, comentando a crise financeira que afligia o mundo: "Há alguns estrangeiros entediados, de barriga cheia, que não têm nada melhor para fazer do que apontar o dedo para nós. Primeiro, a China não exporta revolução; segundo, a China não exporta fome e pobreza; terceiro, a China não vem te causar dores de cabeça. O que mais há a ser dito?".

Acontece que a fala foi capturada por uma emissora de Hong Kong bastante disposta a divulgar a história pelo mundo. O líder chinês precisava urgentemente de um aparato de comunicação para não se meter em novas enrascadas. Curiosamente, eu faria parte desse aparato oito anos mais tarde, quando Xi Jinping já era o todo-poderoso presidente da China. Entretanto, não foi em 2009 que nossos caminhos se cruzaram pela primeira vez, nem no Brasil tampouco na China.

Já insatisfeito com o meu trabalho maçante realizado na UnB, em maio daquele ano troquei de emprego, voltei para uma empresa privada, mas continuei estudando mandarim, que elegi como uma prioridade mesmo consciente de que perderia a bolsa de estudo por ter deixado a assessoria de imprensa da universidade.

O meu mergulho de cabeça nos estudos chineses começava a transmutar todo o meu entendimento sobre o gigante oriental, assim como mudaria em definitivo o percurso da minha vida

Enquanto isso, o destino reservava o meu encontro com Xi Jinping para um momento histórico.

4. Meu amigo Cheng

Sediado no distrito central de Xicheng, em Pequim, o Instituto Confúcio se transformou em uma das mais preciosas gemas da propaganda do governo chinês em poucos anos. Não que outros países não mantenham seus similares, como a Sociedade Dante Alighieri, da Itália; o British Council, da Inglaterra; ou o Instituto Camões, de Portugal; o Cervantes, da Espanha, e o Goethe, da Alemanha, só para colocar alguns exemplos.

A diferença essencial entre o Instituto Confúcio e os demais citados é que apenas o chinês é controlado por um regime ditatorial, que o usa para fins de espionagem e para espalhar propaganda estatal desprovida de qualquer vínculo com a realidade.

E era exatamente naquele ambiente que eu estava inserido sem suspeitar de nada, aprendendo logo de início a usar o pinyin, ou seja, o sistema-padrão de grafia em alfabeto romano para transliterar o chinês. Assim, as pessoas conseguem ao menos saber qual seria a fonética daqueles caracteres chineses, que somam mais de cinco mil desenhos. Para a total compreensão da norma culta, há quem diga que os caracteres chegam ao assombroso número de dez mil, tornando o chinês o idioma mais complexo para aprendizagem entre os ocidentais.

Permitam-me um exemplo: o nome do Instituto Confúcio em chinês é 孔子学院. Em pinyin, iremos ler como *Kǒngzǐ Xuéyuàn*, cuja pronúncia aproximada é "*Contzi Xuéiuen*". Isso facilita bastante o aprendizado da língua para cidadãos do mundo todo, ao menos até você chegar à China e descobrir que precisa reaprender o idioma de acordo com a pronúncia ou o sotaque de cada região do país.

Mas não importa, porque eu estava decidido a estudar como um prisioneiro de campo de reeducação chinês, virar um letrado no idioma, um poeta do mandarim capaz de compor canções chinesas e recitar de memória os poemas de Li Bai, qualificado para discutir Aristóteles com um discípulo de Confúcio em seu próprio idioma. Enfim, eu me transformaria em um verdadeiro Google Tradutor. Tudo muito bonito no discurso, mas o meu entusiasmo durou só dois semestres.

No primeiro semestre, antes de conhecer a China, a nossa professora era mais que uma professora, era praticamente uma tiazinha com quem você come bolinhos e toma chá-verde. Uma senhorinha chinesa encantadora, pequenina de estatura, muito doce, simpática e atenciosa chamada Jinhue.

Com ela, em poucas semanas aprendi como formular todo tipo de pergunta em chinês, que acabei usando na viagem a Pequim. Os chineses conseguiam entender a minha pergunta: ponto para mim. Mas eu não conseguia entender bulhufas do que eles respondiam.

Isso, obviamente, não era culpa da minha professora de mandarim no Brasil, afinal naquele primeiro semestre tivemos umas quinze aulas, em uma sala bem típica das universidades públicas brasileiras: carteiras capengas, a tinta das paredes, onde ainda havia, estava descascando, e o acesso se dava por uma grande porta de madeira sem maçaneta, que nos obrigava a colocar um calço para mantê-la aberta. Nessa época, o Instituto Confúcio ainda não havia sido oficialmente instalado na Universidade de Brasília, então o curso de idiomas era oferecido sob a responsabilidade exclusiva da UnB Idiomas.

O segundo professor era bem mais jovem e dinâmico. Também chinês, tinha passado a infância no Uruguai até se mudar na adolescência para o Brasil. Falava espanhol e português com a mesma fluência com que dominava o mandarim.

Percebi o desenvolvimento rápido do meu aprendizado em mandarim, a ponto de, ao fim do terceiro semestre, eu ser capaz de travar uma conversa básica e ler um texto de uma página inteira em caracteres chineses, uma exigência na prova do fim daquele semestre, quando o Instituto Confúcio ganhou, ainda em 2009, um espaço próprio no campus da UnB. A minha proximidade com os chineses e o desempenho nas provas me renderam a manutenção da bolsa de estudos. Além disso, eu gozava da simpatia da diretora dos cursos de idiomas da universidade, porque eu sempre a ajudava na divulgação.

Tanto a professora quanto o professor dos três primeiros trimestres não estavam sob a supervisão direta do Instituto Confúcio. A partir do quarto semestre, contudo, o curso passaria ao controle do instituto, em sistema de parceria com a UnB. Na realidade, a universidade oferecia apenas a sede e a infraestrutura para o funcionamento do curso, enquanto cabia ao Instituto Confúcio a contratação dos professores, a gestão do conteúdo e a organização de eventos em parceria com a Embaixada da China e grupos de estudo da cultura chinesa.

Assim, apenas cinco anos depois do lançamento do Instituto Confúcio em Pequim, em 2004, ele estava definitivamente instalado na capital brasileira, Brasília, e no centro financeiro do país, São Paulo — uma amostra da importância auferida pelo governo chinês ao Brasil, a principal potência da América Latina.

A coordenação mundial do Instituto Confúcio compete ao Hanban, organismo afiliado ao Ministério da Educação da China. A parceria envolve universidades chinesas e estrangeiras. O Ministério responde diretamente à Presidência da China e, por consequência, às diretrizes da Secretaria-Geral do Partido Comunista Chinês. Simplificando: o Instituto Confúcio cumpre no mundo as determinações do regime comunista.

Para a direção do instituto em Brasília, o Hanban nomeou o senhor Yang, ou Mister Yang, como quase todos o chamavam na universidade, e montou um novo time de professores, todos chineses. Na festinha de recepção do semestre que iria se iniciar, no início de 2010, os alunos conheceram seus novos professores. Naquela ocasião, tive o primeiro contato com o professor Cheng (程), que se tornaria um grande amigo, para falar a verdade, meu melhor amigo chinês.

Um amigo que — eu só saberia mais tarde — cairia nos encantos de um poderoso inimigo.

Política do filho único

Para entrar no Partido Comunista, o postulante passa por uma seleção na qual apenas um a cada dez são admitidos, de acordo com informações do próprio partido. Em 2014, por exemplo, cerca de 22 milhões de jovens chineses se submeteram ao processo seletivo, e não mais de dois milhões conseguiram engrossar as fileiras da sigla. Em 2020, o número de membros do PCCh atingiu a marca de 91 milhões. Ou seja, praticamente um em cada quinze chineses é filiado ao maior partido do país, e o segundo maior do mundo, atrás apenas do Bharatiya Janata (Partido do Povo Indiano), da Índia, com quase o dobro de membros.

Ainda de acordo com números divulgados pela China, mais de 50 milhões de chineses vivem atualmente em países estrangeiros, embora entidades internacionais e dissidentes chineses calculem que esse total seja superior a 60 milhões. Ou seja, existe uma Itália inteira de chineses morando fora da China.

Se considerarmos a proporção de um membro do partido para cada quinze cidadãos chineses, concluímos que, mantida essa proporção entre os expatriados chineses, no mínimo quatro milhões de membros do Partido Comunista Chinês vivem em países estrangeiros, porque essa proporção tende a ser ainda maior fora da China. Nos últimos anos, uma exigência para ser aprovado na seleção do partido tem sido o domínio de um idioma estrangeiro, evidenciando a importância de enviar mais membros para outros países.

Por si só, o número de integrantes do partido morando em outras nações já é gigantesco. Contudo, além dos membros, todo cidadão chinês tem o dever de prestar esclarecimentos ao governo quando assim o for solicitado, multiplicando o número de espiões e informantes chineses que atuam em território estrangeiro. Eles se espalham pelo comércio, restaurantes, multinacionais, empreendimentos, fazendas, ONGS, governos e, é claro, pelas universidades.

Minha convivência com o novo professor chinês só aumentava, afinal, ele morava perto da minha casa, estava ansioso para conhecer Brasília e aprender português, já que chegara ao Brasil sem saber pronunciar um mero "bom dia". Garantia-se no inglês enquanto estudava português sem parar. E eu estava trabalhando pesado como estrategista de comunicação para empresas dentro do Congresso Nacional e, ao mesmo tempo, era consultor da Embratur, a Agência Brasileira de Promoção Internacional do Turismo.

Por causa disso, minhas viagens se tornaram cada vez mais constantes, acarretando muitas faltas no curso de mandarim. Mesmo quando eu conseguia participar das aulas, faltava-me tempo para estudar as lições ou praticar o idioma. A amizade cada vez maior com Cheng compensava um pouco essa lacuna, já que, vez ou outra, tentávamos travar conversas em mandarim, sempre a meu pedido, porque ele preferia praticar inglês ou aprender português.

Inicialmente alojado em um apartamento na UnB, Cheng estava procurando outro lugar para morar, já planejando trazer sua família para o Brasil. Quando digo apartamento refiro-me a uma espelunca velha da Colina, o bairro residencial localizado dentro da Universidade de Brasília. A Colina abrigara professores que haviam passado anos no exterior e mantinham, durante o regime militar brasileiro, reuniões regulares com diplomatas, funcionários públicos e políticos de esquerda que ambicionavam derrubar a ditadura que vigorava no Brasil.

Após quase trinta anos, em 2010 a Colina parecia mais um bairro russo abandonado, com aquela urbanização socialista típica da Brasília influenciada pelo arquiteto Oscar Niemeyer, enterrando no passado os momentos de glória reclamados pela esquerda brasileira.

Tudo o que lhe interessava era sair dali o quanto antes, uma vez que dividia o apartamento com um professor norte-americano meio amalucado e um brasileiro que só aparecia na hora de comer.

Minha amizade com ele estava tão sólida que levei minha mãe para um jantar oferecido por Cheng no apartamento da Colina, onde ela provaria pela primeira vez uma comida chinesa legítima, diferente de tudo que já havia experimentado em restaurantes chineses no Brasil.

Brindamos com cerveja a uma amizade ainda maior que a nossa: a amizade entre o Brasil e a China.

Naquele momento, as suspeitas de que os professores do Instituto Confúcio poderiam ser membros do Partido Comunista circulavam apenas entre poucos policiais federais com quem eu mantinha contato. Um deles, entretanto, foi mais incisivo e provocou minha reação:

— Você está assistindo a muitos filmes de espionagem — argumentei com Pagani, meu amigo policial.

— Deixe de ser ingênuo — respondeu Pagani. — Ele veio para cá enviado pelo partido por alguma razão, pode ser espionagem.

Aquelas palavras me puseram a refletir. Mas por que diabos o partido enviaria uma pessoa naquelas condições, passando por privações no Brasil, não raramente precisando de dinheiro emprestado para pagar algumas contas? Seria tudo encenação? Não me parecia crível, e tentei novamente demover Pagani de alimentar qualquer teoria da conspiração. Dessa vez, foi ele quem reagiu:

— Rafael, eu já te falei de alguma suspeita que não se confirmou? — perguntou olhando nos meus olhos com seriedade, durante um almoço em um restaurante do Lago Sul, em Brasília.

— Bom, não, isso de fato nunca aconteceu, você sempre acertou — respondi. — Mas tudo tem uma primeira vez... — Rimos e mudamos de assunto.

Pagani ganhou o apelido de CSI entre investigadores e agentes de inteligência do Brasil, um tributo a suas técnicas apuradas para desvendar crimes.

Fiquei com uma pulga atrás da orelha a partir daquela conversa. Mesmo assim, ajudei Cheng como pude, meu primeiro amigo *made in China*. Primeiro, intermediei a negociação na imobiliária para ele alugar um apartamento sobre um prediozinho comercial na Asa Norte, que o manteria perto tanto da universidade quanto da minha casa.

O apartamento era razoável, dois quartos, sendo um deles amplo, um banheiro social, uma sala e uma cozinha conjugada com uma pequena área de serviço, daquelas bem apertadas. O problema é que, tirando a geladeira e as camas, não havia mais nenhuma mobília, diferentemente dos apartamentos chineses, que já vêm quase todos mobiliados.

Finalmente, chegou o dia do desembarque da esposa e do filho de Cheng ao Brasil. Ansioso, busquei Cheng em sua casa, e seguimos para o Aeroporto Internacional de Brasília.

No meio daquela multidão, surgiu uma chinesa de pele clara, sorriso fácil e corpo esguio, seguida de um pequeno chinesinho bochechudo. Era ela, Lina. Fomos ao encontro deles, um encontro estranho, pois os chineses mal se tocam. O pequenino de quatro anos olhava tudo aquilo assustado enquanto os pais ordenavam que ele me cumprimentasse:

— Fale "oi" para o Rafa *Shūshu* (叔叔) [Tio Rafa], fale, anda! — insistiam.

Lina carregava nas mãos uma bolsa feminina e nos ombros uma bolsa de viagem que não pesava mais de doze quilos. Fiquei olhando para trás deles, mirando o portão de onde saíram, procurando o carregador responsável pelas malas e caixas da mudança.

— Onde estão as malas? — perguntei em inglês.

— Está aqui — respondeu Lina, mostrando a bolsa de viagem.

Era só aquilo mesmo. A pessoa estava se mudando de país, trazendo um filho, mas tudo o que ela carregava cabia em meio banco de trás do carro. Até então, eu desconhecia a praticidade dos asiáticos, e permaneci incrédulo durante todos os vinte quilômetros de volta até a casa que iria abrigá-los.

Eu também não entendia por que alguém tiraria a família do conforto de seu país natal, onde viviam bem, tinham carro, estavam perto dos parentes, para viver em um apartamento sobre um bar barulhento, em um lugar totalmente diferente de sua realidade. Acontece que em 2010 ainda vigorava na China a política do filho único. Quem quisesse tentar a sorte de conceber um segundo rebento, precisaria se arriscar em outra nação, registrando os demais filhos como cidadãos estrangeiros. Sem saber, eu estava ajudando no crescimento de uma família chinesa no Brasil.

Aquele apartamento não tinha o objetivo de ser apenas um lar, mas uma pequena fábrica de chinesinhos na capital do Brasil.

Sorte no jogo...

Uma boa proposta de trabalho caiu no meu colo logo no começo de 2011, o primeiro ano de governo da presidente Dilma Rousseff, do Partido dos Trabalhadores (PT). Uma agência havia sido escolhida para coordenar a comunicação de outro partido político no Congresso Nacional e me chamou para ser o assessor *in loco* na Câmara dos Deputados.

Na prática, eu estava atuando como coordenador nacional de comunicação, já que a executiva do partido despachava na liderança da Câmara juntamente com o vice-presidente da sigla. E o vice, por sua vez, era o verdadeiro dono da legenda, cabendo ao presidente do partido uma agenda decorativa no Rio de Janeiro.

Como eu já atuava no Congresso exercendo consultorias para empresas privadas, ali sentia-me em casa. Inédito para mim era estar do outro lado da banca, atuando em favor de um partido, e não de empresas. A proximidade com parlamentares acabou gerando um novo ciclo de contatos e amizades além daqueles jornalistas e assessores com quem eu já convivia havia alguns anos.

E, curiosamente, Cheng também achou interessante que eu me relacionasse com deputados, ficando mais próximo do centro do poder político do Brasil. Em anos anteriores, eu havia sido assessor de ministérios, mas os ministros já haviam sido substituídos, então o Congresso me propiciou uma reaproximação com o setor público.

Coincidentemente, o partido para o qual eu trabalhava mantinha um bom relacionamento com Taiwan, o país oriental de onde compramos um monte de parafernália tecnológica. Se por um lado meus conhecimentos sobre a China ainda começavam a decolar, por outro, a minha ignorância sobre Taiwan era acachapante.

Para nós, cidadãos brasileiros, Taiwan consiste em um pequeno país oriental, conhecido como um dos Tigres Asiáticos, ao lado de Hong Kong, Coreia do Sul e Singapura. Quanto a Hong Kong, passamos a receber mais informações a partir de 1997, ano em que a cidade voltou aos domínios chineses depois de 156 anos sob o controle britânico. Nas mãos dos ingleses, Hong Kong havia experimentado um crescimento extraordinário, aumentando o interesse de Pequim pela região.

Mas e Taiwan? O que sabemos sobre a ilha, seu povo e, sobretudo, sua relação com a China? Muito pouco. Até hoje, cidadãos brasileiros e de outros países não conhecem quase nada da realidade taiwanesa, infelizmente. Na realidade, o mundo virou covardemente as costas para os 24 milhões de habitantes da ilha, que resistem, como um leão acuado, aos assédios do regime comunista chinês.

Taiwan estava só começando a entrar na minha vida, timidamente, mas a relação só se fortaleceria a partir dali.

Os amigos chineses, cada vez mais numerosos, eram diplomáticos ao falar sobre Taiwan. E vice-versa: os taiwaneses raramente se envolviam em temas espinhosos relacionados à China. Dessa forma, apenas contribuíam para aprofundar minha ignorância sobre Taiwan e sua relação problemática com o regime comunista.

Minhas habilidades com o mandarim evoluíam a passos de tartaruga. Além da falta de tempo, a amizade com Cheng favorecia uma relação preguiçosa com o idioma. A verdade é que eu treinava um pouco com ele, com sua família e também com outros chineses recém-chegados. Porém, à medida que ele aprendia português e evoluía no inglês, era cada vez mais escassa a nossa interação em mandarim.

No cenário político, a chegada de Dilma Rousseff à Presidência em 2011 trouxe algumas mudanças importantes na Esplanada dos Ministérios. Uma das mais relevantes, embora poucos tivessem conhecimento, ocorreu no Ministério das Relações Exteriores, o Itamaraty. O diplomata Antonio Patriota assumiu a vaga de Celso Amorim como chanceler, com a importante missão de se aproximar da China.

Ex-embaixador do Brasil nos Estados Unidos entre 2007 e 2009, Patriota conhecia a fundo a potência hegemônica norte-americana, que parecia navegar em águas tranquilas desde o colapso de Moscou até aquele momento, ignorando o crescimento acelerado da China, seja por desconhecimento ou pela ambição de se beneficiar da maior economia da Ásia, posição alcançada no fim de 2010 ao superar o PIB do Japão pela primeira vez em cinquenta anos.

Nesse contexto, no começo de 2011 recebi uma ligação de Cheng, informando-me sobre seu novo trabalho:

— Rafa, vou começar a dar aulas no Instituto Rio *Blanco*, do *Itamalaty.* E também serei professor do *Patliota.*

Claro que eu não consegui conter minha gargalhada. Lembro-me de estar dirigindo, então encostei o carro para não provocar um acidente. Meu coração dizia que era errado, mas não resisti e perguntei:

— O quê? Não entendi, eu estava dirigindo. Você pode repetir, por favor?

— O *Itamalaty*, Rafa. Eu vou dar aula para os alunos do Rio *Blanco* e para o novo chanceler, o *Patliota.*

Parecia uma piada pronta, ninguém conseguiria inventar uma frase daquela para tirar onda com a cara de um chinês. Para compensar a maldade, saímos para celebrar o novo trabalho entre brindes de chope e muito bate-papo, ele estava realmente eufórico. Não era para menos, pois começava a pavimentar seu próprio caminho dentro do governo brasileiro, e o fazia em uma área estratégica.

Dessa forma, um professor do Instituto Confúcio, órgão diretamente ligado ao Ministério da Educação do Partido Comunista Chinês, tornava-se também professor do ministro das Relações Exteriores do Brasil. Tudo não passava de coincidência, certo?

Errado. Ao menos na visão de Pagani, meu amigo da Polícia Federal:

— Está vendo, não te falei? Nada disso é obra do acaso.

— Espera aí, Pagani — contestei. — Você está me dizendo que o Itamaraty não saberia identificar um espião estrangeiro? Logo o Ministério das Relações Exteriores, que deve ser cuidadoso ao selecionar seus colaboradores?

Ele dobrou a aposta:

— Isso que você disse faz sentido em um governo que preza pela soberania nacional. Mas com tanto político corrupto no Brasil, é capaz que haja acordo entre os dois países, e alguém está ganhando bastante dinheiro com essa história.

Mais uma vez, ele me colocava para pensar e questionar toda aquela situação. Por mais que eu tivesse motivos para suspeitar da lisura do partido de Dilma Rousseff, justamente por ter trabalhado quatro anos em diferentes ministérios do então presidente Lula, mentor político de Dilma, não conseguia assimilar a ideia de um conchavo internacional que pudesse comprometer a segurança do Brasil.

Cheng, aparentemente alheio a qualquer tipo de maquinação espúria, estava mesmo era feliz com seu progresso profissional no Brasil. Quando vivia na China, ele trabalhava também como professor, e sua esposa, Lina, era enfermeira na cidade de Shijiazhuang, capital da província de Hebei. Formavam, portanto, um casal da nova classe média chinesa, capaz de viver dignamente, comprar um apartamento de padrão médio em um prédio sem elevador e dirigir um Ford Mondeo.

No Brasil, a renda foi aumentando a ponto de Cheng também comprar um carro, um Volkswagen Logus azul-marinho que já deveria ter sido aposentado. Mas para ele era muito melhor se arriscar na direção daquele Logus que se deslocar de ônibus pela capital brasileira, uma das cidades mais hostis no transporte público que já conheci.

Se por um lado o trabalho progredia a todo vapor, o sucesso não se refletia na tentativa de gerar um filho no Brasil. Para piorar, Lina não poderia ficar muito mais tempo fora da China. O prazo para a sua licença do trabalho no hospital terminaria no meio ou fim de 2011, a depender de uma negociação com sua diretoria.

Cheng e Lina formavam um casal fantástico, pessoas de gostos simples, comunicativas e sempre simpáticas, sorridentes, acabaram se tornando amigos dos meus amigos, e também da minha irmã, do meu cunhado. Lembro que uma vez o filho deles, o pequeno Rou Rou, brincou com a minha sobrinha e outras crianças até desmaiar de cansaço em uma festa junina da igreja. Mesmo sendo uma noite fria, o pequeno estava banhado de suor de tanto que correu e pulou com seus novos amigos.

Saber da aflição pessoal de Cheng me chateava bastante, mas de fato não havia nada ao meu alcance para ajudá-lo na nobre tarefa de engravidar a sua esposa.

O tempo foi se esgotando, e Lina precisou embarcar de volta para a China no fim de 2011, levando com ela o pequenino Rou Rou. Ficamos desolados.

5. Malas prontas para Taiwan

Cheng deveria finalizar seu trabalho por pelo menos mais um semestre no Brasil, mesmo distante da família, e cumpriu todos os seus contratos. Determinado a trazer a esposa de volta, ele buscava alternativas de negócios para ganhar dinheiro no Brasil, podendo assim dispensar o salário de Lina no hospital e estabelecer sua família fora da China.

Você deve estar se perguntando se eu suspeitava que espiões chineses atuavam no Brasil. Sim, isso era certo, assim como os espiões estavam espalhados por nações do mundo todo. *Mas com tanta gente de olho puxado por aí, não seria justamente meu melhor amigo chinês uma araponga do regime comunista*, eu pensava para tentar me convencer.

Cheng diversificava cada vez mais seus contatos no Brasil, incluindo agentes do governo, empresários, comerciantes e até religiosos. Eu, descuidado na evangelização como a maioria dos católicos, deixei passar a oportunidade de trazer Cheng para a Igreja Católica. Todas as vezes que passávamos por uma paróquia, eu fazia o sinal da cruz, costume que herdei da família e da tradição desde criança.

Passadas algumas semanas de amizade, Cheng começou a reproduzir o gesto. Ele me perguntou sobre os movimentos que ele nunca havia presenciado em sua vida, mas já havia relacionado a minha oração com a proximidade dos templos. Era quase uma súplica dele para ser convidado a integrar a minha religião, ou qualquer outra religião. Vindo de um Estado oficialmente ateu, aquela era sua primeira oportunidade de professar uma fé.

Deus é uma referência distante para os chineses das mais recentes gerações, após décadas de perseguição religiosa em toda a China. Impedidos de orar ou seguir qualquer ritual religioso, o distanciamento entre os cidadãos e a fé aumenta a cada ano. Como nunca tentei convencer nenhum brasileiro a seguir o catolicismo, deixei escapar também uma grande oportunidade de trazer um chinês para a igreja, mas os evangélicos perceberam rapidamente uma lacuna a ser preenchida e fisgaram Cheng para sua igreja. Tudo bem, ao menos ele se sentiu acolhido e começou a estudar trechos da Bíblia.

Em uma só tacada, ele aumentava seus conhecimentos religiosos e seu ciclo de amizades, já pensando nas possibilidades de negócios. Naquele primeiro semestre de 2012, convidei Cheng para viajar até a casa dos meus pais, no interior de São Paulo. Seria um dia inteiro de viagem, mas por conveniência dividimos a viagem de ida em dois dias, e dormimos uma noite na cidade de Uberaba, em Minas Gerais.

No caminho, Cheng me perguntava o preço das terras no Brasil:

— Quanto custa uma fazenda aqui? — ele me perguntou, ainda no estado de Goiás.

— Bom, depende — respondi. — Depende do tamanho, da infraestrutura, do abastecimento de água, da proximidade com as cidades.

Passei boa parte da viagem explicando para ele quais eram as plantações e rebanhos mais comuns no Brasil, os custos de produção e outros detalhes do agronegócio. Isso tudo baseado em pouco conhecimento que tenho do setor, mas o suficiente para despertar nele ainda mais interesse em se estabelecer no país e virar fazendeiro.

No interior de São Paulo, ele acabou indo para uma pescaria com meu pai, um programa bom para todo mundo. Bom para meu pai, que arrumou um companheiro, bom para Cheng, que gostava de passear e conhecer novos lugares, e bom para mim, que tirei um dia livre para resolver meus assuntos pessoais e profissionais. Um deles se referia a uma possível viagem para Taiwan, onde eu participaria de um curso em Taipé.

Um amigo, assessor do partido em que eu trabalhava, Diogo L., estava intermediando o contato com o escritório de Taipé no Brasil, que chamávamos de "embaixada de Taiwan". Eu estava animado com a possibilidade da viagem, praticamente acertada, e só precisava do sinal verde para providenciar a documentação.

Quando regressamos a Brasília, recebi a notícia de que minha ida a Taiwan havia sido cancelada por algum erro de comunicação. De tão banal, o problema azedou completamente o meu humor por alguns dias, fiquei realmente irritado. Se já não me esmerava tanto nas aulas de mandarim, aquele havia sido mais um balde de água fria nos meus esforços. Diogo ficou desconcertado, mas a culpa não era dele.

Para completar a saraivada de más notícias, Cheng me avisou que precisava definitivamente regressar para a China. Seus contratos no Brasil estavam chegando ao fim e o visto de trabalho dependia de uma renovação com o Instituto Confúcio. Ele mesmo já não queria prosseguir com as aulas e sentia falta de sua família. A vida de festas e bons momentos com os amigos brasileiros não o preenchiam mais.

Em junho de 2012, meu grande amigo Cheng entregou seu aparamento na imobiliária, vendeu o Logus velho de guerra e deixou o Brasil. Não sabíamos se algum dia voltaríamos a nos encontrar. Na despedida, ele prometeu manter contato, mas desapareceu. Absorto com o imenso volume de trabalho, acabei sendo relapso também em lhe mandar mensagens com mais frequência. Os meses foram passando, e não tivemos mais contato.

Em novembro, de maneira repentina, surgiu nova possibilidade de uma viagem de estudos para Taiwan, para um curso programado para começar no dia 2 de dezembro. Diogo se articulou com os diplomatas taiwaneses e precisei providenciar rapidamente uma extensa documentação para conseguir o visto de viagem especial como convidado do governo taiwanês. Todos os meus pensamentos e esforços estavam voltados para a viagem.

Naquele mesmo mês, Xi Jinping assumiu o posto de secretário-geral do Partido Comunista Chinês, o cargo mais importante da China, acima inclusive do cargo de presidente, que acabaria sendo seu por direito a partir de 2013. Mas, para mim, naquele momento isso era irrelevante, porque o que me interessava mesmo era ir para outro lugar bem próximo da China: Taiwan.

Acelerei a aquisição da documentação enquanto dava conta do meu trabalho acumulado e encerrava os estudos de mandarim daquele ano. Nessa confusão toda, em que eu mal tinha tempo para dormir, recebi uma ligação de um número desconhecido. Pensei: *Tomara que não seja mais nenhum problema.*

Atendi o celular, e ouvi uma voz familiar:

— Oi, Rafa, *Ni hao**! Aqui é o Cheng, *Péngyǒu* [amigo]. Estou de volta ao Brasil.

---

* *Ni hao* = Oi, tudo bem?

Ilha Formosa

Embarquei para Taiwan no dia 30 de novembro de 2012, no mais longo voo cata-corno que já enfrentei em toda a minha vida, com o seguinte trajeto: Brasília-Manaus, Manaus-Miami, Miami-Los Angeles e Los Angeles-Taipé, onde desembarquei apenas no dia 2 de dezembro, faltando horas para começar o curso.

Como tudo era custeado pelo governo de Taiwan, eu não poderia reclamar do roteiro pinga-pinga. Muito pelo contrário, eu estava extremamente agradecido por conhecer um país que havia anos habitava meu imaginário. País? Bom, não para a Organização das Nações Unidas, muito menos para a China, nem para 179 países de todos os continentes, incluindo Brasil, Estados Unidos, Índia, Canadá, Inglaterra, Irlanda, Israel, África do Sul, México, Austrália, Japão, Coreia do Sul e Rússia, entre dezenas de outros.

Resumindo: apenas 14 países ainda consideram Taiwan uma nação soberana. O resto do mundo virou as costas para uma população que resiste com sacrifício às investidas cada vez mais agressivas do regime comunista sob o controle de Xi Jinping.

Em dezembro de 2012, quando desembarquei em Taipé, 22 países mantinham relações diplomáticas com Taiwan, cujo nome oficial é República da China. O time de formadores de opinião convidado para o Curso de Desenvolvimento Nacional, oferecido pelo governo taiwanês, era composto de 25 pessoas de 14 países latino-americanos, sendo eu o único representante do Brasil. Dessa lista de países, três deixaram de manter relações diplomáticas com Taiwan entre 2017 e 2018: Panamá, República Dominicana e El Salvador.

Qualquer pesquisa de opinião feita nesses países antes do rompimento tenderia a mostrar um apoio da população local pela manutenção das relações bilaterais com Taipé, mas a decisão normalmente envolve interesses comerciais e, com frequência, a China corrompe autoridades dos países para isolar Taiwan, em uma tentativa de retomar o controle político e militar sobre a ilha.

No momento em que desembarquei no moderno aeroporto de Taipé, eu já havia me informado mais sobre as tensões envolvendo as duas nações asiáticas. O governo taiwanês teria a oportunidade de, durante dezessete dias, promover entre os 25 convidados da América Latina uma convincente contrapropaganda para macular a imagem do regime autoritário de Pequim.

Essa expectativa, no entanto, não se confirmou. Os governantes de Taiwan preferem discorrer sobre as vitórias conquistadas nas últimas décadas, com destaque para os excelentes índices educacionais que transformaram a realidade do país a partir dos anos 1970, quando a região migrou da produção agrária para uma indústria capaz de competir com a melhor tecnologia disponível em todo o mundo.

E a melhor propaganda é natural, orgânica: ela parte do próprio povo taiwanês, extremamente polido, receptivo, alegre e disposto a servir. Em poucos lugares do mundo um visitante se sente tão seguro e bem-acolhido. Além do curso ministrado na Academia Militar de Fu Hsing Kang (政治作戰學校, em chinês tradicional), a programação incluía viagens por todo o país.

Quando digo "todo o país" me refiro a uma extensão territorial inferior ao tamanho do estado do Rio de Janeiro, um dos menores estados do Brasil. Portanto, em cerca de uma semana circulamos por cada rincão de Taiwan, uma tarefa ainda mais simples em um país que dispõe de trem-bala para ligar os extremos norte e sul, ou os 296 quilômetros que separam Taipé, ao norte, de Kaohsiung, no sul.

Se eu já havia ficado admirado pela qualidade dos hotéis na China, em Taiwan o sentimento se converteu em fascínio. Um hotel melhor que o outro, com vasos sanitários japoneses que mais parecem um lava-jato das partes íntimas, além de sorvetes Häagen-Dazs à vontade e uma culinária fantástica, ao menos para mim, porque praticamente todos os meus colegas de curso passaram a frequentar o McDonald's e o Burger King depois de cinco dias no país.

Se falta às iguarias locais a variedade da gastronomia chinesa, os pratos de Taiwan compensam ao adotar condimentos próprios, suaves, frutos do mar tenros e um cuidado no preparo que me faz lembrar os sabores de Cantão e Hong Kong, na minha opinião os melhores lugares para se deliciar com a cozinha tradicional da China.

Em um dos passeios, visitamos a base aérea de Chiashan, em Hualien, na costa leste da ilha, em meio a belas paisagens montanhosas banhadas pelo Pacífico. Ao caminharmos pelas instalações militares, as autoridades locais nos explicavam o preparo de Taiwan para responder a qualquer ataque externo, sem nunca mencionar especificamente a China.

Obviamente, alguém do nosso grupo levantou a questão:

— E se a China atacar? — perguntou León, da República Dominicana, sempre curioso.

— Estamos prontos para responder ao ataque de qualquer agressor — respondeu um alto oficial da Força Aérea.

A cada dia que passávamos em Taiwan nutríamos cada vez mais admiração, encanto e amizade em relação aos taiwaneses. Os mais animados do nosso grupo aproveitavam a noite de Taipé e retornavam geralmente entre as quatro e cinco horas da manhã, pouco antes do horário do nosso café da manhã diário, mas ninguém perdia as aulas. As mulheres do nosso curso ficavam impressionadas com a extrema segurança. Elas podiam retornar dos bares sozinhas, caminhando ou de táxi, a qualquer hora da noite.

Todos me demandavam muito, pois eu era o único entre os 25 que falava mandarim, ao menos o suficiente para pedir informações, escolher os pratos nos restaurantes e negociar o preço de relógios Rolex falsificados na feira noturna. Chato como sempre sou, eu estipulava horários, pois não tinha intenção nenhuma de virar a noite na rua, muito menos de facilitar a compra de qualquer artigo falsificado.

No único dia livre em Taiwan, um domingo sem aula nem qualquer outra programação, a maioria ficou com medo de sair e se perder em um bairro distante. Como a visita a todos os pontos turísticos da capital taiwanesa já estava incluída na nossa agenda oficial, o que eu poderia fazer em um domingo frio e nublado? Ir ao zoológico para ver os pandas, é claro.

Pelo menos metade do grupo me seguiu, aproveitando-se da minha capacidade de comunicação com a população local. Mesmo com uma chuva fininha e insistente, aproveitamos bastante o zoológico. Na saída, o pessoal queria ir ao McDonald's. "Um acinte", eu disse a eles. "Vamos a um restaurante taiwanês."

Bastou eu mencionar a comida local e, como num passe de mágica, eles começaram a se comunicar com a população taiwanesa em um idioma recém-criado para descobrir onde ficava o McDonald's mais próximo. Fui voto vencido, mas antes de me juntar a eles na rede de *fast-food*, passei por um pequeno porém simpático restaurante local para provar bolinhos de peixe e sopa de vegetais.

Depois de dezessete dias de programação intensa em Taiwan e poucas horas de sono, no encerramento do curso fomos agraciados com um banquete incrível no qual nos esbaldamos com o melhor da culinária taiwanesa, uma fartura inigualável de peixes e frutos do mar, além de bebermos a aguardente kaoliang 高梁, um destilado produzido a partir de cereais ou sorgo, bem parecido com o baijiu 白酒 chinês, ambos com graduação alcoólica começando em 54%. Para efeito de comparação, a cachaça e o uísque possuem em média 40% de teor alcoólico. Ou seja, apenas os fortes sobrevivem ao kaoliang.

O brinde é obrigatório, e a cada brinde você precisa virar todo o conteúdo do pequeno copo de vidro ou porcelana. Há o brinde geral, em que todos bebem, há brinde de uma mesa para outra, sendo que cada grande mesa redonda comporta uma média de dez pessoas, e há brindes individuais, de pessoa para pessoa.

Mais que brindes, o ritual assemelha-se a desafios, fazendo com que você se sinta obrigado a aceitar a provocação sorvendo até a última gota do copinho.

No final, havia general se apoiando nas cadeiras para não cair, coronéis com o quepe desalinhado, pessoas com o nariz vermelho, outras mirando o vazio e muita gente arrependida de não ter parado no primeiro drinque. Tarde demais. A noite terminaria com uma aguda dor de cabeça e frequentes visitas ao banheiro. Mas foi divertidíssimo, mesmo sem saber que aquela bebedeira era praticamente um rito de passagem, por meio do qual os nossos anfitriões passaram a confiar mais na gente porque aceitamos beber com eles como se não houvesse amanhã. Trata-se de uma tradição que pude entender ainda melhor quando me mudei para a China.

Parcialmente recuperados da ressaca, no dia seguinte começamos a nos despedir para irmos em grupos ao aeroporto. Parte dos voos, a depender de cada destino, ocorreria em horários distintos, embora a maioria passasse por Los Angeles, cidade em que eu ficaria por quatro dias em um curtíssimo período de férias.

Nesse tempo que passei em Taiwan, Los Angeles e Miami, somado às dezenas de horas em voos intermináveis, deixei a chave do meu apartamento com meu amigo Cheng para ele se hospedar lá, na Asa Norte, em Brasília. Ele também ficou com meu carro, e por isso foi me buscar no aeroporto. Cheguei a Brasília na manhã do dia 23 de dezembro, antevéspera do Natal.

Mal deu tempo de desarrumar a mala para pegarmos a estrada com destino ao interior de São Paulo. Levei Cheng para mais uma viagem até a casa dos meus pais, onde pela primeira vez ele passaria um Natal cristão em família, com direito a missa do galo, orações, peru, tender com pêssego, arroz com castanha-de-caju, rabanadas e garrafas de champanhe.

Comemoramos uma noite especial, estávamos felizes por ter chegado a tempo da celebração, e por Cheng se sentir tão à vontade e acolhido pela nossa família. Apesar de feliz com o retorno do meu grande amigo chinês, eu havia voltado da Ásia com uma nova paixão: Taiwan.

Caminhando pela Academia Militar de Fu Hsing Kang, em Taipé, capital de Taiwan, dezembro de 2012.

Memorial em homenagem a Chiang Kai-Shek, o grande líder chinês idolatrado em Taiwan, que combateu o comunismo chinês.

Ao contrário da China, em Taiwan há liberdade religiosa. O templo budista de Fo Guang Shan Buddha, em Kaohsiung, impressiona pelas dimensões, arquitetura e organização – dezembro de 2012 .

No topo do edifício Taipei 101, a quase 500 metros de altura. Prédio na capital taiwanesa já foi o mais alto do mundo.

Futebol de sábado à tarde na casa do embaixador da China no Brasil, em Brasília, em agosto de 2015. Casa invadiu terreno equivalente a dois campos de futebol no bairro Lago Sul.

6. Dormindo com o inimigo

Antes de retornar a Brasília, viajamos por algumas cidades do interior de São Paulo: Votuporanga, Andradina, Birigui, eu precisava visitar a minha família, sobretudo a minha avó, que estava enferma. Naquela primeira viagem que fizemos ao estado de São Paulo, havíamos circulado juntos pelas mesmas estradas, e uma delas possuía um longo trecho de obras, que para mim pareciam estar dentro do prazo de conclusão. Entretanto, para Cheng, algo parecia estranho:

— Rafa, o que aconteceu? Essa é a mesma obra de oito meses atrás? Teve algum problema?

— Não — respondi. — Deve terminar nos próximos meses.

Ele me olhou surpreso.

— Na China, uma obra dessas dura no máximo dois meses — disse ele de forma inocente, sem querer menosprezar o Brasil, algo que ele nunca fazia. Pelo contrário, ele adorava o país.

Mas confesso que fiquei sem graça. Sim, pelo que eu havia percebido dos países asiáticos, as obras públicas, grandes ou pequenas, são concluídas rapidamente. Então começamos a conversar sobre o novo trabalho de Cheng. Ele me explicou se tratar de uma empresa chinesa voltada para a área de segurança e defesa, e ele seria o responsável por montar o escritório do Brasil, que também poderia servir de base para outros países sul-americanos.

Regressamos a Brasília na véspera do Ano-Novo, ambos tínhamos assuntos a tratar assim que começasse 2013. Cheng disse que se mudaria para um hotel ou alugaria um apartamento, mas continuou alojado no meu apartamento. Sem problema, pensei, porque o imóvel dispunha de dois quartos e dois banheiros.

Até aí, tudo bem, mas na semana seguinte chegou da China uma funcionária da sua empresa, uma jovem chinesa magrinha de pele clara e jeito de quem nunca passou dificuldade na vida, chamada Sarah. Ela havia se formado em tradução e passara um tempo estudando em Portugal, de onde saiu com um sotaque típico das nossas piadas de português.

Ela supostamente iria para um hotel, mas percebi que o hotel mesmo era meu apartamento. Quando me dei conta, éramos três dividindo dois quartos.

— Ela pode dormir na sala — decidiu Cheng.

Está bem, pensei, *mas... e a nossa privacidade? E a privacidade dela, vivendo com dois estranhos?*

— Cheng, você não tem um relacionamento com ela, não é? Respeite a sua esposa — falei um tanto sério, já conhecendo a fama de adúlteros dos homens chineses.

Ele me garantiu que não, então concordei em deixar a moça de 22 anos provisoriamente alojada na sala. O problema é que ela parecia não ter mais de dezessete anos e vestia um pijama curto o dia todo. Como Sarah praticamente não saía de casa, ela permanecia com a roupa de dormir, um costume dos chineses que eu até então desconhecia.

Os dias foram se passando e o constrangimento era cada vez mais evidente. Eu, solteiro e cheio de amigos em Brasília, já não podia mais receber visitas em casa naquela situação, ou achariam que eu estava envolvido com tráfico de seres humanos e aliciamento de menores. Nem a diarista estava vindo mais. Pelo menos os dois já pareciam abrasileirados na questão da higiene pessoal, tomando banho diariamente. Cheng havia aprendido esse costume de nós, brasileiros.

Embora os banhos dos meus inquilinos fossem diários, confesso que precisava recobrar a minha privacidade e conversei com Cheng para que pelo menos a moça encontrasse um lugar para morar, onde ela também pudesse se sentir à vontade. Ele concordou e, dias depois, ambos partiram para um hotel onde ficariam provisoriamente, até alugar um apartamento na Asa Sul.

A convivência com os dois me permitiu entender um pouco do que estava acontecendo nos negócios. Enquanto eles estavam no meu apartamento, mesmo que eu não estivesse prestando atenção, acabava escutando conversas de telefone e diálogos entre os dois em chinês. As semanas que eu havia passado em Taiwan recentemente tinham ajudado a aprimorar um pouco mais o mandarim e meu entendimento parecia estar melhor que antes.

Involuntariamente, percebi que a empresa chinesa para a qual eles trabalhavam era bastante ambiciosa e pretendia expandir seus negócios não somente pelo Brasil, mas também pela Venezuela, Equador, Bolívia, Angola e Portugal.

Ao mesmo tempo, eu estava cada dia mais envolvido com Taiwan. Trocava mensagens diariamente com as pessoas que haviam feito o curso comigo em Taipé, além de algumas autoridades taiwanesas tanto no Brasil quanto fora, pensando em algumas estratégias para melhorar as relações de Taiwan com os países latino-americanos. Em meu grupo havia jornalistas, políticos, diplomatas e outros oficiais de governos de 14 países.

Em junho, o nosso grupo se encontrou na República Dominicana, a pretexto de nos mantermos coesos em nossos propósitos e compromissos com Taiwan. Quando desembarquei de volta a Brasília, o Brasil parecia estar em convulsão, vivendo uma realidade completamente diferente da nação que eu deixara na semana anterior.

Uma massa de 1,5 milhão de pessoas estava se manifestando pela primeira vez neste século em mais de cem cidades de todo o país. O estopim, diziam os líderes das manifestações, havia sido um reajuste da passagem de transporte público na cidade de São Paulo, mas na realidade a população estava bastante insatisfeita com os políticos que estavam saqueando o país com as obras para a Copa do Mundo a ser realizada no Brasil em 2014.

Os protestos se espalharam justamente no começo da Copa das Confederações de 2013, o torneio experimental da Federação Internacional de Futebol (Fifa) para testar as condições do país um ano antes do Mundial. E naquele momento as autoridades não conseguiram conter a força das multidões. Em Brasília, mais de 40 mil pessoas tomaram a Esplanada dos Ministérios e ocuparam a marquise do Congresso Nacional, enfrentando a polícia com uma fúria inédita em décadas.

A Fifa, que disputa com o Comitê Olímpico Internacional o pódio de organização com o maior número de escândalos de corrupção, não gostou nada do que viu, e exigiu reforços na segurança para a Copa que se realizaria no ano seguinte.

Trabalho na China

Meses antes dos protestos, em janeiro, Cheng usava com frequência seu laptop, enquanto morava provisoriamente na minha casa, para resolver assuntos do trabalho, além de outra tarefa importante envolvendo nosso amigo em comum, Rodrigo Moura.

— Rafa, consegui um emprego para o Moura na China. Ele vai se mudar para lá neste semestre com a esposa, Sofia — ele me confidenciou.

Uau!, pensei. *Então é possível que um estrangeiro consiga um emprego legalmente na China, com visto de trabalho, excelente. Quem sabe eu não possa ter uma oportunidade dessas?*

Enquanto eu pensava justamente isso, ele me disse:

— Amigo, quem sabe você não será o próximo a se mudar para a China?

Perseguição política

No ano da mudança de Moura para o outro lado da Terra, Xi Jinping assumiu a Presidência da China, no dia 14 de março de 2013. O país assistia à consagração de um líder sem grande carisma, mas extremamente habilidoso na política e eficiente na tarefa de agregar aliados e isolar opositores. Para os chineses, o cargo mais importante do país é o de secretário-geral do Partido Comunista, posição que Xi já havia conquistado em 2012.

Seu acúmulo de poder aumentaria consideravelmente a partir de 2013. Em setembro daquele ano, as autoridades chinesas trataram de condenar às pressas um dos prováveis rivais de Xi Jinping dentro do partido, Bo Xilai, acusado de corrupção.

Com um currículo invejável, o filho de Bo Yibo, uma liderança poderosa do partido até a virada deste século, Bo Xilai, foi prefeito da bela cidade chinesa de Dalian, ministro do Comércio da China, governador da província de Liaoning, no norte do país, e secretário do partido em uma das maiores metrópoles chinesas, Chongqing, usando como plataforma o combate ao crime organizado e o desenvolvimento econômico.

Gozando de uma simpatia popular superior à de Xi Jinping, Bo Xilai poderia se tornar uma pedra no sapato do novo líder supremo da China. Ele havia sido cotado para ocupar a partir de 2012 um assento do Comitê Permanente do Politburo, atualmente a mais alta cúpula com poder de decisão dentro do PCCh, mas as previsões não se confirmaram. O grupo do então presidente Hu Jintao e do premiê Wen Jiabao, que apoiavam Xi Jinping, reunia material de acusação contra Bo Xilai.

Nesse contexto político ainda pouco conhecido fora da China, Moura providenciou rapidamente sua mudança e desembarcou em Pequim, de onde tomou um trem-bala com destino à capital da província de Hebei, a poluída Shijiazhuang, 260 quilômetros distante da capital chinesa. Naquele semestre, apenas sua esposa lecionaria na universidade, e Moura dedicou o tempo livre mergulhando de cabeça nos estudos de mandarim e da cultura chinesa. Mergulhou também na comida chinesa, ganhando alguns quilos nos primeiros meses.

Antes de partir para a China, no churrasco de despedida em sua casa em Brasília, regado a picanha, chope, sauna e piscina, ele assumiu um compromisso comigo: “Se tudo der certo lá, na primeira oportunidade vou te levar para morar na China”. Bem, eu estava aberto a essa possibilidade, mas nossos momentos de vida eram distintos. Em 2013, o Brasil atravessava uma grave crise econômica que afetou muitos negócios, inclusive a empresa de Moura, e Sofia também estava desempregada.

Apesar de eu não estar no melhor momento da carreira, não tinha nada do que me queixar, pois sempre era contratado para consultorias diversas na área de comunicação. Além disso, comecei a namorar e pensava em ficar mais um tempo no Brasil.

Ao mesmo tempo, meu contato com os chineses e taiwaneses só aumentava, levando-me a transitar diplomaticamente entre uma turma e outra. Claro que, como os chineses superam a população de Taiwan na proporção de 58 para 1, sua presença no Brasil também é muito mais expressiva.

Eu mantinha também uma pequena loja em sociedade com um amigo na Feira do Paraguai, como é informalmente conhecida a Feira dos Importados de Brasília. A lojinha estava alugada para uma brasileira, mas no geral a feira já havia sido inundada por chineses. “Feira dos Importados”, por sua vez, constitui um eufemismo para contrabando, falsificações, lavagem de dinheiro e outros delitos de maior ou menor grau.

Vez ou outra, eu precisava ir até a feira resolver pequenas pendências com a locatária da minha loja, e acabava me comunicando com os chineses. Bom, no começo eles evitavam falar comigo, pois suspeitavam de que eu fosse um policial à paisana. Afinal, por que diabos um brasileiro de Ray-Ban se aproximaria deles falando mandarim?

Depois de um tempo, eles ganharam confiança e passamos a dialogar com mais frequência. Assim, eu me relacionava com boa parte da comunidade chinesa de Brasília, desde os pequenos comerciantes achacados pela máfia chinesa até professores, diplomatas e funcionários das multinacionais.

Eu tinha bastante contato com o pessoal da Huawei, frequentava a mansão da empresa no Lago Sul alugada para os gerentes chineses. Os funcionários das empresas chinesas costumam morar na mesma casa, prédio ou condomínio, e raramente saem sozinhos, geralmente sua vida se resume à rotina do trabalho e da casa. Eu demoraria a perceber que esse comportamento se deve à vigilância entre eles. Regra geral: ninguém sai sozinho.

Cheng ainda era habilidoso para manter um pouco da sua liberdade. No começo daquele ano de 2013, ele me revelou por que havia voltado:

— Lina está grávida — me contou, sem conter o sorriso tímido.

— Parabéns, *Péngyǒu*! — exclamei e nos abraçamos como grandes amigos que havíamos nos tornado.

Sabe-se lá o que tem na China que falta ao Brasil. Ele havia passado praticamente um ano e meio tentando em vão engravidar a esposa enquanto ela morava em Brasília, mas bastaram três semanas de férias na China para finalmente alcançar o objetivo. Como eles já tinham um filho, Rou Rou, o segundo precisaria nascer fora da China. Então, ele largou o emprego de professor, que lhe garantia uma certa estabilidade, para se aventurar em uma grande empresa estatal, cujos cargos de diretoria são quase todos dominados por membros do Partido Comunista.

Em abril, veio ao mundo o pequeno Mateus, um chinesinho com nome bíblico nascido na capital brasileira. Celebramos. Finalmente, o casal alcançava o sonho de completar a família. Cheng conseguia aos poucos melhorar seu padrão de vida, estava sempre cercado de chineses da embaixada, das grandes empresas, e se aproximava rapidamente de políticos brasileiros de diferentes partidos, valendo-se do português cada vez mais fluido.

Naquele mesmo ano, meu amigo Felipe D., que atuava com relações governamentais, me contatou. Ele havia sido procurado por uma empresa de logística chinesa interessada em se instalar no Brasil.

Bastante conceituado no mercado e com ótimo trânsito tanto no Congresso quanto nos ministérios, Felipe preparou uma apresentação primorosa, digna dos melhores profissionais do setor, e me convidou para se juntar à sua equipe, comprometendo-se a me contratar caso fechasse o negócio com os chineses. Aceitei a proposta e participei da reunião entre sua empresa e representantes da companhia chinesa recém-chegados ao Brasil. Nenhum deles falava português, então todas as tratativas se deram em inglês.

Embora o domínio do idioma pela delegação chinesa não fosse dos melhores, captamos perfeitamente o que eles esperavam de nós: uma intermediação com políticos brasileiros por meios não muito republicanos, com pagamento de propina caso necessário.

— Estou fora — disse-me Felipe, sentindo-se insultado. — O que eles esperam da gente, desonestidade?

Concordei com o amigo e demos uma resposta-padrão aos chineses, dizendo que entraríamos em contato. Dias depois, expliquei aos chineses que a atuação seria conflitante com outra empresa atendida pela agência de Felipe, então tivemos de declinar da parceria. Os chineses, na realidade, já haviam se reunido com outra agência, que aceitara as condições deles.

Por coincidência (ou não), Pagani reapareceu naqueles dias, aconselhando-me a manter uma distância segura dos negócios com os chineses.

— Estamos investigando um caso de corrupção envolvendo a máfia chinesa — ele me contou.

Felizmente, segundo suas fontes, não havia nenhuma relação com a multinacional com a qual havíamos nos reunido. O caso dizia respeito a contrabando, lavagem de dinheiro e extorsão, envolvendo os chineses mais pobres trazidos para o Brasil, sempre explorados por grupos de chineses um pouco mais ricos, que os mantêm endividados por anos.

Do outro lado do mundo, Moura parecia muito feliz com a experiência de viver na China. Enviava-me fotos, mensagens e publicava muitas postagens em suas redes sociais. Quando Moura se mudou para a China, em 2013, ainda era possível acessar no país de Confúcio o Facebook, Twitter, Gmail, Google, entre outros sites ocidentais. Aquele era ainda o primeiro ano de Xi Jinping como presidente da China, e a ditadura não tivera tempo o suficiente para isolar ainda mais o povo chinês das informações disponíveis no resto do mundo, portanto, as restrições à internet ainda eram brandas.

Moura vivia tranquilo e aparentemente alheio ao movimento agressivo da facção de Xi Jinping dentro do Partido Comunista, uma manobra destinada a perseguir e encarcerar opositores, minando o poder de qualquer outro grupo político dentro do PCCh.

Enquanto Moura celebrava a nova vida fora do país, eu tomava conhecimento do *modus operandi* dos negócios envolvendo chineses em território estrangeiro, negócios que iriam se expandir nos anos seguintes a partir da iniciativa Cinturão e Rota, uma espécie de Plano Marshall chinês, lançada ainda no primeiro ano de presidência de Xi Jinping.

A corrupção já era rotina nas empresas chinesas ligadas ao Partido Comunista. Porém, hipocrisia das hipocrisias, os aliados de Xi Jinping acusavam seus opositores de serem corruptos, sentenciando-os a passar o resto da vida na prisão, e foi essa a condenação aplicada a um dos mais carismáticos membros do partido, Bo Xilai, perseguido por representar uma suposta ameaça ao grupo de Xi.

As acusações de corrupção contra Bo Xilai envolviam supostas propinas e abuso do poder em benefício próprio, gerando um prejuízo ao país estimado em 3 milhões de dólares, uma cifra alta para o patamar dos escândalos na China, mas modesta se comparada à corrupção cada vez mais bilionária do Brasil. Da prisão, Bo Xilai escreveu uma carta, cuja veracidade fora atestada à época pelo tradicional jornal *South China Morning Post*, de Hong Kong.

Na carta, Bo escreveu: "Sou uma vítima inocente e me sinto injustiçado. Mas eu acredito que um dia a verdade vai prevalecer... Vou esperar calmamente na prisão até esse dia chegar".

Bo Xilai cumpre pena de prisão perpétua na China desde 2013.

Talvez ele não sobreviva para testemunhar a verdade voltar a prevalecer na China, mas Bo está certo quanto à sua previsão.

A mentira dará lugar à verdade na China novamente... isso ocorrerá no dia em que o Partido Comunista for destituído. Ou simplesmente deixar de existir.

7. Lava Jato

Os brasileiros começaram o ano de 2014 ansiosos pela Copa do Mundo de futebol que seria realizada no país, seja pelos bons motivos (a esperança da conquista do hexacampeonato) ou maus motivos: a corrupção envolvida na construção de estádios e obras de infraestrutura por todo o país. A eleição para a Presidência da República estava um tanto relegada a segundo plano, ao menos nas primeiras semanas de 2014.

Para mim, o trabalho fluía dentro da rotina até o dia 18 de março, uma terça-feira, e a rotina acabaria exatamente ali, quando recebi ainda pela manhã a ligação de um amigo jornalista de São Paulo, Carlos F.:

— Bom dia. Tudo bem contigo? O que você está fazendo em Brasília? — ele me perguntou.

— Continuo trabalhando no Congresso, tocando as consultorias para empresas — respondi.

— Preciso que você esteja em São Paulo amanhã às dez horas da manhã para uma reunião — Carlos prosseguiu.

— Bom… como eu te falei, Carlos, estou trabalhando e amanhã é quarta-feira, dia agitado no Congresso, a agenda está lotada, preciso ficar aqui — argumentei em vão, e perguntei: — Você pode me adiantar o assunto?

— Eu sei que você consegue dar um jeito — continuou Carlos. — Não posso revelar o que é, a sua passagem já está comprada, você precisa chegar ao aeroporto às seis horas da manhã no guichê da Gol, vou te passar o endereço da reunião por mensagem durante o seu voo. Até amanhã — ele se despediu e desligou.

De imediato, me veio à mente algo ligado à China, mas a injustiça com os chineses foi reparada logo em seguida, quando me lembrei do que havia acontecido no dia anterior, 17 de março de 2014.

Ao chegar a São Paulo, peguei um táxi e me dirigi para um prédio comercial novo, porém desocupado; parecia um daqueles edifícios que acabaram de ser construídos e os escritórios ainda não foram instalados, localizado perto da avenida Paulista.

Carlos já me aguardava, subimos por um elevador tão novo que parecia ter sido tirado da caixa naquele dia e chegamos ao 11º andar, onde havia mais gente que no resto de todo o prédio. Passamos por uma sala vazia, com a temperatura baixa e um carpete macio que abafava o som dos nossos sapatos, e só ouvimos vozes quando abrimos a porta seguinte, onde faríamos a reunião. Minha suspeita se confirmou.

Na segunda-feira, dia 17 de março de 2014, começou no Brasil uma operação de combate à lavagem de dinheiro, batizada pela Polícia Federal de Operação Lava Jato, que ao longo dos anos seguintes seria conhecida como um dos maiores escândalos de corrupção do mundo, com desvios de recursos públicos da ordem de bilhões de dólares. No Brasil, o escândalo recebeu o apelido de "petrolão".

As acusações pesavam sobre políticos, agentes públicos, empresários, executivos, lobistas, doleiros e empresas de vários estados brasileiros, e se expandiam em negócios com governos e empresas de diferentes países, como Angola, Líbia, Bolívia, Venezuela, Estados Unidos, Argentina, República Dominicana, Cuba, Peru, Panamá, Dinamarca, entre outros.

Os brasileiros passaram a conhecer um juiz federal de Curitiba, Sergio Moro, responsável pelo julgamento em primeira instância dos acusados na Operação Lava Jato. Moro alcançou notoriedade pela agilidade com que conduzia os processos na Justiça e por julgar figurões no cenário político, além de alguns dos homens mais ricos do Brasil.

O escândalo alcançava proporções nunca antes imaginadas no país, a corrupção da Petrobras e suas subsidiárias atingiram um patamar espantoso, desencadeando comissões de investigação no Congresso Nacional, sendo a mais importante uma CPI mista conduzida por parlamentares envolvidos nas denúncias. Ou seja, os comparsas dos criminosos decidiram o rumo das investigações.

Eu era conhecido nos bastidores como "homem invisível" pelo trabalho que desempenhava nos gabinetes, secretarias e comissões do Senado Federal e da Câmara dos Deputados sem que nenhum dos meus interlocutores soubesse exatamente qual a minha ligação com as empresas envolvidas, sobretudo a Petrobras. Ao mesmo tempo que eu colhia informações dos parlamentares, circulava pelos bastidores dos jornalistas, adiantava o que seria publicado pela imprensa e analisava as notícias divulgadas na mídia nacional, assim como nos veículos de comunicação internacionais. Essa condição de invisibilidade, de atuação furtiva, serviu-me como treinamento para o que eu iria viver na China posteriormente.

Uma policial federal que conduzia as investigações da Lava Jato, Fernanda J., esposa de um grande amigo meu que trabalhava como assessor no Senado, me passava as informações em primeira mão. Muitas vezes, eu era avisado sobre as operações policiais horas antes de serem realizadas. Nem sempre eu conseguia saber os nomes dos envolvidos com antecedência, mas ao tomar conhecimento das cidades-alvo das operações, eu movia uma rede de contatos para descobrir na porta de quem a polícia iria bater antes de o sol nascer.

Em contrapartida, eu transmitia ao amigo do Senado informações que obtinha da Petrobras em primeira mão de gerentes e diretores do meu círculo de confiança. Nunca interferi nas investigações nem facilitei a vida de bandidos, por isso gozava de credibilidade dos dois lados e conseguia manter a minha condição de semianonimato.

À medida que as investigações avançavam, o jogo de xadrez da eleição presidencial do Brasil se tornava mais complexo. O Brasil estava mergulhado em uma crise financeira, com uma recessão iniciada no ano de eclosão da Lava Jato.

O povo? Ah, o povo já estava mesmo interessado na Copa do Mundo.

Xi Jinping no Brasil

O Brasil estreou na Copa do Mundo de 2014 com uma vitória de 3 a 1 sobre a Croácia, levando a população brasileira a esquecer momentaneamente os escândalos de corrupção. Curiosamente, a Lava Jato investigava empresas envolvidas em corrupção tanto na Petrobras quanto nas obras de estádios ou infraestrutura para a Copa do Mundo, como as construtoras Odebrecht, OAS, Camargo Corrêa, Andrade Gutierrez, entre outras acusadas de fraudar licitações.

“Enquanto o povo tiver dinheiro para rojão e cachaça, político pode roubar à vontade”, meu primo Hélio comentou, coberto de razão.

Além da roubalheira à luz do dia, em 2014 o Brasil experimentou pela primeira vez a substituição do governo nacional por um organismo internacional. No período da Copa do Mundo, as leis no Brasil eram aquelas impostas pela Federação Internacional de Futebol, sobrepujando a legislação de municípios, estados e da União.

A polícia, por exemplo, atuava de acordo com o que estipulava a Fifa, uma entidade conhecida acima de tudo pela corrupção. Toda a segurança era uma exigência dos cartolas estrangeiros, protegidos por um contingente de segurança dispensado somente a chefes de estado. Os brasileiros tiveram seu direito à livre circulação por espaços públicos, que compreendiam um raio de até dois quilômetros dos estádios esportivos, restrito, enquanto a Fifa e os patrocinadores da Copa contabilizavam os lucros, incluindo a Hyundai, a Coca-Cola, o McDonald's, o Itaú, a Ambev, a Oi e o Magazine Luiza.

Toda essa usurpação de poder fora tolerada sob o falacioso argumento de "legado da Copa". Ou seja, as obras de infraestrutura compensariam as semanas a que os brasileiros tiveram sua liberdade suprimida. O legado, na realidade, foi uma farra de desvio de dinheiro e obras inacabadas que a população do país terá de pagar por pelo menos duas décadas.

Enquanto isso, os chineses comiam pelas beiradas. As partidas de futebol entre amigos eram cada vez mais frequentes na mansão do embaixador da China no Lago Sul, em Brasília. As peladas ocorriam sempre no sábado à tarde, reunindo diplomatas, membros das Forças Armadas chinesas e funcionários de grandes empresas, como a Huawei.

Boa parte desses meus parceiros do futebol de sábado eram membros do Partido Comunista Chinês, e eu era um dos poucos brasileiros convidados a jogar. A confiança entre nós era tamanha que eu podia trazer amigos para a casa do embaixador. Ali eu colhia algumas informações interessantes, sempre procurando manter a discrição para não despertar a atenção dos oficiais chineses. Entre uma canelada e outra, percebi claramente uma predileção dos chineses por uma reeleição da presidente Dilma Rousseff, um sentimento cada vez mais unânime entre eles.

Desde sua chegada ao Brasil, em 2010, meu amigo Cheng demonstrava sua perplexidade com a limitada capacidade administrativa do Partido dos Trabalhadores (PT) no Brasil. Ele percebia a desaceleração da economia brasileira, enquanto a China expandia seu PIB e seus negócios internacionais de forma acelerada.

Em 2014, no entanto, Cheng mudou de endereço e também mudou de lado. Sua família e seus negócios haviam crescido, eles precisavam de mais espaço e mais dinheiro, portanto trocaram o apartamento de noventa metros quadrados da Asa Sul por uma casa de 1.200 metros quadrados no Lago Sul, bairro nobre da capital brasileira. Embora a área pareça uma suntuosidade para os padrões de grandes cidades de alta densidade demográfica, em Brasília o tamanho é considerado uma normalidade tanto no bairro Lago Norte quanto no Lago Sul.

Essa mansão entraria para o noticiário nacional em outro momento, de forma muito curiosa, ainda chegaremos lá.

Por enquanto, ela se tornara local de reuniões entre chineses abonados e influentes que viviam no Distrito Federal, entre eles executivos, negociantes, exportadores e diplomatas, quase todos filiados ou que mantinham relações próximas com o Partido Comunista.

Cheng precisava conquistar um grande negócio para a sua empresa, e investia todo o seu capital de relacionamento no intuito de vencer a licitação para reconstruir a base do Brasil na Antártica, destruída por um incêndio em 2012, que causou a morte de duas pessoas.

Meu amigo chinês começou a se relacionar com Deus e o diabo na terra do sol, sem medir esforços para trazer o contrato de 100 milhões de dólares para a estatal chinesa da qual era diretor. Ao perceber seus movimentos e uma aproximação além da recomendável com a alta cúpula petista, toquei no assunto com ele em um sábado à noite.

Havíamos jogado futebol na casa do embaixador chinês, distante cinco quilômetros dali. Estávamos sentados na varanda voltada para o quintal, tomando cerveja e nos deliciando com os fantásticos shaobing preparados por Lina, uma de suas especialidades. Ele me considerava um grande amigo, sempre me convidava para os churrascos sem hora para acabar em sua nova mansão. Então, eu sentia que deveria alertá-lo, pois talvez ele estivesse tateando no escuro:

— Cheng, eu conheço bem seus contatos políticos, queria que você tomasse cuidado para não se envolver em nenhum problema, está bem?

Ele sorriu, agradeceu pela minha intenção de preservá-lo, ergueu um brinde (os chineses brindam o tempo todo) e falou com tranquilidade:

— Rafa, obrigado mesmo por se preocupar comigo. Mas sabe de uma coisa? Os políticos do PSDB são tão corruptos quanto os do PT — disse-me, para meu espanto.

Não que eu duvidasse de 100% de sua afirmação, minha surpresa se devia à sua rápida mudança de opinião. *Ele deve ter sido influenciado pelos outros chineses*, pensei. Decidi não me aprofundar no assunto, ao menos deixar os dias passarem, a Lava Jato logo o levaria a mudar de ideia. Ou não?

Enquanto transcorriam os jogos da Copa do Mundo no Brasil, também aumentou a animação nas partidas de futebol com os chineses, ainda mais porque eles aguardavam a primeira visita de Xi Jinping ao Brasil na condição de presidente, prevista para um dia depois da final da Copa. Os brasileiros em sua maioria esperavam um triunfo absoluto da sua seleção jogando em casa.

No dia 8 de julho de 2014, no entanto, uma terça-feira, o Brasil sofreu a maior humilhação de toda a sua trajetória no futebol. Na cidade de Belo Horizonte, no estádio do Mineirão lotado, a seleção canarinho foi massacrada pelos alemães, em uma tragédia ainda maior que o Maracanaço de 1950, quando os brasileiros haviam sido derrotados na final pelo Uruguai.

Os alemães venceram por 7 a 1, dando um baile contra um time completamente entregue, apático, desorganizado e sem sua principal estrela, Neymar. O ano poderia ter acabado ali, mas estávamos apenas na metade de 2014. Na final disputada no domingo, dia 13 de julho, a Alemanha derrotou a Argentina de Lionel Messi, alcançando seu quarto título mundial, contra cinco do Brasil.

Ali terminava o mandato da Fifa como governante extraoficial do país. No dia seguinte, 14 de julho, Xi Jinping desembarcou no Brasil para o encontro de líderes do Brics, o grupo de países composto por Brasil, Rússia, Índia, China e África do Sul.

A goleada de 7 a 1 ainda não havia esgotado as emoções dos brasileiros em 2014.

Ainda teríamos as eleições.

Urnas eletrônicas

Durante a Cúpula do Brics realizada na capital cearense, Fortaleza, os cinco países-membros decidiram criar o Banco do Brics, sediado em Xangai, em mais uma iniciativa para gerar caixa aos chineses.

No dia 16, quarta-feira, Xi Jinping participou de uma agenda no Congresso Nacional, em Brasília. Sergio, um velho amigo chefe de gabinete de um senador de Pernambuco, precisava de ajuda para conversar com os chineses em qualquer idioma que não fosse o português e pediu para eu participar do evento no Congresso. "Eu te arrumo uma credencial especial de imprensa", disse-me Sergio.

Mesmo sem um pingo de vontade de ver pessoalmente o líder da maior ditadura da Terra, acabei cedendo aos apelos do amigo. Com uma condição: "Vou ficar longe do tumulto, está bem?". Sergio aceitou minha exigência e, assim, estivemos eu e Xi Jinping pela primeira vez no mesmo ambiente, separados por não mais de quarenta metros, sob um forte esquema de segurança que envolvia a Polícia Federal, a Abin (Agência Brasileira de Inteligência) e agentes chineses.

Logo no começo do discurso do presidente chinês, quando ele ainda cumprimentava o público, recebi uma ligação, olhei o visor do celular: era a equipe de comunicação da Petrobras. Para não gerar nenhum desconforto, mesmo com o celular no modo silencioso, deixei imediatamente o local, e acabei convocado para uma *call* de última hora. "É urgente!", disse Bruna, uma assessora da estatal. Uma pena. Meu próximo encontro com Xi Jinping teria de esperar alguns anos, e ocorreria em um momento histórico.

Não tive descanso pelo resto do mês, que passou voando. Em agosto, recomeçaram os trabalhos no Congresso Nacional ao mesmo tempo que os partidos centravam esforços nas campanhas eleitorais para deputado estadual, governador, deputado federal, senador e presidente da República. Já os advogados dos partidos defendiam seus clientes das acusações da Força-tarefa da Lava Jato.

Na manhã do dia 13 de agosto, uma quarta-feira bastante movimentada na Câmara dos Deputados, eu conversava com outros jornalistas e assessores no corredor das comissões, no Anexo II da Câmara, quando um assessor do PSDB, Thomás, recebeu uma ligação do Governo de São Paulo. Ele arregalou os olhos, virou-se para mim e um repórter da revista *Veja* e falou:

— Um acidente aéreo na Baixada Santista agora pode ter matado um candidato à Presidência.

— Como assim? Que candidato? Foi helicóptero, avião? — começamos a perguntar.

— Acho que helicóptero, vou confirmar daqui a pouco... desculpem-me, preciso ir — falou enquanto caminhava com passos acelerados, praticamente correndo, em direção à Liderança do PSDB. Acionei minhas fontes, os contatos-chave e, minutos depois, a história começou a ser divulgada por toda a mídia: o ex-governador de Pernambuco, Eduardo Campos, havia acabado de morrer na queda de um jatinho em Santos, no litoral paulista, gerando imediatamente uma comoção nacional.

Campos, do Partido Socialista Brasileiro (PSB), figurava como uma promissora liderança regional que começava a crescer nas sondagens de intenção de voto da corrida presidencial. Após sua morte, a candidata a vice-presidente pela mesma chapa, Marina Silva, assumiu o lugar de Campos e, dias depois, disparou nas pesquisas eleitorais.

Duas semanas depois da tragédia, Marina Silva aparecia empatada com Dilma Rousseff (PT) em primeiro lugar nas pesquisas, e venceria sua oponente petista na projeção de um segundo turno reunindo as duas, de acordo com os institutos de pesquisa. Faltando poucos dias para a realização do primeiro turno, o candidato do PSDB, Aécio Neves, mostrou uma forte recuperação e acabou desbancando Marina Silva, levando seu partido a disputar novamente o segundo turno contra o PT, como ocorrera em 2002, 2006 e 2010.

As primeiras pesquisas do segundo turno mostravam o candidato do PSDB à frente da adversária com uma margem de pelo menos oito pontos percentuais de vantagem. Com a aproximação da rodada decisiva das eleições, Dilma Rousseff cresceu nas pesquisas e, às vésperas do pleito, ambos apareciam tecnicamente empatados em quase todas as sondagens eleitorais apresentadas pela mídia.

No dia 26 de outubro de 2014, os brasileiros saíram de casa para escolher quem iria governar o país pelos próximos quatro anos, votando em urnas eletrônicas. Naquele ano, houve um atraso no início da divulgação dos resultados da eleição, uma vez que o Tribunal Superior Eleitoral (TSE) decidiu aguardar o encerramento da votação no Acre, cujo fuso horário era de três horas em relação ao horário de Brasília. Assim, a divulgação começou somente às 20h, momento em que mais de 90% dos votos já haviam sido computados por diferentes estados do Brasil.

Dilma Rousseff, a candidata preferida dos chineses, derrotou Aécio Neves pela margem mais apertada em 25 anos de eleições presidenciais: 51,54% a 48,36%. Até hoje, o resultado levanta suspeitas de manipulação dos votos pela forma inusitada com a qual o TSE divulgou os números. Naquele conturbado ano de 2014, pela segunda vez uma empresa criada por venezuelanos nos Estados Unidos integrava o sistema de transmissão de dados das eleições brasileiras: a Smartmatic.

8. O Brasil da Depressão

Um público de aproximadamente dez mil pessoas compareceu à posse de Dilma Rousseff no primeiro dia de 2015, frustrando a expectativa do Partido dos Trabalhadores (PT) de reunir pelo menos 30 mil. Mergulhado em escândalos de corrupção e atravessando um dos piores momentos econômicos em quase um século, o Brasil se tornara um lugar cada vez menos interessante para se viver.

Profissionalmente, eu estava muito bem, trabalhando em Brasília na função de diretor de uma das maiores agências de comunicação do mundo, sediada em Nova York. A renda, consequentemente, acompanhava o prestígio do cargo. De qualquer forma, eu estava um pouco cansado por trabalhar incessantemente desde o início da Operação Lava Jato, de domingo a domingo sem descanso, nem mesmo nos feriados de Páscoa, Natal ou Ano-Novo.

Por sua vez, Moura, meu amigo que havia se mudado para a China, já estava gozando do seu segundo período de férias em menos de um ano. Ele e a esposa viajavam para diversos lugares e postavam fotos incríveis nas redes sociais. Praias, montanhas, cidades históricas, barcos — aquilo, sim, era vida.

A rotina exaustiva do meu trabalho e a economia mambembe do Brasil me levaram a entrar em contato com Moura no mês de fevereiro. Expus claramente que tinha interesse em deixar o Brasil, e a China poderia ser um destino interessante. Ele perguntou qual era a minha renda e adiantou que na China eu não receberia um salário tão alto, principalmente porque o real ainda estava relativamente valorizado frente ao yuan.

Mesmo incrédulo com a possibilidade de eu deixar o Brasil para experimentar uma qualidade de vida inferior em uma nação estrangeira, Moura se comprometeu a me avisar caso surgisse alguma vaga de trabalho na China. "Mas duvido que você venha", disse ao final da conversa.

Eu já tinha interrompido os estudos de mandarim havia quase um ano, e o vocabulário vez ou outra começava a me fugir à memória. A capacidade de escrita estava mais comprometida que nunca. Eu treinava um pouco o idioma nos jogos de futebol na casa do embaixador da China e na casa do meu amigo Cheng, no Lago Sul, onde ocasionalmente assávamos picanha, alcatra, linguiça e asinhas de frango, sempre temperadas com cominho, uma predileção dos chineses.

Um dos jogadores mais assíduos da Embaixada da China no Brasil era também um dos organizadores da pelada: o diplomata Rui, nome em português para Qu Yuhui. Rui sempre se mostrou afável, conciliador e de sorriso fácil. Chegou jovem ao Brasil e estava galgando posições rapidamente na pirâmide diplomática, auxiliado por um domínio do português que beirava a perfeição.

Informalmente, trocávamos percepções e análises políticas sobre Brasil e China, além de falarmos de geopolítica, em uma camaradagem aparentemente sem interesses extras. Rui, todavia, já era membro ativo do Partido Comunista de seu país.

Já os negócios da empresa de Cheng nos países lusófonos prosperavam bem sob o seu comando. Ao mesmo tempo, ele mantinha relações cada vez mais próximas com altos oficiais das Forças Armadas do Brasil, sobretudo da Marinha, a responsável pela licitação da base na Antártica, além de circular com diplomatas e políticos de diferentes partidos. O sucesso nos negócios mudou seu jeito de agir, seus gestos, seu vestuário e o modo de se expressar. Desde que o conheci, pela primeira vez ele demonstrava autoconfiança e deixava escapar algumas de suas estratégias.

— Nunca devemos perder tempo com quem não tem poder de decisão. Temos de falar direto com quem manda — ele me confidenciou em um de nossos encontros.

Uma amiga minha, Diana, conheceu Cheng por meu intermédio em 2010, quando ele chegou ao Brasil. Ela voltou a encontrá-lo naquele ano de 2015, e corroborou o que eu havia percebido.

— Ele está completamente mudado. As roupas, o jeito de falar, até a postura corporal mudou. Não parece a mesma pessoa — disse Diana.

Ela estava certa, muita coisa havia mudado, mas ele permanecia um amigo leal, disposto a me ajudar no que fosse necessário. Naquele ano de 2015, a Operação Lava Jato avançava sobre políticos, funcionários públicos, empresários, publicitários e demais envolvidos no maior esquema de corrupção da história do

Brasil. O juiz Sergio Moro sofria ataques, sobretudo de políticos investigados e da militância petista, que o acusavam de parcialidade nas investigações.

O escândalo de escalas faraônicas na Petrobras fez passar despercebido o resultado da licitação da estação científica Comandante Ferraz, a base brasileira na Antártica. Em maio de 2015, a empresa chinesa CEIEC venceu a licitação, superando as experientes OY FCR Finland, da Finlândia, e o consórcio brasileiro-chileno Ferreira Guedes/Tecnofast.

As duas empresas já haviam entrado com recursos contra a empresa chinesa em janeiro daquele ano, questionando a escolha da CEIEC e atrasando o cronograma da licitação. Mas o governo brasileiro conseguiu reverter a investida das concorrentes e manteve a decisão, entregando a estação aos cuidados dos chineses, além de pagar 99,6 milhões de dólares pela obra.

A antiga base brasileira na Antártica havia sido destruída por um incêndio em 2012, provocando a morte de dois militares e resultando em novecentas toneladas de destroços a serem removidos. A CEIEC nunca havia ganhado uma licitação de 100 milhões de dólares em uma das dez maiores economias do mundo. A estatal chinesa passaria a ter acesso a informações privilegiadas das Forças Armadas brasileiras nos oceanos.

A estação brasileira, embora tenha finalidade exclusivamente científica, fica em uma localização estratégica para a China, que tenta fincar todos os seus tentáculos na América do Sul como um trampolim para desestabilizar os Estados Unidos. Os chineses celebraram o resultado com um banquete e muito baijiu, uma farra que futuramente seria quitada com o dinheiro do povo brasileiro. Meu amigo Cheng esteve à frente do processo licitatório pelo lado chinês, e recebeu uma polpuda comissão da ditatura chinesa, além de se cacifar para novos projetos em regimes totalitários da África, com destaque para Angola.

Na época, acionei um contato dentro do Exército, questionando o resultado. Ele, por sua vez, conversou com um alto oficial da Marinha, e me repassou a informação: era bastante improvável que a empresa chinesa tivesse mais qualificação para vencer a disputa contra os chilenos e finlandeses. Então, como seria possível essa vitória? A Marinha teria traído o povo brasileiro? Não, não é necessário que uma instituição inteira traia o país. Basta que poucas pessoas colocadas no lugar certo o façam.

Vivíamos o penúltimo ano de governo petista, quando a grave crise política e econômica se aprofundou em Brasília, tornando suspeito qualquer movimento dos Poderes da República, inclusive nas Forças Armadas.

Em 2015, ano seguinte à realização da Copa do Mundo no Brasil, autoridades norte-americanas providenciaram a prisão do ex-presidente da Confederação Brasileira de Futebol (CBF), José Maria Marín, na Suíça, acusado dos crimes de fraude bancária, organização criminosa e lavagem de dinheiro. Marín posteriormente foi extraditado para os Estados Unidos.

No Brasil, nenhum alto dirigente das entidades de futebol jamais foi parar atrás das grades. Coube aos Estados Unidos executar a tarefa, expondo vergonhosamente a impunidade de grandes corruptos em território brasileiro. Em dezembro de 2015, sete meses após a prisão de Marín, o FBI acusou Marco Polo del Nero e Ricardo Teixeira por recebimento de propinas em contratos envolvendo o futebol no Brasil e no exterior. Uma juíza do Rio de Janeiro impediu a cooperação entre autoridades norte-americanas e brasileiras nesses casos de corrupção, impossibilitando a prisão dos dois dirigentes.

Semanas depois, na semana da virada de 2015 para 2016, uma ilha particular, dotada de instalações extravagantes, situada em Angra nos Reis, no litoral do Rio de Janeiro, recebeu convidados para uma festa de gala, regada a camarões, lagostas, vinhos portugueses e champanhe francês. Entre os convivas transportados em lanchas e iates suntuosos, era possível identificar oficiais da Marinha, chineses ligados à CEIEC e o recém-novo-procurado pelo FBI, Marco Polo del Nero. Um pequeno paraíso para todo tipo de cafajestes.

Relaxa, aqui é a China

Minha rotina profissional seguia imutável no primeiro semestre de 2015. Eu continuava trabalhando todos os dias da semana quando, em uma manhã de maio, recebi a inesperada, porém bem-vinda ligação de Moura.

— Rafa, surgiu uma vaga para professor de português aqui na universidade onde nós trabalhamos na China. É um pouco urgente, e o salário não chega perto da sua renda no Brasil, só estou te ligando porque eu havia me comprometido. Você acha que consegue me dar uma resposta em uma semana?

— Claro, com certeza, em no máximo uma semana te dou a resposta.

Ele tinha razão quanto à renda. De fato, o salário oferecido pela universidade representava apenas um terço da minha renda no Brasil. Mesmo assim, no dia seguinte, liguei de volta:

— Eu vou, a vaga é minha — comuniquei a Moura.

A questão da renda, para mim, passou a ser secundária. Não seria a primeira vez que eu trocaria de emprego por um salário menor, pois eu sabia que o ganho seria compensado no médio ou longo prazo.

— Calma — ele me respondeu. — Pense com calma, se você não quiser vir, eu entendo, afinal deixar o seu cargo aí, tanta gente desempregada no Brasil, não é fácil. Só pedi uma semana porque se você recusasse eu precisaria procurar outra pessoa.

— Não precisa procurar ninguém. Eu vou, essa é a minha resposta final — afirmei, resoluto.

Moura ainda duvidava da minha decisão, mas comunicou à direção da universidade e demos início aos procedimentos de contratação. Naquele momento, eu não deveria avisar à minha empresa sobre a mudança de país, antes precisava assegurar o novo emprego na China. Eu estava justamente abrindo o escritório da empresa americana na qual eu era diretor, e em poucos dias precisava alugar um imóvel, mobiliá-lo e contratar os profissionais.

Enquanto eu tocava as demandas do trabalho em Brasília, já estava em contato com a chinesa responsável pela minha contratação, a Cathy. Ela pediu meu currículo, enviei um bem elaborado, porém conciso, como costumamos fazer no Ocidente, oferecendo o máximo de informações no menor espaço possível para não tomar muito tempo dos recrutadores.

Meu currículo aparentemente não a agradou, e ela me enviou um modelo para preenchimento nos padrões da universidade, exigindo uma quantidade de informações e detalhes impensáveis para a realidade brasileira.

Cathy pedia, por exemplo, para eu listar todos os lugares onde havia estudado desde o ensino fundamental. E pior: pedia referências de todas as escolas, cursos e também da universidade onde eu havia me graduado, assim como de todos os empregos e empresas por onde eu havia passado. Além dos nomes de cada uma das referências, ela queria o contato de todos, incluindo telefone e e-mail.

Comecei a suar frio. Como eu iria conseguir aquele volume de informação? Algumas das escolas em que eu havia estudado não existiam mais, ou haviam mudado de nome. E muitas das pessoas que lá trabalhavam trocaram de emprego, outras se aposentaram. Quanto aos empregos, a dificuldade era idêntica. Fiquei realmente preocupado e liguei para Moura, que me tranquilizou.

— Relaaaaaxa, aqui é a China — respondeu ele.

— Aí é a China? E o que isso quer dizer? — perguntei.

— Olha, eles pedem isso para todo mundo, mas nunca checam as informações. Então, você pode inventar nomes e telefones, porque eles nunca irão entrar em contato.

Eu mal podia acreditar naquilo e decidi encontrar um caminho intermediário. Que havia trapaceiros pelas ruas de Pequim, como pude vivenciar em 2009, isso já era bastante claro, mas agora estávamos falando de uma instituição de ensino superior da China, ou seja, outro nível. Eu nem poderia pensar em arriscar perder a vaga de emprego por causa de nomes inventados no currículo, então tratei de levar o assunto a sério.

Procedi uma pesquisa incansável atrás dos professores, diretores e demais referências das instituições onde eu havia estudado. Até do curso de inglês eu fui atrás, e consegui encontrar muitas referências. Obviamente, como eu havia previsto, muitos desses profissionais já haviam se aposentado e escolas haviam sido vendidas, procurei em vão os contatos na internet. Ou seja, tive de apelar pela saída intermediária. Contatei ex-colegas dos primeiros anos de colégio e sugeri o nome deles como referências. E avisei: "Se algum chinês ligar tentando se comunicar em inglês, diga que eu era um bom aluno, por favor".

Depois de um trabalho imenso, enviei o currículo completo para a universidade chinesa, oito páginas inteiras contendo todos os nomes e referências de cada escola, cada curso e empresa por onde eu havia passado, uma infinidade de empregos dada a alta rotatividade de jornalistas nas redações de jornais e assessorias de imprensa.

Nenhuma das dezenas de pessoas incluídas no meu currículo foi contatada. J-a-m-a-i-s. Nenhum mísero e-mail lhes fora enviado, como Moura já havia me adiantado. Todo o processo de contratação levou mais de um mês. A cada hora os recrutadores me pediam um novo documento, uma nova referência ou uma carta que já poderiam ter solicitado no começo do processo.

Uma das solicitações, por exemplo, referia-se a um exame médico internacional que me custou bastante tempo e dinheiro até consegui-lo e reconhecê-lo, primeiramente, no Ministério das Relações Exteriores do Brasil e, logo depois, na Embaixada da China. Inutilmente, diga-se, porque na China esses exames não valem nada, e todo novo contratado estrangeiro precisa se submeter ao exame médico novamente depois de desembarcar em território chinês.

Quando finalmente assinamos o contrato, em julho, comuniquei minha saída à agência de comunicação onde eu trabalhava. Meu superior direto, o CEO da empresa no Brasil, mostrou-se compreensivo e apoiou minha decisão, assim como os demais diretores e toda a minha equipe. Faltando um mês para a mudança, comuniquei minha família e os amigos mais próximos. Muitas pessoas queriam almoçar ou jantar comigo, saber mais sobre a mudança tão inesperada quanto radical.

Um amigo em particular insistiu para nos encontrarmos a sós: Pagani.

— Eu preciso que você consiga o máximo de informações sobre o regime chinês — disse-me, em um café no Setor Hoteleiro Sul, região central de Brasília.

— Como assim, Pagani? Isso tem a ver com alguma investigação da Polícia Federal? — questionei.

— Não exatamente. Pode ser que as informações sejam úteis no futuro. Por enquanto, tem relação com a nossa soberania, tem relação com a nossa liberdade.

Ele falou em tom enigmático, mas pude compreender perfeitamente sua preocupação e prometi a ele colher toda informação ao meu alcance. Selamos um pacto.

Na minha festa de despedida, reunimos cerca de cem pessoas em Brasília, incluindo alguns amigos chineses e taiwaneses.

No primeiro dia de setembro, no Aeroporto Internacional de Brasília, abracei meus pais, minha irmã, meu cunhado e meus amigos mais próximos antes de embarcar em uma jornada capaz de mudar a vida em quase todos os aspectos que a conhecemos, desde as percepções até o entendimento do ser humano em sua essência, subvertendo toda a bagagem de emoções e sabedoria que acumulamos no Ocidente para experimentar novas sensações possíveis apenas durante uma imersão de anos da cultura oriental.

Desembarquei em Pequim pela segunda vez na minha vida no dia 3 de setembro de 2015, e a China nunca mais desembarcou da minha vida.

PARTE III

A vida na China

9. Missa e trapaça

Fui recebido no Aeroporto Internacional de Pequim por um dos diretores da universidade, Jordan, um chinês de origem humilde que, com muito esforço, havia conseguido crescer profissionalmente e agora fazia parte da nova classe média do país. Eu trouxe de presente para ele uma camisa da seleção brasileira. É muito comum a troca de presentes com os orientais, e Jordan ficou muito agradecido.

Antes de embarcar no Brasil, eu havia perguntado a Jordan se ele queria que eu comprasse algum artigo no Duty Free Shopping, uma gentileza que o surpreendeu por eu ter sido o primeiro professor estrangeiro a tomar essa iniciativa. Depois de muito resistir, ele acabou pedindo dois pacotes grandes de cigarro. "É para um amigo", ele me disse. Ao entregar-lhe os pacotes, Jordan abriu um sorriso largo mostrando quase todos os seus dentes escuros, que revelaram o verdadeiro destinatário daquele tabaco.

Além de Jordan, outro professor havia chegado no dia anterior e iríamos os três juntos para a cidade de Shijiazhuang, capital da província de Hebei (河北). Tratava-se do novo professor de inglês, Ben, um albanês radicado nos Estados Unidos que se apresentava como norte-americano. Antes de vir para a China, Ben havia passado um ano no Catar atuando também como professor.

— Prazer. Então você está contrabandeando cigarro para a China? — foi a primeira frase de Ben, era uma de suas piadas sem graça que nos acompanhariam durante um ano inteiro.

Pegamos o ônibus executivo expresso do aeroporto, mas uma parada militar atrasou nosso percurso até a estação de trem Pequim Oeste (Beijing Xi 北京西). Eu estava cansado, tinha saído de casa, no Brasil, havia mais de 48 horas, passei por Atlanta e Detroit, nos Estados Unidos. Finalmente, tomamos um trem-bala com direção a Shijiazhuang. Seria apenas uma hora e quinze minutos. Pela primeira vez, eu tomava um trem de alta velocidade na China.

Minha única experiência em um trem-bala havia ocorrido na Alemanha, em 2001, e eu estava curioso para conhecer o seu equivalente chinês. Mas a exaustão era tamanha que apaguei, dormi praticamente todo o trajeto e só acordei na capital da província de Hebei.

Ao chegar ao imenso e novo terminal ferroviário de Shijiazhuang, maior que muitos aeroportos que já conheci, pegamos um táxi para o campus universitário onde eu iria morar. Chegando lá, fui recebido por Moura, sua esposa Sofia e meu amigo Cheng. Sim, Cheng estava na China e me recepcionou em minha nova casa, junto com seu primo que eu conhecera durante suas viagens para Brasília, e o filho Rou Rou.

— Rafa, parece um sonho. Primeiro, eu fui morar na sua cidade, agora você vem morar na minha — disse-me Cheng.

Sim, de fato, o mundo é repleto de surpresas, e lá estava eu, no campus da Faculdade de Mídia de Hebei, a famosa Hébĕi chuánméi xuéyuàn (河北传媒学院). Bom, famosa ao menos na província de Hebei, embora tenha se tornado mais conceituada no restante do país recentemente.

Para mim, mesmo consciente do meu alto padrão de exigência — um eufemismo para chatice —, a minha nova morada chinesa agradou. O apartamento era relativamente novo, todo mobiliado, possuía dois quartos amplos, uma sala espaçosa, banheiro e cozinha, além de uma sacada, somando ao todo mais de oitenta metros quadrados, um verdadeiro latifúndio para a maioria da população chinesa.

Após a recepção, abraços e discursos de boas-vindas, quase todos foram embora, ficando no apartamento apenas eu e Moura. Era uma quinta-feira e já estava quase anoitecendo quando nos despedimos.

— Você precisa de mais alguma coisa? — ele me perguntou.

— Só preciso de duas informações — respondi. — Primeiro, onde tem um restaurante próximo daqui? Segundo, onde fica a igreja para eu ir à missa no domingo?

— Igreja?

Moura nunca fora muito religioso, e disse que jamais se esqueceu das minhas palavras naquele primeiro dia em Shijiazhuang. "Igreja, caramba! Como é que eu iria saber onde tinha uma igreja?! Nós estávamos na China", gargalhava. Ele sempre faz esse comentário quando relembramos a história.

Moura mobilizou os estudantes chineses, que nem sequer sabiam ao certo o que era uma igreja, mas assumiram a missão de encontrar uma. No domingo, três das minhas futuras alunas me levaram de ônibus até a igreja. Era tão distante que tomamos dois ônibus, precisamos fazer uma conexão no meio do caminho. Depois de uma hora e meia, chegamos ao destino. Elas estavam orgulhosas de si mesmas. E felizes, pois pela primeira vez viam uma igreja.

Olhei a arquitetura e imaginei ser um templo protestante. Mas como na China tudo é diferente, entramos. Logo encontrei um pastor chinês que falava inglês com certo grau de dificuldade, mas o suficiente para confirmar a minha suspeita: ali era mesmo uma igreja protestante.

As alunas imediatamente passaram de felizes a tristes, ao mesmo tempo que não entendiam direito o que se passava. Afinal, igreja não é tudo igual? Na cabeça delas, era. Então, as três sacaram seus smartphones e começaram a procurar de novo, até que uma delas gritou: "Achei!".

E lá fomos nós de novo. Caminhamos cerca de quinze minutos pela região central da cidade, eu já esperava que elas estivessem me conduzindo até uma sinagoga, ou uma mesquita. Depois de passar por uma larga avenida comercial, atravessamos um portal com caracteres chineses e, surpresa, chegamos a outra igreja, e era de fato uma igreja católica.

Impressionante, faltavam apenas alguns minutos para começar a missa das 18h, os assentos estavam lotados, ficamos de pé, e as alunas me acompanharam em minha primeira missa na China, toda rezada em mandarim. Fiquei fascinado com a atuação perfeita do coral, com a emoção que parecia tomar conta do ambiente, tornando aquela experiência realmente inesquecível. No dia seguinte, começaram as aulas. Eu deixei temporariamente a minha carreira de jornalista para assumir a posição de professor universitário na China.

Mestrado nos Estados Unidos

Toda minha carreira no Brasil foi construída em torno da comunicação. Desde a minha graduação até a mudança para a China, foram quase vinte anos dedicados a jornalismo, mídia, assessoria de imprensa, relações públicas e relações governamentais. Aos 23 anos, eu trabalhava no jornal mais influente do Brasil. Aos 25, a bolha da internet me atraiu para o maior conglomerado de comunicação do mundo.

Depois de anos atuando na imprensa, passei a me dedicar ao outro lado do mercado: comunicação corporativa, institucional e governamental. Nessa área, antes de me mudar para a China, eu havia me tornado diretor da maior agência internacional de comunicação no Brasil. Digamos que para alcançar essas posições eu sempre contei com um pouco de sorte, uma dose de dedicação e amigos leais que confiavam na minha capacidade profissional. Longe de ser um Forrest Gump, mas muitas vezes eu estava na hora certa no lugar certo.

Resumindo, eu tinha muita experiência em comunicação e pouquíssima em lecionar, pois só tinha dado aulas de catequese na igreja e atuado na alfabetização de adultos em Brasília, nos dois casos por períodos curtos. Assim, o novo trabalho na China se descortinava ainda mais desafiador.

E, se por um lado o fato de ser um estrangeiro vivendo na China por si só agrega inúmeras dificuldades, por outro há vantagens também. Por exemplo, o apartamento cedido aos professores estrangeiros nas universidades mede pelo menos o dobro do tamanho do oferecido aos professores chineses. E eles precisam dividir o espaço. Isto é, vivem quatro docentes dentro de um espaço de no máximo cinquenta metros quadrados. E eles não contam com chuveiro no apartamento, apenas lavabo. Assim, precisam ir ao prédio do banho quando querem tomar banho. Sim, prédio do banho, algo que só vi mesmo na China. Outra vantagem é que alguns trabalhos são oferecidos somente aos gringos. Descobri isso logo na segunda semana, quando Moura compartilhou comigo o contato de um "agente de estrangeiros".

— Mas que raio é isso? — perguntei.

Agente de estrangeiro? Normalmente, em outros países, conhecemos agentes de modelos, de atores, de jogador de futebol, agente de viagens, de saúde, enfim, uma infinidade de agentes, mas... agente de estrangeiros?

— Vai por mim, ele consegue alguns trabalhos extras interessantes, e o pagamento compensa — disse Moura.

Está bem. E na semana seguinte o agente, chamado Liang, já me ligou conversando em inglês, com forte sotaque, mas bastante compreensível. Ele se apresentou e perguntou se eu era professor, dizendo que havia um trabalho para eu fazer no fim de semana. Expliquei a ele a situação, contei que eu era jornalista, comunicador, mas que na China trabalhava como professor universitário.

Na realidade, quando um expatriado vai trabalhar na China, ele recebe o certificado e o visto de "especialista estrangeiro". O título de especialista tem lá seu prestígio, e serve para todas as carreiras, independentemente de você ser músico, atleta, *chef* de cozinha, jornalista, garçom, engenheiro ou professor.

— Certo, perfeito. Você é um professor na universidade, o trabalho que tenho para lhe oferecer é exatamente esse. Mas você não precisará trabalhar como na universidade, é apenas uma simulação — explicou-me Liang, e logo depois me falou sobre o pagamento.

O valor era praticamente 30% do que eu ganhava em um mês inteiro de trabalho na faculdade, então valia a pena. *Esse negócio de teatrinho de professor dá dinheiro na China*, pensei, sem entender direito como seria a tal simulação. Eu o enchi de perguntas, pedi detalhes, mas ele se esquivava, afirmando que era algo muito simples e rotineiro na China.

Liang ainda me demandou uma foto em traje formal, a melhor que eu tivesse. Enviei, ele aprovou, então me pediu a mesma foto em alta resolução, um formato realmente incomum de tão grande. Por sorte, eu tinha no meu computador, então enviei, inclusive precisei transferir via Dropbox ou por outro aplicativo semelhante. O trabalho estava agendado para começar no sábado, dia seguinte ao meu aniversário, e terminaria no domingo. Na sexta-feira fomos (pasmem!) a uma churrascaria brasileira com os alunos comemorar o meu aniversário.

O que eles chamam de churrascaria brasileira na China se resume ao modo como a carne é servida: em sistema de rodízio. Eles adoram, acham o máximo, mas a carne não tem absolutamente nada a ver com a das churrascarias do Brasil, muito menos os pratos quentes e frios. Eles servem peixe, carneiro, pato, carne de porco, cogumelos, vegetais, enfim, a única coisa que lembra o equivalente no Brasil são os garçons trazendo os espetos nas mesas.

E aquela churrascaria se apresentava também como uma choperia alemã. Bom, ela era tão alemã quanto brasileira. Ou seja, 100% chinesa. Mas a comida era bem gostosa e nos divertimos bastante. Como sempre, a diversão dos estudantes acaba cedo, já que às 22h eles precisam estar em seus dormitórios ou são advertidos pela direção da faculdade.

Assim, chegamos à churrascaria às 18h30 e voltamos às 21h30, depois de cantar os parabéns e partir o bolo que os alunos compraram para mim, escrito "Rafa". Eles também me presentearam com um jogo de chá de porcelana de muito bom gosto, os alunos chineses são bastante atenciosos e carinhosos com os professores. No dia seguinte, acordei cedo, preparei uma pequena mala, pois passaria a noite no hotel onde seria realizado o evento, e peguei um táxi. O hotel ficava em Luquan, uma cidade da região metropolitana de Shijiazhuang, distante cerca de quarenta quilômetros da universidade onde eu morava.

Cheguei uma hora antes do combinado, desci do táxi em um complexo hoteleiro 5 estrelas imenso, com auditórios, centro de convenções, área esportiva, até um parque entre os prédios, e o edifício principal de vinte andares, onde já estavam hospedados muitos dos participantes.

Os trabalhadores estavam finalizando a estrutura de palco, som, luzes, tapetes vermelhos, tudo sempre muito brega e exagerado, mas eu me acostumaria com o tempo. Apenas uma pessoa naquele requinte todo falava inglês: a minha "secretária" no evento. Uma modelo chinesa alta, magra, bonita, pernas torneadas expostas debaixo de uma saia preta curta com uma fenda pra lá de ousada, cabelo longo quase na cintura, chamava-se Serena, um nome bastante comum entre as moças chinesas.

Ela me disse para ficar à vontade e dentro de quarenta ou cinquenta minutos me chamaria para fazer o check-in no hotel. Aproveitei o tempo livre para circular, conhecer os espaços e tomar um chá. Nesse tempo livre entendi por que eles haviam pedido minha foto em alta resolução.

Logo na entrada do evento, no curto caminho de onde viriam os hóspedes endinheirados do hotel, situavam-se painéis enormes com a foto de quatro chineses com cara de gente importante, e a minha foto entre eles. *Uau!*, pensei, *eles levam a sério essa tal simulação.* Como ainda faltavam alguns minutos para o check-in, aproveitei o tempo livre e ativei meu aplicativo tradutor do smartphone, o Pleco, e comecei a traduzir o texto em mandarim abaixo da minha foto gigantesca. No começo, tudo bem: "Rafael Fontana é professor brasileiro, de família italiana (para eles, isso também é importante), começou a carreira há vinte anos".

Até aí, nenhum erro. Mas, na sequência: "... é neurocirurgião com mestrado na Califórnia, Estados Unidos". Como assim? Estão loucos? Achei que eu havia traduzido errado, então tentei de novo, e a informação era realmente aquela. Sem acreditar, perguntei a Serena, que se aproximava. Ela abriu um grande sorriso e confirmou. Ainda por cima me deu os parabéns pelo currículo. Fiquei sem ar.

— Vamos. Seu quarto está pronto — ela me disse na sequência. — Algumas pessoas já estão curiosas para conhecê-lo.

Ferrou! Como eu iria fugir dali? Ingênuo, eu pensava que o neurocirurgião verdadeiro havia sofrido um imprevisto e precisaram substituí-lo de última hora para não cancelar o evento. Ou seja, que seria uma solução emergencial, embora criminosa. Mas não. Não era nada disso.

Seguimos até a recepção, puro luxo, lustres, tapeçaria, móveis, espelhos, tudo reluzente e cafona, claro. Os convidados vinham me cumprimentar, eram senhoras e senhores da alta sociedade local, sorriam e acenavam, e eu querendo sumir dali o quanto antes. Então Serena me chamou para subir até o quarto. Era uma das suítes presidenciais. Nunca havia me hospedado em um espaço tão grandioso. Aliás, nunca tinha visto nada comparável àquilo. A suíte dispunha de dois banheiros imensos, academia, sauna e uma banheira de hidromassagem grande o suficiente para acomodar uma família inteira.

A cama era capaz de comportar uma partida de vôlei de praia, mas eu não conseguia aproveitar nada daquele luxo, só imaginava o momento em que os policiais bateriam na porta para levar o neurocirurgião impostor: EU.

Comecei a enviar mensagens para Moura sem parar, desesperadamente e em vão. Tentei ligar também, mas ele não atendia. Era sábado, claro, possivelmente ele estava dormindo ainda com a ressaca do chope "alemão" da noite anterior. Eu já estava procurando uma saída de emergência para fugir do hotel, quando Moura finalmente me retornou:

— Fala, meu filho, vi que você me ligou.

— Moura, você não está entendendo... — comecei a explicar. — Eles mudaram meu currículo. Estão dizendo que sou um médico neurocirurgião.

Aí veio a frase clássica:

— Relaaaaxa, você está na China — ele me falou, e calmamente prosseguiu. — No último evento, eu fui um fazendeiro australiano.

Enquanto ele gargalhava, comecei a suar frio.

— Como assim? — perguntei. — Que história é essa de fazendeiro?

Então, ele me explicou que aquilo era rotina na China. Os chineses sempre convidam estrangeiros para participar de eventos, com a finalidade de agregar *status* ao produto, negócio ou serviço que estão oferecendo. Daí, portanto, compreendi a necessidade de existir o tal agente de estrangeiros.

— Mas isso é fraude, Moura. Falsidade ideológica — falei.

Ele concordou, mas reforçou que isso acontecia diariamente na China, que estrangeiros participam com muita frequência e que, além de fazendeiro, ele já tinha sido construtor também. Respondi que eu não poderia continuar com aquela encenação, mas ele me pediu para levar pelo menos aquele trabalho até o fim, me garantiu que não haveria nenhum problema com as autoridades locais.

Eu concordei em ficar, mas só por consideração à nossa amizade, e continuei bastante receoso. Logo depois da nossa conversa, Serena me chamou para descer e passar pelo "treinamento" do meu trabalho. Aquele evento fora organizado para o lançamento do novo produto de uma grande empresa chinesa de equipamentos hospitalares. O meu trabalho consistia em ficar sentado a uma mesa de frente para um computador, com cara de quem estudou medicina nos Estados Unidos.

Os clientes, a maioria mulheres, sendo muitas delas senhorinhas, passavam por uma triagem na qual informavam seus dados, como altura, peso, eventuais enfermidades do passado, se fumavam, bebiam etc. Era uma longa ficha de informações.

Depois, elas passariam pelo pequeno equipamento que estava sendo lançado naquele dia, onde inseriam a mão, e o aparelho fazia um mapeamento completo da palma da mão, computando as terminações nervosas. Enfim, o objetivo era informar, por intermédio de um laudo emitido pela maquininha, as condições de saúde do paciente: rins, pulmões, coração, pele, articulações, cabelo, visão, audição, ou seja, um check-up completo extraído do mapeamento da mão do paciente.

O laudo saía em uma moderna impressora, era coletado pela minha secretária, que me trazia o documento caminhando como quem desfilava em uma passarela, eu olhava o papel, fingia que entendia tudo, sorria para a paciente, e entregava o laudo em mãos. Passei cerca de três horas fazendo isso, mas pareceram três meses. E pior, as pessoas tiravam fotos, filmavam. Como se não bastasse, tinha também fotógrafo profissional e equipe de filmagem. Assim, a fraude estava sendo toda registrada, minuto após minuto.

O pesadelo parecia não ter fim, mas ainda teríamos o jantar de gala oferecido aos convidados. Lá estava eu, à noite, dividindo uma mesa com os convivas, faminto, porque não tinha comido nada durante o trabalho. Porém, precisava continuar sorrindo para todo mundo, cumprimentando. Pelo menos no jantar de gala chegou um russo para dividir um pouco da culpa por enganar aquele tanto de chinês crédulo, mas ele parecia bem mais à vontade que eu. Em determinado momento do jantar, fomos chamados ao palco para receber os agradecimentos e flores. E tome mais fotos para aumentar o meu pânico.

A picaretagem é tanta que o buquê que recebemos no palco é devolvido quando saímos pelos bastidores, já que as mesmas flores serão entregues aos próximos convidados especiais quando subirem ao palco. Pura encenação para divulgarem as nossas fotos e vídeos.

As surpresas na China nunca acabam. Depois do jantar, descobri que eu havia sido desalojado da minha suíte presidencial na cobertura do hotel. O meu rebaixamento, segundo eles, explicava-se pela chegada inesperada de um hóspede tradicional do hotel.

Suspeitei ser uma baita mentira, obviamente. Pediram desculpas e me conseguiram outro quarto, grande o suficiente para abrigar quinze professores chineses. Passei a noite ali sem dormir direito, ainda com a ideia da falsidade ideológica martelando na minha cabeça. Na manhã seguinte, domingo, tomei café da manhã, fiz o check-out e me mandei dali o mais rápido que pude. Antes do meio-dia eu já estava em casa, finalmente me sentindo seguro, embora ainda estivesse processando toda aquela sequência de fatos que me deixava constrangido de contar a alguém.

Guardei a história por anos até me sentir à vontade para compartilhar como o faço agora, mesmo porque agora ela enseja uma reflexão. Estamos falando da saúde de pessoas, centenas de senhoras estavam ali sendo enganadas, acreditando na possibilidade de se tratar após o laudo fajuto entregue por um jornalista contratado para se fingir de médico. Dias depois, o aparelho começaria a ser vendido por todo o país, em particular na internet.

Se empresários chineses são capazes de enganar seus compatriotas em um tema tão delicado quanto a saúde, colocando em risco a vida de milhares de pessoas, o que o Partido Comunista seria capaz de fazer com a saúde de estrangeiros?

Maço de dinheiro

No mesmo dia do encerramento da patacoada, combinei de receber o dinheiro do agente estrangeiro. Ele queria me pagar via WeChat, mas insisti para receber a quantia em espécie, eu ainda não havia ativado esse mecanismo no aplicativo.

— Eu posso transferir para o WeChat do Moura, e ele te dá o dinheiro — tentou uma vez mais o agente Liang.

— Olha, não leve para o lado pessoal, mas seria até interessante a gente se encontrar. Isso é importante na cultura dos estrangeiros — falei para ele, e bastou para convencê-lo.

— Está bem — concordou o agente. — Vamos para um café. Você é brasileiro, e este é o único lugar da cidade que tem café brasileiro — ele me falou e passou o endereço novamente via WeChat. Aliás, 90% da nossa comunicação ocorria pelo WeChat, um aplicativo desenvolvido pela gigante de tecnologia Tencent.

Aliás, eu só ouvira o nome WeChat meses antes de me mudar para a China, fui obrigado a baixar por recomendação do Moura. "Aqui na China é a melhor forma de se comunicar, você precisará baixar até para falar com os nossos diretores e alunos", ele me disse. Eu ainda estava resistindo em baixar o módulo de pagamento do WeChat. Em 2015, essa forma de pagamento sequer existia no Brasil.

Poucos cidadãos ocidentais usavam o celular para pagar contas do dia a dia, e quase ninguém transferia dinheiro dentro de um aplicativo, como se fossem contas bancárias móveis.

Eu ainda me sentia perdido com tanta mudança em tão pouco tempo. A realidade é que os jovens chineses nem sequer chegaram a conhecer o cartão de crédito: saltaram direto do dinheiro vivo para o WeChat, cujo nome original em mandarim é *Wēixìn* (微信).

O aplicativo da Tencent é vital para os cidadãos chineses. Além de rede social e comunicador instantâneo, por intermédio dele o chinês resolve praticamente tudo em sua vida. Lá está sua carteira de identidade, dinheiro, fotos, vídeos e programas de TV. Você consegue pelo WeChat, por exemplo, comprar uma passagem de avião para Xangai, fazer o check-in, reservar um hotel e comprar o ingresso para o filme que assistirá quando desembarcar.

Depois, usará o mesmo aplicativo para pedir um táxi ou Didi (o uber chinês), pagará a conta do restaurante e dará entrada no hotel. Tudo o que você precisa na China é de um aparelho celular com WeChat e um carregador de celular. Você pode percorrer o país só com isso.

E isso é bom? Sim, é formidável, fascinante, muita facilidade na vida do cidadão. Mas estamos falando de um estado totalitário, lembram-se? E se em 2015 eu não conhecia o WeChat, também ignorava a existência do crédito social proposto pelo governo de Xi Jinping.

Naquele momento, tudo o que eu queria mesmo era receber o dinheiro que minimamente compensasse o pesadelo no hotel durante o fim de semana. Assim, peguei um ônibus com destino ao café, o *hǎoshì kāfēi* (好事咖啡). De fato, foi o melhor café que tomei na cidade, bastante superior à Starbucks, só que nunca mais consegui achar o endereço daquele lugarzinho acolhedor, na sobreloja de um prédio simples em padrão chinês.

A cafeteria estava vazia, eu era a única pessoa nas mesas. Cinco minutos depois de me sentar, entrou um jovem chinês alto, bem magro, pele clara e feição simpática, veio sorrindo na minha direção:

— Oi, eu sou o Liang.

Ele se sentou a minha frente e logo me entregou o maço de dinheiro na frente da garçonete. Chinês é assim mesmo, sem frescura, e o repasse de dinheiro ocorre à vista de qualquer um. Peguei o dinheiro meio constrangido, conferi rapidamente, enfiei no bolso e, agora, sim, podia desmanchar aquele sorriso imutável dele:

— Veja bem: você nunca mais, nunca mais mesmo me chama para uma presepada dessas! — falei olhando no fundo dos olhos de Liang, para demonstrar minha indignação com o ocorrido.

— Por quê? Você não gostou do hotel? — ele me perguntou com toda a sua inocência.

— Não é isso — expliquei. — Olha, eu sou jornalista, meu trabalho é com comunicação e mídia, está bem? Só posso trabalhar com isso. Nada além disso, estamos conversados?

Liang ficou confuso, nunca um estrangeiro havia ficado insatisfeito com um de seus trabalhos. Ele se desculpou e disse que aquilo nunca mais iria acontecer. Então mudamos de assunto, ele me contou da sua vida dura, da origem sofrida em uma província do centro-sul chinês.

— Já vim de trem lotado para cá, de pé, 22 horas sem conseguir ir ao banheiro, muitas vezes só cabia um dos meus pés no chão. Isso tudo porque meu dinheiro só dava para comprar aquela passagem mais barata — ele me contou.

Quase devolvi parte do dinheiro. Mas agora ele estava bem, o trabalho como agente lhe gerou renda, respeito e uma noiva, ele me contava rindo, com os dentes bastante surrados pela vida difícil. Ele me mostrou a foto da noiva bonitona, todo orgulhoso de si, e percebi que ele encarava os esquemas com os estrangeiros como algo completamente normal. Batemos um papo bastante agradável no restante da tarde.

Por fim, nos despedimos. Embora a relação tivesse sido bastante cordial, senti naquele momento que ele não entraria mais em contato. Minha carreira como "estrangeiro" mal começara e já chegava ao fim de forma prematura.

Engano meu. Três semanas depois, o agente Liang me ligou perguntando:

— Mestre de cerimônias é um trabalho na sua área?

Gargalhei por dentro.

10. O começo das aulas

O campus da Faculdade de Comunicação de Hebei, em Xiao An She, era razoavelmente pequeno se comparado com o de outras instituições de ensino superior. A primeira impressão que tive coincidira com meus pensamentos anteriores. Tratava-se de uma estrutura com cara de escola comunista, aqueles prédios nos mesmos padrões, carentes de criatividade, formas simétricas repetidas à exaustão, privilegiando as retas e esquecendo-se das curvas. Fachadas grandiosas para um ensino aquém daquelas proporções.

Cabe registrar uma exceção aos jardins, sempre muito bem planejados e conservados. Como sempre faço, circulei a pé por todo o campus logo na primeira semana, e já me surpreendi com uma instalação no meio do pátio central, uma espécie de painel. Lembrava um cubo no qual duas faces continham motivos neutros, mas em uma delas aparecia o filósofo Confúcio e, do lado oposto, o magnata das comunicações Rupert Murdoch.

Nada me parecia mais sem sentido, e nunca nenhum chinês me deu uma explicação para a foto em destaque de Murdoch. "Acho que ele visitou um dos nossos campi", disse-me um gerente da faculdade certa vez. "Parece que ele fez uma doação", afirmou um aluno. Enfim, eu me divertia cada vez que encarava Confúcio dividindo o mesmo espaço de destaque com Rupert Murdoch.

Recebi a grade de aulas que a mim caberiam naquele primeiro semestre, e percebi cedo que o tal especialista estrangeiro na China leva uma vida de nababo, trabalha pouquíssimo. Eu precisaria cumprir algo em torno de dezesseis horas-aula por semana. Repito: dezesseis horas-aula em uma semana inteira. Ou seja, a mesma quantidade de horas que eu trabalhava somente às sextas-feiras, nos pescoções da *Folha de S.Paulo.*

Pescoção é o jargão usado nas redações para designar o momento em que o jornalista precisa fechar, na sexta-feira, todas as suas matérias apuradas ao longo do dia e, na sequência, escrever as reportagens especiais de domingo e segunda-feira. Não raramente, o repórter-escravo começa a trabalhar às nove horas da manhã e termina às duas horas da madrugada, com um tempo exíguo de mini-intervalos para comer uma coxinha, um enroladinho de salsicha, tomar uma cerveja e seis xícaras de café.

Ou seja, o meu trabalho de uma semana inteira na faculdade da China cabia numa sexta-feira de redação de jornal no Brasil. Isso era simplesmente o paraíso. Claro que precisávamos preparar o conteúdo, elaborar provas e corrigir trabalhos, tarefas normais do meio pedagógico, mas era como se eu estivesse de férias.

Assim, sobraria tempo para eu me aprofundar na cultura chinesa e observar com calma as estratégias do regime socialista. Após uma semana de aula, fui chamado para uma conversa particular com Jordan, o diretor da faculdade, que me buscou no aeroporto. Esse era seu nome ocidental. Moura já havia me alertado para não dizer que Taiwan era um país independente, pois uma discussão dessas havia resultado na demissão e deportação de um professor canadense.

Segui o conselho, e esperava receber do diretor a minha primeira doutrinação comunista em solo chinês. Ele me aguardava no segundo andar do prédio administrativo, sua secretária havia saído para resolver um assunto no campus, e ficamos a sós em seu amplo escritório com vista para o pátio central e a biblioteca, por onde jovens alunos passavam apressados para não perder o início da aula seguinte. Ao fundo, o prédio da cantina se escondia entre o denso *fog* da poluição.

Enquanto eu contemplava aquele cenário pela janela, em uma fração de segundo experimentei a sensação de estar participando de um filme, ou de um comercial para a TV, tudo parecia tão encantador e ao mesmo tempo inverossímil. De repente, a voz de Jordan castrou a minha imaginação.

— Aceita um chá?

Olhei para ele como se acordasse de um transe, demorando mais que o normal para responder.

— Claro, por favor — aceitei o chá-verde de altíssima qualidade.

Não que se tratasse de uma ocasião especial, os chás chineses naturalmente se situam entre os melhores do mundo. Da *Camellia sinensis*, a árvore do chá, extrai-se as folhas que enchem os bules de perfumados chá-branco, chá-verde e chá-preto (vermelho, no caso da China).

Na condição de degustador de chá que me tornei ao longo dos anos, os exemplares de chá-verde da China e do Japão lideram meu próprio ranking mundial. O diretor demonstrou satisfação por conhecer um estrangeiro apreciador de chá.

— Sente-se, por favor. Nossa conversa será breve — disse-me Jordan.

Pronto, pensei, agora começará a lavagem cerebral socialista. Imaginei que começaríamos pela revolução que alçou Mao Tsé-Tung ao poder na China, passando pela situação do Tibete e, finalmente, às crueldades japonesas na Segunda Guerra Mundial.

Ele perguntou se eu estava satisfeito com as instalações do meu apartamento, e introduziu a conversa, demonstrando cuidado para não me assustar:

— O professor Moura já fez excelentes recomendações sobre você. Ele me contou que você conhece bem nosso país e nossa cultura. Então, o que tenho a dizer é muito importante. — Jordan fez uma curta pausa que para mim pareceu uma eternidade, e continuou: — Por favor, não leve as meninas para o seu apartamento. Nunca fique sozinho com uma delas, isso não é bom para nós, nem para as famílias delas, e pode nos causar problemas.

Incrível, nenhuma menção ao grande timoneiro Mao nem às gloriosas vitórias do comunismo, mas sim um alerta para não me expor às maledicências de alunos e funcionários me acusando de seduzir jovens chinesas. Eu o tranquilizei, disse que isso jamais aconteceria, e que se qualquer estudante se convidasse ao meu apartamento, deveria comparecer em grupo e nunca à noite. Ele sorriu aliviado, acenando positivamente com a cabeça:

— *Hěn hǎo!* (很好!) — "Muito bom!", o diretor me disse em mandarim.

Com o passar do tempo, comecei a tomar conhecimento da origem daquela conversa. O fato é que um dos professores brasileiros que me antecedeu chamava as meninas para seu alojamento, e lá fazia ofertas nada respeitosas em troca de uma aula de reforço e boas notas nas provas. O assédio se repetiu com diferentes alunas. E um segundo professor brasileiro pedia aos rapazes o telefone de moços da cidade que gostassem de homens.

As histórias foram se confirmando uma a uma durante minha passagem pela China. Ou seja, eu recebera um alerta porque a fama dos brasileiros naquela instituição estava um tanto chamuscada. Na China, informações como essas são tratadas com a maior discrição, você só consegue acessá-las após conquistar a confiança das pessoas, e essa condição muitas vezes leva meses ou até anos para ser alcançada.

Então, tratei de começar desde cedo essa relação de confiança com os chineses. E como conseguiria alcançar meu objetivo? Ora, para mim, um ator inábil e, confesso, até canastrão, só havia uma possibilidade: ser eu mesmo, autêntico, uma pessoa transparente, reclamona, ranzinza, porém dedicado a oferecer um trabalho de alta qualidade mesmo que a meritocracia não seja aplicada no local onde eu estiver trabalhando. A única possibilidade de não cometer deslizes na construção do personagem e, consequentemente, não cometer erros seria agindo como sempre fiz.

As aulas fluíam muito bem no curso de Tradução – Língua Portuguesa, e fui escalado para dar aulas para as turmas desde o primeiro ano até o quarto. Como aquele campus concentrava cursos de dança, música, tradução, artes, entre outros, cerca de 80% dos estudantes matriculados eram mulheres.

No nosso curso de tradução, esse índice se repetia, e havia turmas com 100% de moças, que me achavam "bonito" apesar de velho, elas diziam. Claro, eu na casa dos quarenta já era tratado como um ancião, mas elas admiravam o fato de eu ter a pele clara, uma característica muito admirada na China, assim como na Coreia e algumas regiões do Japão. E com a falta de sol, adquiri contornos de um fantasma.

As minhas responsabilidades incluíam ensinar gramática, leitura, pronúncia, noções de história do Brasil e de Portugal, a cultura dos dois países, além de temas econômicos e atualidades. Perfeito para um jornalista, eu me sentia muito confortável para desenvolver as aulas e recebi plena liberdade para elaborar tanto o conteúdo quanto a grade curricular. Liberdade até demais, porque a faculdade mesmo não tinha nenhuma programação anterior na qual eu pudesse me basear.

Resumindo, era cada um por si, com todas as vantagens e desvantagens que essa liberdade acarretava. Porque, quando eu precisava de algo da diretoria, recebia como resposta um "você tem liberdade". Isto é, "se vira". Mas tudo bem, aos poucos me adaptei à rotina e fui ganhando a confiança dos alunos. No começo do semestre, a turma do primeiro ano não aparecia na grade de aulas, então descobri que eles passam por um treinamento militar obrigatório nas primeiras semanas, que inclui até a ordem unida, ou seja, a tradicional marcha com paradas e movimentos cadenciados comuns às Forças Armadas.

Mas o tal treinamento militar estava mais para horas exageradas de educação física vestindo roupa militar, nada além disso. Como tudo na China, o treinamento lembra uma encenação, nem que seja para alguns daqueles alunos acreditarem que se preparavam para uma guerra de verdade, reforçando o discurso militarista do governo — sempre negado pelo próprio governo, é claro.

Eu estava curioso em conhecer os novos pupilos, até que um dia uma professora chinesa me mostrou os alunos que acabavam de sair de uma sessão extenuante de exercícios físicos. Os pobrezinhos estavam fatigados, o que significava uma carga extra de esforço. Eu os vi, fiquei observando por alguns minutos sem que eles percebessem, e segui para o meu apartamento, localizado a uns trezentos metros da pista olímpica.

No dia seguinte, depois da aula, fui para a cantina conversando com uma de minhas alunas chinesas do quarto ano, a Carolina, ou Carol, o nome fora uma escolha pessoal dela feita antes mesmo de ingressar no ensino universitário. Contei a ela que havia visto as novas alunas e comentei ter ficado impressionado com a aparência delas.

Na realidade, eu estava impressionado porque elas pareciam ser demasiadamente jovens. Quando essas meninas entram na faculdade na China, com 17 ou 18 anos, elas aparentam ter 14 ou 15. Diferentemente das jovens brasileiras, as chinesinhas ainda se parecem meninas. Era isso que havia me impressionado, a feição de adolescente delas, mas acho que não expliquei direito, então a Carol me falou:

— No começo é assim mesmo. Como elas estão fazendo muito exercício debaixo do sol, ficam desse jeito, escuras. Mas daqui a pouco elas vão voltar a ser brancas, ficarão bonitas de novo.

Não consegui conter a gargalhada. Ri muito.

— Carol, deixa de ser racista. Eu não estava me referindo à cor delas! — E ri de novo.

— Eu não sou racista, não — respondeu, toda sem jeito, com as bochechas vermelhas. — Mas é verdade, você vai ver como elas ficarão mais bonitas — insistiu.

Mudei de assunto para não a deixar ainda mais desconcertada. Além de ser uma das melhores alunas, Carolina era bastante meiga, um doce de pessoa. O seu comentário sobre o desbotamento da turma do primeiro ano saiu naturalmente, porque o racismo está entranhado de tal forma na cultura chinesa que eles nem sequer conseguem perceber. Eu já sabia desse comportamento, mas era a primeira vez que passava por um episódio como aquele.

Ao longo dos anos, presenciei várias cenas de racismo na China. Grande parte dos estrangeiros desconhecem a presença inerente do racismo na sociedade chinesa, incluindo a rejeição social relegada às minorias de pele mais escura do país. Outra parte das pessoas mundo afora apenas finge desconhecer o racismo chinês, por pura conveniência ou interesse financeiro. Um dos episódios de racismo que testemunhei me marcou bastante, irei contá-lo mais adiante.

Latrinas e cigarros

Quando vivemos em um país totalmente diferente do nosso, as experiências nos ensinam e nos enriquecem diariamente. Muita gente no Brasil perguntava por que eu não tirava mais fotos e não postava vídeos das vivências interessantes com mais frequência. Ora, eu teria de viver exclusivamente para isso. Todos os dias sem exceção eu aprendia uma ou mais lições daquele país. Além disso, era a primeira vez que eu atuava como professor universitário. Minhas experiências anteriores na pedagogia se resumiam a um curto período como catequista e outro igualmente curto na alfabetização de adultos.

No novo emprego era diferente. Por exemplo, antes de eu me mudar, fiz uma pergunta básica a Moura sobre as acomodações dos professores estrangeiros, queria saber se o vaso sanitário atendia aos padrões ocidentais ou se era a latrina no chão, ou banheiro turco, como muitos o conhecem no Brasil. Resumindo, aquele buraco que te obriga a se agachar.

— No apartamento, o vaso é igual ao nosso do Brasil — Moura me explicou, e recebi a informação com certo alívio. — Mas no resto do campus é tudo estilo chinês mesmo. Você irá se acostumar depois de entrar no banheiro masculino e ver aquela garotada chinesa agachada, fazendo número dois e conversando com seus colegas que esperam sua vez de usar o buraco. Não tem divisórias no banheiro, então você vê tudo, eles ficam naquela posição conversando, digitando no celular e fumando.

Tratava-se de uma riqueza de detalhes dispensável, mas nem dei muita bola. "É claro que o Moura está exagerando só para ver minha reação", pensei. Minha incredulidade durou até a primeira semana de aula, quando em um intervalo pela manhã precisei usar o banheiro. Ao entrar, vi o quadro do inferno exatamente como Moura o havia pintado.

Aquela fileira de latrinas de louça branca no chão estava inteiramente ocupada por jovens chineses agachados lado a lado, sem divisórias, eles conversavam alegremente como se fosse a coisa mais natural do mundo. Por sorte eu só precisava usar o mictório, mas teria de passar por eles. Consegui pensar em duas vantagens naquela situação para lá de constrangedora. Primeiramente, no mictório eu ficaria de costas para a cena que eu gostaria de nunca ter visto. Em segundo lugar, a maioria deles estava fumando, e juro que até o mais ferrenho antitabagista naquele momento daria graças a Deus por eles estarem fumando. O cheiro do cigarro mascarava um odor que poderia ser pior, muito pior.

A relação dos chineses com a intimidade interpessoal difere em muito do que vemos em outras nações. Se já existe diferença entre latinos e anglo-saxões, imagine entre o Ocidente e o Oriente. Já nos primeiros momentos de consciência, o bebê chinês lida de forma diferente com o controle do esfíncter. Os estudos no Ocidente levam em conta costumes locais, como o uso da fralda, inexistente na China.

As criancinhas chinesas usam uma roupa com abertura nas partes íntimas, deixando o bumbum e "as vergonhas" à mostra, inclusive no frio. Essa roupinha diferente é chamada de *kai dang ku*, ou 开裆裤, e está cedendo lugar às fraldas somente agora nas grandes metrópoles. As crianças andam e correm de um lado para o outro daquele jeito, com tudo balançando, e quando precisam ir ao banheiro, pedem aos pais, ou arrumam um cantinho para se aliviar, um comportamento muito diferente da criança ocidental entre um e três anos de idade, que faz o que precisa na fralda sem se preocupar.

De acordo com a psicologia, a fase conhecida como anal constitui uma das mais importantes na formação da personalidade humana, e as experiências desse estágio da vida impactarão por toda a sua existência. Agora, imagine como cresce uma criança que mostrava "suas vergonhas" diariamente para Deus e o mundo, e quando sentia necessidades fisiológicas também descarregava tudo no meio da multidão. Pois é, não irei me ater a muitos detalhes, apenas lembro-me do dia em que Sofia pegou uma criancinha chinesa no colo, uma gracinha de bebê, passou um tempão se divertindo com o menininho.

Minutos depois, quando caminhávamos em um parque, sentimos um cheiro estranho que parecia nos seguir. Perguntei a Moura se ele tinha pisado em alguma coisa, talvez um excremento canino fresco.

— Eu não! — respondeu, olhando a sola dos seus tênis. — Esse cheiro está vindo da Sofia — disse, já acusando a esposa.

Então, ela também olhou os sapatos e, quando se abaixou, percebeu que o cheiro na verdade vinha do seu antebraço. Bingo! Era bem ali que o chinesinho esfregou suas nádegas. O odor impregnou a pele de Sofia, ela ficou desesperada enquanto eu e Moura chorávamos de rir.

Pelo menos no banheiro da faculdade havia o cheiro do tabaco queimando, uma bênção. Com o tempo, a cena dos alunos agachados se tornou normal. Para aceitar aquilo, eu não precisava participar.

Assim, aos poucos, fui me habituando com as surpresas quase diárias do meu novo país.

Procura-se informantes

Quando me mudei para a China, o uso do WhatsApp ainda era permitido, assim como o Gmail no aplicativo do celular. De qualquer forma, as ferramentas eram inúteis para tentar me comunicar anonimamente com os chineses, que usam suas próprias redes sociais e outras plataformas de busca e e-mail.

E sondar os chineses pelas plataformas do país significaria suicídio, pois toda informação trocada na internet chinesa cai diretamente no colo dos agentes do Partido Comunista. Não que eu fosse importante para o governo deles, de fato eu não representava perigo, mas precisava evitar o risco de ser denunciado por um aluno, professor ou qualquer outro cidadão chinês, até mesmo um estrangeiro. Todo cuidado era pouco ao abordar o tema do comunismo na China com qualquer pessoa. Para ter garantida a minha segurança e a dos amigos, eu não poderia compartilhar meu objetivo de colher informações nem com o único casal de brasileiros da cidade: meus vizinhos Moura e Sofia.

Na realidade, antes de Moura sair do Brasil nossa amizade não era tão consolidada. Nós nos conhecíamos havia apenas dois anos e meio, e poucas vezes nos comunicamos a sós a ponto de criar a confiança necessária para acreditar cegamente um no outro. Nossa amizade começaria a se desenvolver profundamente a partir da minha chegada à China.

Além disso, se eu comentasse qualquer coisa com ele, o casal imediatamente se tornaria cúmplice de qualquer ato meu no país. Portanto, para resguardá-los, eu estava sozinho na empreitada e assim deveria permanecer.

Nas primeiras investidas, ao tentar conversar com os alunos chineses sobre o regime de Xi Jinping, eu recebia respostas evasivas, muitas vezes inocentes, e na maioria das situações eles estavam sendo apenas honestos.

Logo na segunda semana tentando obter alguma informação, recebi de volta algumas perguntas que me serviram de alerta:

— Por que você está me perguntando isso? Pode me falar, qual o seu interesse? — respondeu-me uma aluna do curso de Artes.

Preciso tomar mais cuidado, pensei. Dias depois, recebi a informação de que o WhatsApp corria o risco de ser proibido a qualquer momento na China. Eu precisava ser ágil e tentar obter alguma informação de alguém fora do território chinês antes que o aplicativo fosse bloqueado. Recorri ao bom e velho amigo Pagani, da Polícia Federal. Ele ficou de me enviar um contato na mesma semana.

Dois dias depois, me enviou o contato de três pessoas com quem havia feito um curso reunindo forças policiais na Inglaterra. Eram agentes da inteligência da Itália, do Chile e da Suécia, sendo dois homens e uma mulher que já haviam estudado na China. Entrei em contato com o trio imediatamente, mas a fonte da Itália pouco colaborou, disse-me estar ocupada. Não insisti.

Porém, as duas outras fontes, a sueca e a chilena, mostraram-se extremamente solícitas e me municiaram com informações muito relevantes. Uma delas, fundamental, é que em cada turma de todos os cursos das universidades chinesas há pelo menos um informante já selecionado por um membro do PCCh. Aquele pequeno dedo-duro, observado de perto pelo regime, tem potencial de se converter em um futuro filiado ao partido, e também pode criar problemas seríssimos tanto para professores locais quanto para estrangeiros.

O comportamento agressivo da aluna de Artes passou a fazer sentido. Com a minha falta de sorte, capaz de eu ter abordado justamente a delatora da turma. O que já era complicado ganhou contornos de desafio. Como eu poderia identificar um jovem comunista em formação? Novamente, recebi dos meus colaboradores estrangeiros informações importantes sobre o comportamento dos estudantes, que se estenderiam para a vida adulta dos chineses.

Geralmente, o aspirante a membro do partido não anda sozinho, ele sempre está acompanhado de pelo menos um colega, mas não é o mais popular da turma. Seu desempenho nas aulas nunca será brilhante, por alguns motivos simples: primeiro, dia após dia ocupa-se em cumprir diferentes afazeres, como preencher relatórios e participar de reuniões ligadas à sua função. Segundo, porque a perspectiva de se tornar membro do partido lhe confere certa segurança quanto ao futuro, uma garantia de emprego, ou seja, um horizonte tranquilo que seus colegas não conseguem vislumbrar.

As dicas, valiosas, faziam todo o sentido, e logo comecei a perceber isso, primeiramente entre os alunos do meu curso e depois entre estudantes de diferentes carreiras. Para tanto, bastava frequentar o centro esportivo, jogar com eles, principalmente basquete e futebol, as modalidades coletivas.

Os agentes do Chile e da Suécia enviavam mensagens e imagens cifradas, pois eram bastante familiarizados com a realidade chinesa. Mesmo que o WhatsApp ainda funcionasse aos trancos e barrancos na China, todas as vezes que nos falávamos eu acionava o VPN no meu celular. Assim, os espiões do governo tinham mínimas chances de ouvir nossas conversas. Além disso, misturávamos os idiomas. O fato de todos dominarem inglês e espanhol ajudava imensamente. Aliás, ambos também haviam estudado latim, mas eu, vergonhosamente, não.

À medida que eu assimilava os conhecimentos, tratava de apagar todas as mensagens, imagens, links e demais registros. Enfim, adotamos as precauções necessárias para ninguém ser rastreado. Fiquei impressionado com o profissionalismo e o espírito de cooperação dos meus informantes. Criamos um clima de confiança possível unicamente pela intermediação de Pagani. Selamos um pacto silencioso de que eu pagaria a minha dívida com informações no futuro. E eu o cumpri.

O que ganharíamos com isso? Ora, na nossa compreensão, o Partido Comunista Chinês trata-se de uma organização perigosa para a liberdade no mundo. O totalitarismo aplicado pelo regime aos seus cidadãos seria desastroso se adotado em uma escala global. Estávamos nos propondo a combater um risco que parece crescer a cada dia.

Com o faro mais apurado, capaz de reconhecer os líderes selecionados pelo regime nas turmas, recomecei a busca por informantes dentro do campus. Havia uma dificuldade extra pelo fato de poucos deles serem capazes de se comunicar bem em outro idioma além do mandarim. Poucos dominavam o inglês, e somente os alunos de português e espanhol conseguiam se comunicar nesses idiomas, alguns precariamente.

Mas segui firme no meu propósito. No meu segundo mês como professor na China, depois do almoço na cantina, um rapaz do curso de Tecnologia da Informação, Theo, se aproximou e puxou conversa em inglês. Ele demonstrava ser quase fluente no idioma quando o tema tratado envolvia tecnologia, computação e games, com um vocabulário rico nesses assuntos, mas apresentava limitações quando abríamos as fronteiras das nossas conversas, que se tornaram praticamente diárias.

Cerca de dez dias depois da nossa primeira interação, toquei no assunto da política em outros países e comecei a comparar com a realidade chinesa, mostrando similaridades e diferenças. Ele se fingiu de desentendido, e eu achei que ele não tinha interesse no tema. Deixei para lá.

Theo sumiu por três dias, contados por mim com uma certa tensão. Será que eu seria delatado? Por que o desaparecimento repentino? No quarto dia, ele se aproximou de mim quando eu saía para ir ao supermercado. Eu já estava na rua, seguindo para o ponto de ônibus.

— Professor, espere, vou com você — ele me disse, sem ao menos me perguntar para onde eu iria.

Minha apreensão aumentou no primeiro momento, Theo estava quieto, mas aos poucos fui relaxando sem muita explicação. Acho que, inconscientemente, eu confiava nos ensinamentos dos meus gurus estrangeiros e no meu recém-adquirido tino para descobrir um bom informante.

Então, quando entramos em uma avenida mais movimentada, ele abriu a janela do ônibus, tornando ainda mais alto o som no interior do veículo, misturando o barulho do motor com o do trânsito intenso. Theo sacou rapidamente um papel do bolso e me mostrou, escrito em português, com os seguintes dizeres:

"Seu celular está ligado. Desligar. Amanhã, não celular. Encontrar frente de Templo de Buda, 7 am."

No ponto de ônibus seguinte, Theo jogou o bilhete dentro da boca e desembarcou. Eu estava sem palavras. Naquele momento, ainda atônito, mas confiante, experimentei a consagrada certeza de ter dado um passo importante na minha missão de penetrar no sistema socialista: consegui meu primeiro informante na China.

Prédio no campus de Xiao An She da Universidade de Hebei, na cidade de Shijiazhuang, capital da província de Hebei – outubro de 2015.

Templo na Montanha Cangyan, na província de Hebei, a 72 quilômetros de Shijiazhuang – outubro de 2015.

O autor do livro caminhando sobre a neve logo após forte nevasca registrada em Shijiazhuang no mês de novembro de 2015.

Primeira neve do inverno cobre quadra de basquete na Universidade de Hebei, em novembro de 2015.

Neve cobre todo o campo de futebol da Universidade de Hebei, em novembro de 2015.

11. O espião solitário

E se fosse uma armadilha? Qual templo budista? Estou sendo vigiado? Dezenas de perguntas pululavam na minha mente durante a madrugada que passei praticamente em claro, alternando a cama com o sofá. Meu celular já estava desligado e guardado dentro do micro-ondas, onde era praticamente impossível ser invadido por um hacker.

Imaginei que o templo seria um que eu conhecera dias antes, ficava perto do campus, eu podia ver uma estreita parte do seu telhado de uma das salas de aula. Os alunos nunca mencionavam o templo, aliás muito bonito, distante do centro da cidade e deslocado das regiões mais movimentadas. Na realidade, esse tem sido o movimento das religiões na China nas últimas décadas. Adotar o máximo de discrição, passar despercebida com o objetivo de sobreviver ao regime ateu. Veja bem, existe estado laico e estado ateu. No primeiro, o exercício da fé está desvinculado do estado. No segundo, a religião deve ser paulatinamente eliminada da nação.

Nos regimes socialistas, os estados são ateus, e qualquer agremiação religiosa enfrenta sérias dificuldades para sobreviver. Muitas negociam com os governantes na expectativa de perdurar até que o estado totalitário se dissolva, e assim conseguem manter uma parcela de sua estrutura e um rebanho mínimo necessário para reiniciar as atividades com mais vigor.

O budismo, tão difundido em toda a Ásia, vive seus dias menos gloriosos na China. Assim, os estudantes evitam sequer mencionar aos professores estrangeiros que há um templo perto da faculdade. Eu o descobri por pura curiosidade, caminhando pelas ruas mais esquecidas do bairro.

Ainda repleto de dúvidas, resolvi me dirigir cedo para aquele templo. Notívago convicto, sempre vou dormir de madrugada, e sou daqueles que gosta de acordar o mais tarde possível. Naquele dia, porém, não fazia a menor diferença.

Às 5h30 da manhã eu já estava desperto e preparando um café bem forte para reforçar o estado de alerta.

Aproveitei e fiz um chá-verde também. Ou seja, uma dose extra de cafeína. Saí de casa cedo, encarando mais uma manhã de densa poluição. A nuvem tóxica nos impedia de ver onde o sol nascia, mas eu sabia que era a leste, justamente a direção que tomei rumo ao templo, antes de dobrar à esquerda em uma acanhada ruazinha sem saída. Ao fim dessa rua ficava o nosso ponto de encontro.

Dei alguns passos rua adentro e vislumbrei no meio do *fog* uma senhora chinesa tão grisalha quanto a atmosfera de Shijiazhuang. Ela varria a rua com uma longa vassoura de palha, dessas que nunca consegui encontrar no mercado na China. Na verdade, a vassoura não era tão longa, mas me lembrava as que vemos no Brasil. Como a senhora era baixinha, de acordo com a estatura média das chinesas de sua geração, a vassoura parecia ainda maior, capaz de varrer metade da calçada em um só movimento.

Já para nós, estrangeiros, restavam nos mercados umas vassouras com os cabos muito curtos, iguais aos pés das tábuas de passar. Nas primeiras semanas adquiri uma dor na lombar de tanto ficar encurvado varrendo e passando roupa. A varrição era praticamente diária, ou acabaríamos imersos na fina poeira da poluição. Fina o suficiente para penetrar o apartamento pelos poros, mesmo com as portas e janelas fechadas o dia inteiro.

O problema para passar a roupa resolvi posicionando a tábua na frente do sofá. A cada vez que eu iria usá-la, ligava a TV, sentava-me no sofá e passava a roupa enquanto assistia a algum documentário sobre a vida selvagem na Ásia. Já a vassoura... aquela senhora seria a minha salvação. Enquanto ela varria em câmera lenta, levando as folhas delicadamente de um lado para outro da calçada, ela olhou em minha direção. Eu estava de óculos escuros, provavelmente a senhora não viu meus olhos, eu a cumprimentei com um "*Nǐ hǎo*" e um sorriso, sem reduzir a velocidade, ela respondeu com um aceno quase imperceptível, movimentando a cabeça enquanto piscava sem pressa.

Ou talvez não tivesse reagido ao meu cumprimento, e aquele movimento era independente da minha presença. Será? Estaria eu imaginando coisas? Possivelmente, porque cheguei a suspeitar que a senhora seria uma informante colocada estrategicamente ali no único caminho possível entre a universidade e o templo budista. Travei, não perguntei nada sobre a vassoura.

Continuei caminhando e consegui avistar Theo mais adiante, em frente ao templo, vestindo uma roupa esportiva preta com detalhes em verde e vermelho bem marcantes, quebrando um pouco a sisudez do cinza. As cores combinariam com o as pinturas do templo caso fôssemos capazes de ver as cores dos telhados, vigas e pilares em um dia sem luminosidade. Mas tudo ao redor parecia incrivelmente cinza e sem vida.

Eu me aproximei, o cumprimentei, e ele replicou diretamente:

— Onde está o seu celular?

— Em casa — respondi. — E o seu?

— Também, agora vamos caminhar.

Ele não me avisou no bilhete lacônico do ônibus que o pretexto do nosso encontro seria um treino físico, e o disfarce, portanto, roupas esportivas. Então fui caminhar de calça jeans, sapato e camisa polo, o meu vestuário básico de dar aulas. Para os chineses, não fazia diferença, já que eles se exercitam com qualquer tipo de roupa e calçados. Minhas alunas, por exemplo, marcavam corrida na pista de atletismo e apareciam com sapatinhos, não raramente com salto baixo.

Um dia, combinamos de pular corda, e uma delas veio de tamanco e vestindo uma saia justa. Eu imaginei que ela fosse pular descalça. Que nada, ela pulou de tamanco mesmo, e quase venceu a nossa competição. Ou seja, só para ficar claro que a minha indumentária não surpreendeu o meu informante. Bem, a roupa, não. Já os óculos...

— Por que você veio de óculos escuros? — ele me perguntou. — Não tem sol.

— Na verdade eu sempre o uso durante o dia, é costume, nunca saio de casa sem eles — respondi.

O assunto dos óculos me trouxe à memória os personagens de filmes de espionagem e, consequentemente, lembrei-me da velhinha da vassoura, então comentei minha suspeita com ele.

Você acha que todo mundo na China é espião? — disse-me Theo, gargalhando. — Fique tranquilo, era só uma senhora varrendo a rua mesmo. Olha, nós precisamos confiar um no outro, quero que você confie em mim

Concordei, e seguimos caminhando pela rua mais movimentada do bairro, abaixo do extenso viaduto do anel viário, com milhares de toneladas de concreto e veículos passando sobre nossa cabeça. Parecia estar evidente que deveríamos ser vistos, e não aparentar uma conversa às escondidas.

— Hoje não temos muito tempo — ele começou a falar. — Logo precisaremos voltar para a faculdade, minha aula começa cedo, mas irei marcar novas caminhadas, acho que uma vez por semana, pode ser?

Eu concordei. Naquele primeiro dia, falamos sobre algumas amenidades, sem relação com os pontos de meu interesse. Aos poucos, naturalmente, ele começou a se abrir. Theo me explicou que a tecnologia e os games o levaram a conhecer pessoas de diferentes países, incluindo alguns hackers habilidosos. Dessa forma, a distância, ele tomou conhecimento de realidades distintas, e passou a desejar que os chineses tivessem ao menos liberdade para falar o que pensavam, isto é, a tão famosa liberdade de expressão que levou anos para ser implementada do lado ocidental da Terra.

Para encerrar, me contou que admirava a cultura e o estilo de vida dos sul-coreanos, e a liberdade dos japoneses. Também nutria alguma simpatia pelos finlandeses e israelenses que havia conhecido no mundo virtual.

— E brasileiros? — perguntei. Ele me contou que só havia conhecido um brasileiro na internet, um rapaz contratado por uma empresa chinesa de games, e estava morando na China também.

— Você é o primeiro estrangeiro com quem tenho contato pessoalmente para falar desses assuntos — disse-me, por fim. — Não poderemos ter contato por muito tempo, só o suficiente para eu te apresentar algumas pessoas de fora — concluiu, enquanto caminhávamos de volta para a faculdade e os quiosques já vendiam *bāozi* e *mántou* (馒头), este último, o pãozinho branco assado no vapor sem gosto nenhum, mas amado pelos chineses. O cheiro, por outro lado, ativava o paladar, me levando a comprar meia dúzia de *bāozi* para comer antes da aula.

Dividi o meu café da manhã com Theo, agradeci por sua confiança e nos despedimos. Naquele momento, fiz minha última pergunta:

— Por que você decidiu confiar em mim?

— Porque você agradece pelo alimento antes de almoçar — ele respondeu.

Mas é claro! Uma pessoa fiel à sua religiosidade jamais poderia compactuar com um regime ditatorial, cuja prioridade ao conquistar o comando de uma nação consiste em eliminar qualquer alternativa de poder concorrente, no caso inclusive as denominações religiosas.

Fé? Razão? Confiança?

A escolha do templo budista como o primeiro local de encontro já estava explicada.

Excursões à Igreja

O agradecimento às refeições faz parte da minha educação desde criança. Criado em uma família católica, de origem italiana, desde cedo meus irmãos, meus primos e eu fomos orientados dentro da religião. Crescemos respeitando os preceitos cristãos e os princípios orientadores das grandes religiões monoteístas.

Por isso, até na China eu continuava frequentando a missa todas as semanas, mesmo que a igreja ficasse bem distante de minha casa, algo em torno de quinze quilômetros. Essa igreja, provavelmente a mais frequentada de Shijiazhuang, situava-se na região central da cidade. Em um raio de dois quilômetros, localizavam-se também o maior templo protestante e a mais movimentada mesquita da cidade.

Para chegar ao templo católico, eu poderia tomar dois ônibus para descer bem próximo da igreja, ou optar por apenas uma condução e depois percorrer cerca de quinze minutos a pé. Com o tempo, percebi que a segunda opção era a melhor. Eu desembarcava em uma avenida comercial movimentada e depois caminhava, virava à esquerda em uma espécie de feira livre, onde barraquinhas e quiosques vendiam frutas, vegetais, peixes e quitutes quentes prontos para comer, como espetinhos, pães e *bāozi*.

Depois de passar as últimas barracas da feira, havia um pequeno arco no portão que discretamente anunciava existir naquele local um templo religioso, e sua estrutura estava um tanto combalida, precisando de reparos. Ao passar pelo arco, seguíamos por um corredor com piso em concreto onde era possível passar apenas um carro por vez, e alguns veículos de fato trafegavam por ali quando precisavam descarregar algum móvel ou provisões.

Nesse caminho havia também um banheiro masculino e outro feminino, que exalavam um forte odor de urina, e cerca de sessenta metros adiante chegávamos à porta de entrada da igreja. Ela parecia ser menor por fora que por dentro. Pelos meus cálculos, acomodava ao menos 250 fiéis, isso porque os longos bancos se emendavam uns aos outros, deixando livres apenas o corredor em frente ao altar e outras duas passagens estreitas nas laterais. Os bancos ocupavam o máximo de espaço possível.

Nos primeiros meses, eu frequentava apenas as missas em mandarim, realizadas aos sábados e domingos, sempre às 18 horas. Mas se eu quisesse assistir à missa sentado, precisava chegar uns quinze minutos mais cedo. A missa durava em média uma hora e meia. Assim, só para frequentar a missa em mandarim eu precisava destinar quatro horas do meu dia: duas horas e meia no trajeto de ida e volta, mais uma hora e meia de celebração.

As informações que recebi naquelas semanas, provenientes de informantes estrangeiros e chineses, me levaram a supor que na igreja eu poderia aumentar meus conhecimentos sobre a perseguição religiosa no país.

Eu estava curioso para obter tais informações, e para compartilhar meus novos conhecimentos com o meu amigo brasileiro, Moura. No entanto, assim como eu precisava evitar expor Moura a uma situação arriscada, do mesmo modo deveria proteger os frequentadores da paróquia. Dessa forma, decidi não misturar religião e política, ao menos por ora.

Ao saber das minhas idas à igreja, alguns alunos pediam para ir junto, eles queriam conhecer um templo que jamais haviam visto. Suspeitei que eles estavam interessados em me vigiar, ou haviam sido orientados para essa tarefa. Também poderiam aproveitar as missas para monitorar as ações dos demais católicos chineses que frequentavam aquelas celebrações lotadas. Eu normalmente inventava desculpas, mas uma hora essas desculpas se esgotariam, até que numa sexta-feira à noite duas alunas me procuraram e foram mais incisivas.

— Professor, nós queremos muito ir à missa com você. Pode ser no sábado ou no domingo, tanto faz. Se você preferir, a gente já se encontra na porta da igreja.

Diante de tamanha assertividade, resolvi ceder.

— Está bem, meninas, vamos lá — respondi. — A gente pode se encontrar aqui no portão da faculdade mesmo, domingo, às 16h30.

No dia e hora marcados, lá estavam as duas, vestidas com roupas especiais, novas, saias abaixo do joelho e blusinhas comportadas, sapatos fechados e maquiagem, um preparo cuidadoso que elas raramente reservam para o passeio dominical, quando costumam sair às compras.

As duas pareciam empolgadas com a experiência, então partimos juntos e conversamos durante quase todo o caminho. Para que elas não me enchessem de perguntas, tomei a iniciativa, e a todo instante eu as questionava sobre os bairros por onde passávamos, sobre as placas das lojas com dizeres para mim desconhecidos, sobre o comportamento dos chineses, entre outros assuntos. Deu certo, por mais de uma hora eu perguntava e as duas respondiam.

Chegamos à igreja vinte minutos antes de começar a missa. Alguns chineses me olhavam curiosos, pois eu era o único estrangeiro a frequentar aquela missa em mandarim, e dessa vez eu estava acompanhado de duas jovens conterrâneas deles.

Entramos na igreja, e elas ficaram maravilhadas. Não por ser um templo grandioso, mas, sim, diferente de tudo que elas já haviam visto antes. Os pilares, o altar, as velas, as pinturas, estátuas e esculturas com motivos cristãos, tudo era inédito para Nicole e Letícia, seus nomes ocidentais.

Quando participei da primeira missa em mandarim, travei contato com um vocabulário inédito para mim até então. Eu só entendia mesmo dois nomes: 耶稣 e 玛利亚, que são, respectivamente, as grafias de Jesus (*Yēsū*) e Maria (*Mǎ lì yǎ*). O resto fui aprendendo aos poucos, estudando por conta própria. A liturgia da missa era exatamente a mesma que temos no Brasil, na Itália, Espanha e Inglaterra, ou seja, seguia o padrão internacional, com algumas pouquíssimas variações, estas mais vinculadas aos costumes locais que à própria religião.

Por exemplo, durante a eucaristia, havia uma fila respeitando a ordem das fileiras de bancos, começando pelos bancos do fundo e passando um por um, até chegar aos primeiros bancos. E todos os fiéis presentes na igreja entravam na fila, mas poucos recebiam a hóstia, já que a maioria não havia completado a primeira comunhão.

Assim, em vez de receber a hóstia, eles posicionavam seus braços em forma de cruz sobre o peito, com a mão direita tocando o ombro esquerdo e vice-versa, e recebiam uma bênção do padre. Na primeira vez achei superinteressante, mas depois percebi que a missa demorava demais porque o momento da comunhão era interminável. Veja bem, além de umas 250 pessoas sentadas, havia pelo menos cinquenta de pé, a igreja ficava completamente lotada, e todos entravam na fila.

A única vantagem é que o pessoal do coral não descia para a comunhão, ou acrescentariam mais quinze minutos ao tempo total da missa. Aliás, o coral era um espetáculo à parte, ficava justamente no coro alto, ao fundo da igreja, posicionado no mezanino atrás dos fiéis, de frente para o altar. Ali, homens e mulheres cantavam a plenos pulmões, cheguei a filmar uma vez, mas a gravação ficou aquém do esperado, no vídeo do celular era impossível captar toda a emoção transmitida pelo coral. Sim, os chineses adoram cantar, e o fazem sem vergonha nem hesitação.

Pessoas de todas as idades compunham o coro, desde adolescentes até senhoras de cabelos brancos, todos vestidos com uma roupa especial para a ocasião, a tradicional túnica branca dos corais com uma pequena capa cobrindo os ombros. E as crianças que participavam das ofertas também vestiam um manto exclusivamente preparado para o momento, normalmente branco com detalhes em verde e cor-de-rosa. Tratava-se de uma cerimônia muito bonita, todos participavam cantando e orando, como raras vezes temos visto no Ocidente.

Nicole e Letícia demonstravam estar encantadas, pois receberam pela primeira vez uma bênção, algo que só descobriram existir naquele dia. Exibiam um sorriso pra lá de sincero, pueril, como eu nunca tinha visto no rosto delas antes. Ao fim da missa, saíram maravilhadas, lembrando-se dos detalhes, das palavras e me fazendo perguntas sobre a Bíblia, Jesus, Maria e os apóstolos. No percurso de volta, dei-lhes uma pequena aula de catecismo.

Se as duas tinham algum objetivo de espionar, acabaram se envolvendo no ritual sem perceber. Elas admitiram que queriam voltar, mas que precisariam ser cuidadosas. Durante a vida universitária, o envolvimento com alguma religião goza de baixíssima simpatia do Partido Comunista. Por fim, elas acabaram compartilhando a experiência com alguns estudantes de sua confiança, e logo eu recebi mais universitários se convidando para me acompanhar até a igreja.

Como o convite nunca partira de mim, aos poucos fui aceitando levar os alunos à missa, desde que fossem grupos de no máximo cinco pessoas, mas de preferência duas ou três, e apenas uma vez na minha companhia. Eles aceitaram, e invariavelmente separavam a roupa mais elegante para a ocasião. Parece fácil para quem vive em outras realidades e desfruta de um guarda-roupas diversificado, mas em seus alojamentos apertados da universidade, as meninas chinesas guardam em média quatro trocas de roupa, além da camisola ou pijama, um casaco para o frio e os itens de higiene.

A cada novo grupo, eu precisava explicar como eles deveriam se comportar dentro da igreja, apresentava noções básicas do ritual e chamava a atenção para o momento da comunhão, em que eles receberiam a bênção do celebrante.

— Vocês não podem comer a hóstia — eu explicava. — É uma bolachinha branca, mas só pode comer quem já fez a primeira comunhão.

"Ohhhh", eles diziam, e assimilavam o conhecimento transmitido. Uma vez, um dos meus alunos chineses, Daniel, um dos mais fluentes em português, nos acompanhou até a igreja. No total, éramos seis: quatro meninas, Daniel e eu. Explanei o momento da comunhão antes de chegarmos ao templo. "Ohhhhh!", exclamaram mais uma vez. Na hora da comunhão, reforcei o procedimento mais uma vez para não restar dúvidas.

As meninas caminhavam na minha frente na fila, e Daniel seguiu atrás de mim. As alunas fizeram tudo certinho, posicionaram os braços na posição correta, inclinaram a cabeça para baixo e receberam a bênção. Na minha vez, peguei a hóstia e saí. Ao me distanciar, percebi de relance que Daniel não estava mais atrás de mim. Na realidade, ele havia empacado a fila.

Quando olhei para ver o que estava acontecendo, Daniel estava com as mãos no bolso e a hóstia na boca, enquanto o padre falava alguma coisa com ele em chinês, mas eu não conseguia ouvir por causa da música cantada nos mais altos tons que os chineses conseguem alcançar. Na sequência, o padre tirou a hóstia da sua boca e a descartou em uma bandeja. Com um sentimento de vergonha alheia, retornei ao meu assento, ajoelhei-me, Daniel chegou e se ajoelhou ao meu lado pouco depois, já sussurrando ao meu ouvido:

— Professor, você não sabe o que aconteceu. O homem lá enfiou um biscoito na minha boca, depois perguntou umas coisas que eu não entendi, se eu era católico... depois ele ficou nervoso e tirou o biscoito da minha boca.

Ao mesmo tempo, eu queria rir e socar a cara de Daniel, porque ele não havia prestado atenção em nada do que eu dissera antes. O infeliz era ótimo com idiomas, mas desatento como um faquir num rodízio de pizza.

— Você cruzou os braços como eu te expliquei? — perguntei-lhe.

— Cruzar os braços? Não fiz isso. Era para cruzar?

Soltei uma gargalhada. Ri para não ficar mais irritado.

— Bem feito, você não prestou atenção, ficou sem a bênção — disse eu.

As meninas fizeram tudo certinho e estavam rindo da confusão aprontada pelo colega. Em outra celebração, fui acompanhado de Elaine e Carolina, duas das melhores alunas de todo o curso de tradução. Além de inteligentes, eram superdivertidas, eu morria de rir na companhia das duas. Divertidas, porém enroladas, acabamos chegando minutos antes de a celebração começar, os assentos estavam todos ocupados, então ficamos de pé. Nenhuma das duas nunca havia entrado em uma igreja católica, e estavam ali observando cada detalhe do templo quando a música de entrada anunciou o começo da missa.

Como comentei antes, os chineses gostam de cantar e o fazem a plenos pulmões, e tínhamos ao nosso lado um chinês alto, jovem, um tenor dono de uma voz potente. Quando a música começou, o chinês soltou sua voz de trovão, Elaine tomou um susto tão grande que deu um salto para o lado, provocando uma crise de riso tanto em mim quanto em Carol.

— Quase morri do coração — ela dizia. — Achei que eu estivesse ao lado do alto-falante.

Eu aproveitava a missa para ver a quantas andava o aprendizado de português. No momento da Oração da Comunidade da missa católica, os fiéis falam sobre suas intenções e todos respondem: "Senhor, escutai a nossa prece". Eu já entendia o que os chineses estavam respondendo, mesmo assim, fiz um teste com a Elaine. Perguntei-lhe o que as pessoas respondiam, já que eu fingia não conseguir entender. Ela prestou atenção em uma resposta, depois ficou ainda mais atenta na resposta seguinte dos fiéis, e me disse:

— Eles estão falando: "Deus, ouça nossa oração".

Nota 10! Apesar de pouco familiarizada com o vernáculo religioso, ela soube traduzir precisamente o significado da resposta. Apenas utilizou as palavras que conhecia melhor. Na condição de professor, fiquei orgulhoso.

Aquelas missas em mandarim me surpreenderam não só pelo alto número de participantes, mas também pelo engajamento dos fiéis em oferecer uma cerimônia marcante. Cada missa era tratada com o máximo de esmero e cuidado. O povo chinês mantém sua espiritualidade, apesar da feroz perseguição do Partido Comunista. Algumas semanas depois das turnês de alunos na igreja, sem que eu jamais tivesse convidado nenhum deles, Theo tocou no assunto em uma de nossas caminhadas, sempre marcadas com antecedência por meio de bilhetes escritos em um português cada vez mais correto.

— Essas missas que você frequenta já foi um tema tratado na reunião da diretoria — disse-me Theo, que tinha informantes dentro da direção da universidade, e prosseguiu. — Eles não se importam que você vá, pelo contrário, muitos aprovam a sua conduta. Mas a participação dos alunos não é uma boa ideia. E, sim, eles sabem que você não os convida. Mas também não os impede de ir.

— Como assim? Estou sendo vigiado no fim de semana? E sobre os estudantes, como a diretoria ficou sabendo? — perguntei.

Theo me passou uma informação nova, mas de tão óbvia me envergonhei por não ter percebido antes. O monitoramento dos alunos não se restringe às salas de aula, está impregnado em cada movimento fora das salas. E como isso é feito? Bem, quase 100% dos estudantes moram nas dependências da universidade, dividindo seus quartos com os colegas. Os alunos encarregados de vigiar as atividades de seus companheiros nas salas de aula também o fazem nos dormitórios.

A conversa com Theo me acendeu um alerta. Para não expor os fiéis chineses a nenhum tipo de inconveniente com a minha presença, além de encerrar a ida de estudantes à missa, decidi que depois das festas de Natal e Ano-Novo eu iria parar de frequentar as missas em mandarim. No ano seguinte, eu passaria a assistir à única missa da semana em inglês. E assim foi feito.

Meu lar: Shijiazhuang

Minha experiência de vida em Shijiazhuang tornou-se fundamental para mergulhar na cultura chinesa de uma forma que seria impossível em uma metrópole mais cosmopolita, como Tianjin, Guangzhou, Pequim ou Xangai.

Embora esteja situada a apenas 260 quilômetros de Pequim, Shijiazhuang experimentou o desenvolvimento mais recentemente. As municipalidades na China possuem *status* diferentes dos adotados no Brasil, na Inglaterra e nos Estados Unidos. Mas, para ficar mais claro, a cidade onde morávamos possui algo em torno de quatro milhões de habitantes, o suficiente para ranqueá-la como o terceiro maior município caso estivesse no Brasil, atrás apenas de São Paulo e Rio de Janeiro.

Já a região metropolitana ultrapassa a casa de 11 milhões de habitantes, um montante que também a manteria na terceira posição atrás das duas megalópoles brasileiras. Na China, no entanto, ela figura apenas como a 13ª maior região metropolitana do país. Perto dali, a 142 quilômetros de distância, situa-se Baoding, que contabiliza dez milhões de habitantes. E Baoding fica no caminho para Pequim, que acumula quase 23 milhões de cidadãos.

Veja bem, estamos falando de uma das regiões mais densamente povoadas da Terra. O corredor Jing-Jin-Ji, que compreende a província de Hebei, Pequim e a cidade de Tiajin, possui uma área de 217,1 mil quilômetros quadrados, ou seja, é menor que o Reino Unido ou o estado de São Paulo, e praticamente se iguala em dimensão ao estado de Idaho, nos Estados Unidos.

Sua população, no entanto, chegou a 114 milhões de pessoas em 2020, mais da metade de toda a população brasileira. Tianjin, no litoral, abriga um dos maiores portos da China, e o mais importante do norte do país. Pequim constitui a capital chinesa, cujas origens remontam a um pequeno povoado ali fixado há três mil anos.

E Shijiazhuang? Bem, a capital da província de Hebei também iniciou sua história antes de Cristo, na condição de um pequeno entreposto militar em 206 a.C. Nos seus milênios de história, a região foi destruída por guerras e incêndios, e posteriormente reerguida ao sabor dos interesses das dinastias chinesas.

A proximidade com Pequim, nesse caso, pode ter trazido mais dificuldades que benefícios. Além de figurar como uma vila coadjuvante, a cidade ficava no caminho para quem desejasse atacar Pequim, chamada na China de Beijing (北京), ou seja, a capital (*jing*) do norte (*Bei*). Shijiazhuang 石家庄 pode ser traduzida literalmente como "a vila das casas de pedra". E hoje, no século XXI, ainda existem algumas dessas casas feitas de pedras. São poucas, mas impressionantes, mantidas como foram construídas há mais de mil anos. A esmagadora maioria da população local nunca visitou esse sítio arqueológico onde ainda vivem muitas famílias. Outros moradores nem sabem onde essas casas ficam.

Ainda dentro dos limites metropolitanos de Shijiazhuang situa-se Xibaibo (西柏坡), localidade onde funcionava o Comitê Central do Partido Comunista, e de lá partiu o pelotão liderado por Mao Tsé-Tung para ocupar Pequim. Localizada a 85 quilômetros do centro de Shijiazhuang, Xibaibo pertence ao condado de Pingshan, integrado a Shijiazhuang.

Uma vez que os comunistas chegaram ao poder, a província de Hebei, que engloba a capital chinesa, serviu de laboratório para os experimentos socialistas, tornando-se uma das vítimas da fome que se abateu por praticamente toda a China entre o fim dos anos 1950 e início dos anos 1960. A facção política de Mao acreditava na manutenção do homem no campo como forma de reiniciar o desenvolvimento da nação e fortalecer as comunas populares rurais, um dos pilares do socialismo maoista, além da industrialização. O Grande Salto para a Frente, lançado pelo ditador chinês, provou-se um monumental desastre. Entre 1958 e 1962, estima-se que 50 milhões de chineses tenham morrido de fome, enquanto 2,5 milhões foram vítimas da repressão.

O PCCh trabalha com um número inferior, de no máximo 25 milhões de mortos, mas fontes independentes sempre calcularam pelo menos o dobro desse total.

Hebei nesse período se converteu em uma das regiões mais pobres da China. Apenas no fim dos anos 1970, com a ascensão de Deng Xiaoping à liderança da China, a região começou a receber investimentos e, nas décadas seguintes, os camponeses passaram a se desentocar maciçamente para tentar a vida nas cidades.

Mesmo assim, o movimento de urbanização na China ainda é recente. Nos anos 1980, embora populosa, Shijiazhuang dependia da produção agrícola e servia como um entroncamento das linhas férreas, um perfil que mantinha a população bastante provinciana, com pouco estudo. Quem tinha interesse em desenvolver carreiras universitárias precisava tentar a vida em cidades mais cosmopolitas, como Pequim ou Tianjin.

Quando desembarquei na cidade pela primeira vez, em 2015, reparei imediatamente no contraste entre uma das mais imponentes estações ferroviárias da China e a simplicidade do seu povo, formado ainda por ex-camponeses que se comportam como se vivessem nos sítios, conversando de cócoras e comendo fatias de melão enquanto caminham pelas ruas.

O regime comunista buscou desenvolver polos industriais espalhados pelo país, sobretudo nas regiões costeiras, mas foi um pouco relapso com os arredores de Pequim. Tanto que, considerando a sua população na casa dos milhões, Shijiazhuang foi uma das últimas grandes capitais a inaugurar suas linhas de metrô. Em 2015, testemunhei a construção do novo modal de transporte em um ritmo acelerado.

Era obra para todo lado, e chegava a nos incomodar, porque nunca sabíamos qual rua, avenida ou praça estaria interditada para dar lugar a tapumes, escavadeiras, betoneiras e centenas de trabalhadores. O metrô começou a ser construído na cidade em 2012, com previsão de ser inaugurado cinco anos depois, em 2017. E assim foi feito, já que o planejamento na China é cumprido à risca, custe o que custar. Em 2020, iniciaram-se as operações das linhas 2 e 3, somando oitenta quilômetros no total. Reparem: em apenas oito anos, o metrô de Shijiazhuang saiu do zero para oitenta quilômetros, ou 22 quilômetros a mais que o metrô do Rio de Janeiro, em atividade desde 1979.

O progresso foi chegando aos poucos à capital de Hebei, e atualmente é possível vislumbrar uma economia promissora, sustentada por uma forte indústria farmacêutica, alimentícia e têxtil, além de um setor de serviços eficiente, grandes bancos e comércio pujante, que atraem moradores de regiões próximas.

Mas e o povo de Shijiazhuang, afinal, como se comporta? Pois bem, são em sua maioria pessoas dóceis e curiosas, principalmente os adultos e idosos. Os adolescentes estão crescendo em uma era de abundância, diferente da geração de seus pais, que passou por diversas privações, incluindo a escassez de produtos básicos de higiene, o sistema de transporte sucateado e, não raramente, muitos deles atravessaram períodos de fome.

Pelo que conheci das diferentes regiões da China, além dos contatos que mantive com pessoas distribuídas em quase todo o seu território, pude aferir que Shijiazhuang representa uma boa amostra da China atual, mesclando a realidade de uma juventude urbana com a de seus pais e avós, oriundos de uma pacata vida rural.

No trânsito, conseguimos perceber que as regras foram importadas do campo e dos vilarejos. Mesmo que haja leis, regras, placas, semáforos e aulas de direção, o trânsito atende a uma lógica própria, na qual muitas vezes "passamos a vez" para o próximo, independentemente de o sinal estar verde, amarelo ou vermelho. Milhões de carros, bicicletas, scooters elétricas, ônibus e tuk-tuks trafegam o dia todo pelas ruas, avenidas e ciclovias. Muitas vezes circulam sobre as calçadas também, em uma bagunça ilógica e incompreensível para os estrangeiros. Ficamos surpresos com o baixo número de acidentes e fatalidades naquele trânsito maluco.

Nos cruzamentos, então, só vivendo lá para acreditar que uma pessoa consiga chegar viva ao outro lado da rua. Ninguém se estressa, como é comum nas ruas do Brasil, Estados Unidos, França e Itália, por exemplo. Um carro trafegando na contramão merecerá o desvio silencioso dos demais motoristas de Shijiazhuang. Uma conversão proibida faz parte da rotina, sem que ninguém xingue ou apele para gestos obscenos.

Já a buzina merece uma explicação à parte. Os chineses buzinam o tempo todo, sem parar, executando uma sinfonia ininterrupta no trânsito já caótico. Mas acionar a buzina não significa uma repreensão nem ofensa. Em boa parte das vezes, é só um alerta do próprio motorista, avisando os demais para tomar cuidado com sua manobra arriscada. Outras vezes, a buzina parece ser apenas uma espécie de costume, quase um fetiche.

"Os chineses buzinam para o vento", diziam amigos estrangeiros ao notar essa curiosidade nacional. Em Pequim, cidade vanguardista na adoção de políticas públicas, houve um período de conscientização para diminuir o barulho, com resultados significativos. Mesmo assim, escutamos mais buzinas em um único dia em Pequim do que durante um ano inteiro em Munique.

Entre os mais de dez milhões de moradores de Shijiazhuang em 2015, apenas 450 eram estrangeiros com visto de trabalho e estudo. Muitos desses expatriados eram asiáticos, daí a dificuldade de se ver traços ocidentais pela cidade. No meu bairro, os poucos professores estrangeiros eram uma atração à parte. A vizinhança toda nos mirava quando caminhávamos pelas ruas ou tomávamos um ônibus.

Os mais corajosos pediam para tirar fotos com a gente, e outros tantos tiravam a foto escondidos, sem a nossa permissão. Nós percebíamos, mas fingíamos não ver a manobra. A maioria desses comportamentos acaba se tornando previsível. Quando nos sentávamos a uma mesa de restaurante, por exemplo, os jovens chineses ao redor começavam a falar entre eles palavras ou frases curtas em inglês. "*Hello*", "*Thank you!*", exclamavam com um sotaque acentuado, tentando chamar a nossa atenção. E riam-se das próprias galhofas.

Não era nada incomum que viessem nos oferecer cigarros, numa clara tentativa de se aproximar e "fazer amizade", como eles mesmos diziam em chinês: *Zuò péngyǒu* (做朋友), que significa justamente "fazer amigos".

— Aceite, é uma cortesia — dizia-me Moura em relação aos cigarros oferecidos pelos chineses. — Assim você criará um bom relacionamento com eles.

— Mas eu não fumo — costumava responder. De qualquer forma, vez ou outra eu aceitava o cigarro por educação e diplomacia. Nessas horas, eu me lembrava de Bill Clinton e sua famosa frase: "Fumei, mas não traguei". Era mais ou menos isso que eu fazia. Acendia o cigarro, levava-o até a boca, mas raramente tragava, apenas o deixava ser consumido pela própria brasa.

O imenso contingente populacional de Shijiazhuang parecia não impactar em seu ritmo interiorano. Nos primeiros dias, eu estranhava os seguintes comentários das minhas alunas: "Eu gosto de Shijiazhuang porque é uma cidade pequena". *Pequena?!*, eu pensava. *Dez milhões de habitantes!*

Com o passar dos meses entendi o que elas queriam dizer. As meninas não se referiam à população da cidade nem às suas dimensões, mas sim ao estilo de vida, ao fato de ainda haver "conta no restaurante", os comerciantes vendiam fiado e o maior perigo da cidade se resumia a ser atropelado por uma bicicleta.

No mês seguinte à minha chegada à China, Moura e Sofia me convidaram para fazer uma viagem durante o feriado de Meio Outono, que invariavelmente se emenda com o feriado do Dia Nacional. Brasileiro costuma falar que temos muitos feriados ao longo do ano, mas os feriados chineses parecem o Carnaval da Bahia, não acabam nunca.

Teríamos uma semana inteira livre no trabalho, então nos programamos para passar uns dias em Pequim, Tianjin e Langfang. Finalmente, iríamos para uma cidade pequena, Langfang, com apenas quatro milhões de habitantes. Nossa viagem foi fantástica, toda ela percorrida em trem-bala. Nós nos instalamos em bons hotéis, comemos fartamente em bons restaurantes chineses e tomamos muita cerveja acompanhada de binlang.

Na China, o *binlang* (宾朗) é vendido em pacotinhos nos supermercados, cada um deles contém em média dez a doze sementes. Trata-se da noz da palmeira *Areca catechu*, chamada popularmente de betel, comum na Oceania e nos países asiáticos. Os mercadinhos chineses a vendem secas nesses pacotinhos. Quase nenhum estrangeiro prova ou se interessa em mascar a semente dura, que vai amolecendo à medida que você a mastiga, transformando-se em uma massa fibrosa que aumenta a quantidade de saliva.

Depois de uns quinze minutos, é preciso cuspir o binlang. Normalmente, ele confere uma leve sensação de bem-estar. Porém, consumido junto com bebidas alcoólicas, pode resultar em uma sutil anestesia da região maxilar, além de potencializar a embriaguez. Bom, ao menos isso aconteceu comigo uma vez em Langfang, o suficiente para nunca mais misturar a noz com a aguardente chinesa, o baijiu, uma combinação explosiva.

Durante aquela viagem, tive duas certezas. A primeira, foi que Shijiazhuang seria fundamental para eu me aprofundar nos conhecimentos da cultura chinesa, vivenciando-a *in loco*. A segunda certeza foi que eu precisaria me mudar para Pequim quando encerrasse meu contrato na universidade. O caminho mais curto para penetrar no aparato comunista seria vivendo em Pequim, e não como professor, mas como jornalista.

Moura vivia em Shijiazhuang havia quase três anos e não enxergava nenhuma possibilidade de se mudar para a capital chinesa. Eu também não sabia como cumpriria a minha meta, mas ela já estava traçada, e nada me desviaria dela.

12. Hitler e 1984

A temperatura começou a cair rapidamente no norte da China em outubro. Enquanto estivemos em Tianjin e Langfang, experimentamos os últimos dias para vestir bermudas antes do frio.

Naquele ano, em agosto, faltando poucos dias para eu me mudar para a China, uma onda de explosões sacudiu a zona portuária de Tianjin, matando 173 pessoas e ferindo mais de oitocentas, de acordo com os números oficiais divulgados pelo governo. Ainda segundo as fontes oficiais, as explosões foram provocadas pelo superaquecimento em um reservatório contendo nitrato de amônia, a mesma substância suspeita de provocar a megaexplosão de Beirute em 2020, matando ao menos 180 pessoas. As investigações na China só seriam concluídas em 2016.

Chegamos a Tianjin cinquenta dias depois das explosões, e não havia na cidade nenhum resquício de uma tragédia recente. Minhas poucas tentativas de falar com chineses sobre o assunto terminaram sem nenhum resultado. Eu conseguia mais informações sobre as explosões fora da China que dentro de suas fronteiras. Tianjin não parecia estar abalada com a tragédia, ao menos aparentemente. Todo o comércio funcionava normalmente, assim como os hotéis, bares e restaurantes. A vida noturna, bem diferente da pacata Shijiazhuang, me impressionou.

Mas precisávamos voltar à nossa cidade-base na China para reiniciar o calendário de aulas, e o fizemos no último dia do feriado. Além disso, havíamos sido avisados que naquele mês a universidade passaria por uma inspeção do Ministério da Educação, cujo resultado seria fundamental para a instituição subir um degrau no ranking nacional de ensino superior.

Isso era mais que suficiente para a montagem de um novo teatro em escala monumental, envolvendo os mais de três mil alunos daquela unidade e todos os professores, funcionários e a diretoria. Durante uma semana inteira teríamos de vestir roupa formal, os alunos haviam ensaiado durante dias as frases que deveriam declamar aos inspetores, a maioria deles senhores se esforçando para parecer simpáticos.

Ao menos durante minhas aulas eles pareciam simpáticos, ficavam sorrindo enquanto eu dava aulas em português, mesmo incapazes de entender uma só palavra. No intervalo, me cumprimentavam pela aula incompreensível e partiam para outra sala. O teatro da inspeção incluía lanchinhos, chás e até almofadas nos assentos dos alunos, novidades que desapareceram já na semana seguinte. A diretoria me solicitou uma conferência em inglês para cerca de trezentos estudantes na maior sala do campus, com alunos de diferentes cursos, e preparei uma cuidadosa apresentação sobre o uso das redes sociais, falando sobre código de conduta e reputação, tema importante para uma das juventudes mais conectadas do mundo.

Se a palestra agradou? Bom, recebi muitos aplausos no final, porém, eu já não sabia mais se as pessoas estavam sendo sinceras ou apenas fingindo. Prefiro acreditar na primeira hipótese. E se eu estava ensinando algo a eles? Capaz que sim, mas a verdade é que eu estava aprendendo muito mais, e em pouco tempo.

Nada como estar na China, imerso em seu cotidiano, aprendendo até com as encenações montadas para enganar a mim, ao mundo e a eles mesmos. Nunca vou me esquecer do velho ditado repetido com certa frequência por Moura na China.

— Rafa, você pode aprender de duas formas. Ouvindo quem já teve as experiências ou apanhando.

Tratava-se do famoso ditado "se você não aprende pelo amor, aprende pela dor". Talvez eu precisasse apanhar um pouco mais. Moura já estava morando com a esposa na China havia dois anos e meio, dominava o idioma e não se furtava a mascar binlang ou comer testículos de carneiro quando era convidado por algum chinês excêntrico. Do alto da minha inocente arrogância, eu julgava saber o bastante, então vieram as surras necessárias.

Os chineses chegam à universidade dotados de limitados conhecimentos internacionais, e seus saberes históricos restringem-se às informações autorizadas pelo Ministério da Educação, obviamente aparelhado por membros do Partido Comunista. Dessa forma, os universitários sabem pouco sobre o restante do mundo, e o pouco que sabem enxergam através das lentes do socialismo chinês. Um dia, depois da aula, comentei inconformado com Moura que nenhuma das alunas de uma turma conheciam Adolf Hitler. "Como podem desconhecer a Segunda Guerra, o nazismo e os responsáveis pelo maior conflito da História?"

— Você falou *Xītèlēi*? — indagou Moura.

Que diabos é *Xītèlēi*? Bom, o ignorante da história na verdade era eu, porque *Xītèlēi* (希特勒) é o nome em mandarim do genocida nazista. Ou seja, eu precisaria conhecer o nome em chinês das personagens históricas se quisesse ensinar algo aos meus alunos.

Dias depois desse acontecimento, em uma aula sobre cultura, mídia e comunicação, os alunos e eu acabamos falando sobre os *reality shows*, e mencionei o programa *Big Brother*, conhecido em parte dos países ocidentais e bastante popular no Brasil, além de possuir alguns equivalentes na Ásia com outros nomes.

Como eu precisava recomendar mais leitura aos estudantes, aproveitei a ocasião para sugerir-lhes o livro que havia inspirado o holandês John de Mol a criar o programa *Big Brother*: a obra-prima de George Orwell, *1984*. Como os chineses compram tudo pela internet, as alunas já começaram a vasculhar sites atrás do livro em sua versão impressa ou *on-line*, mas nada de achá-lo, muito menos citações a Orwell. Falei para continuarem procurando, talvez encontrassem seu nome em chinês.

— *Oar-we-lê. Oar-we-lê* — dizia eu, como quem manjasse de nomes estrangeiros em chinês, enquanto as alunas me olhavam com aquela cara de interrogação.

Novamente, saí da sala frustrado, mas dessa vez não desabafaria com Moura, ou receberia outra lição humilhante. Preferi comentar com a professora de espanhol, Carmen, que morava no andar de cima do meu apartamento. Narrei minha história e o desapontamento pelo fato de os alunos desconhecerem o escritor britânico.

— *1984*? Você recomendou aos alunos ler *1984*? — perguntou aturdida, e eu confirmei. — Mas onde é que você está com a cabeça? Esse livro é proibido nas ditaduras comunistas. Meu Deus, vão achar que você está tentando subverter os alunos.

Nada melhor que uma professora cubana, filóloga e altamente instruída pelo Partido Comunista de seu país para me dizer o que era permitido e proibido nos regimes totalitários socialistas. Como ela parecia se afeiçoar por mim, ficou extremamente preocupada. Enquanto Carmen caminhava de um lado para o outro com seus saltos altos, ela pensava em alguma saída para me ajudar. Finalmente, ela me orientou a simplesmente negar qualquer acusação, eu deveria sustentar que os alunos me interpretaram mal, nada daquilo teria passado de um mal-entendido.

Para a defesa dar certo, meus acusadores não poderiam ter nenhuma prova concreta da minha inútil tentativa de indicar o livro de Orwell durante a aula. Nesse momento, Carmen se lembrou das câmeras nas salas de aula, quase todas sem microfone. Ou seja, captavam apenas a imagem das salas, mas não o conteúdo transmitido oralmente. Ela sorriu aliviada, suspirou olhando para o alto, como quem agradece por uma intervenção divina. Olhou novamente na minha direção e me fez uma última pergunta:

— Você não escreveu nada no quadro-negro, certo?

Olhei para ela em silêncio e fiz aquela cara de *game over*. Carmen mirou bem no fundo dos meus olhos e insistiu:

— Por favor, diga que você não escreveu nada no quadro, você não fez isso, por favor, não — ela gritava como num dramalhão mexicano.

Sim, eu havia escrito em letras garrafais, de cima a baixo *1984*, além do nome de George Orwell, bem na frente da câmera que filma os professores.

— *Dios mío!* Você será deportado, nós não vamos mais nos ver. *Dios mío!* — dizia ela, enquanto caminhava com a mão na testa, pisando ainda mais nervosamente com seus tamancos cubanos.

A possibilidade de uma deportação serviu como alerta. A partir daquele dia, já deixei uma mala preparada com tudo o que eu precisaria levar caso agentes da polícia chinesa batessem à minha porta para me acompanhar até o aeroporto. Passaporte, documentos, peças de roupa, artigos de higiene pessoal e o jogo de chá que eu havia ganhado de presente dos alunos no meu aniversário.

Eu só daria aula novamente para a turma do quarto ano dois dias depois do episódio *1984*, e havia resolvido falar a verdade aos alunos, seguindo o princípio de manter a minha personalidade, com todas as qualidades e defeitos, para não me entregar em alguma mentira mal contada. Então, quando começou a aula, toquei logo no assunto: "Pessoal, vocês se lembram do livro que falei na aula passada, *1984*? Pois bem, esqueçam a sugestão, fui informado de que esse livro é difícil de encontrar na China. Eu não sabia, então no fim desta aula irei sugerir outra obra para vocês lerem, combinado?".

A reação dos alunos estava longe de ser unânime. Alguns sorriram, outros mostraram indiferença, nem sequer entenderam o que estava acontecendo. No fundo da sala, sentava o aluno informante e potencial membro do Partido Comunista, o Felipe Z. A gente costumava jogar basquete juntos nas quadras da universidade, nossa relação sempre foi muito amigável.

Ele deu uma risadinha como quem diz "você me deve uma", e a história terminou sem maiores consequências. Nenhuma denúncia oficial, nada de deportação. Mas com o passar dos anos eu veria o livro *1984* se concretizando aos poucos na China. E no restante do mundo também.

Os créditos sociais

A temperatura diminuía na mesma proporção que aumentava meu ânimo a cada semana na China. Admito, sou fã do inverno e conto os dias para vestir um casaco pesado e dormir um sono profundo sem ter de apelar para o ar-condicionado. Na verdade, eram muitos os prazeres experimentados na China em pouco tempo, com destaque para a gastronomia e os SPAS distribuídos na zona mais cosmopolita de Shijiazhuang, principalmente na região central.

O nosso preferido era o Bì tāo gé, que pronunciamos Pi táo guê em português, cuja grafia em mandarim é 碧涛阁. Ali, a classe média-alta da cidade se refestelava em saunas coreanas e diferentes piscinas aromáticas de água quente, que chamam de *hot springs*, isto é, fontes termais. De fonte mesmo, a maioria desses lugares não tem nada, geralmente a água é encanada e aquecida artificialmente.

Muitos deles localizam-se em hotéis grandiosos, usam e abusam de luzes e cascatas, tudo isso nas áreas mistas, onde circulam livremente homens e mulheres. As chinesas vestem seus melhores biquínis, aqueles que cobrem boa parte do seu corpo esguio quando jovens e levemente atarracado quando anciãs.

Pagando um pouquinho mais, os clientes ganham acesso a uma grande área restrita, onde todos precisam estar despidos. Isso mesmo! Completamente nus, sem nenhuma peça de roupa, peladões e peladonas, só há uma diferença: a partir desse momento, em que parecemos atravessar um portal para o inferno, o SPA se torna separado por sexo, com homens para um lado e mulheres para o outro. Ora, que vantagem há nisso?

Moura e Sofia frequentemente acessavam essas áreas exclusivas. Eu fui uma vez só para nunca mais voltar. Circulamos em meio àquele bando de chineses desnudos, cujos pelos que lhes faltam em todo o corpo se concentram em uma só região. Olha, poderia ser em qualquer país do mundo, nunca estarei disposto a compartilhar saunas e piscinas com uma porção de homens pelados. E, além disso, tudo podia piorar. Na condição de únicos estrangeiros do SPA, eles ficam olhando para a gente, quase sempre mirando nossos genitais como se estivessem descobrindo um mundo novo.

— Espera só até chegar a parte da esfoliação — disse Moura, todo animado.

— Basta! —falei, já com o estômago embrulhado. Ora, eu não cruzei o mundo para marmanjo nenhum ficar esfoliando meu corpo. Não completamos nem vinte minutos na área exclusiva e saí, deixando o amigo brasileiro desgostoso pelo meu inesperado rompante. E ainda tínhamos de pagar por aquilo? Eu queria era uma indenização pelo trauma. Depois de muita conversa sem roupa, os recepcionistas concordaram em abonar a taxa para a zona exclusiva e retornamos às saunas mistas.

Esse tipo de empreendimento também é muito frequentado por homens casados durante suas viagens e por homens de negócios com seus convidados, porque há salas de massagens e manicures. No início, oferecem apenas as salas coletivas, onde confortáveis poltronas e camas estão dispostas lado a lado, ali os clientes são atendidos por moças solícitas.

Durante a sessão, essas moças ou alguém da recepção invariavelmente perguntam se o cliente deseja um espaço privado. Após a fase 2, já com as portas fechadas, qualquer tipo de negociação mais íntima é permitido, inclusive a prostituição, oficialmente coibida na China, mas praticada em larga escala longe dos olhos da sociedade.

Eu nem sequer chegava à fase 2, mesmo livre de pagar por qualquer serviço extra. Isso porque eu era sempre o estrangeiro convidado pelos amigos chineses, e uma prática muito respeitada no país é a seguinte: quem convidou, paga. A regra vale principalmente para convites de almoço e jantar nos restaurantes, mas também funciona nos SPAS. Chega a constituir ofensa um convidado tentar pagar a conta, e não é raro eles discutirem fervorosamente, aos berros, para financiar todo o banquete sozinhos.

Mas confesso que apreciava muito a parte da massagem, principalmente nos pés, bastante relaxante, e as habilidosas chinesas também aproveitavam para dar um trato no calcanhar castigado pelo uso contínuo de botas e meias grossas necessárias para nos proteger do frio. Quanto mais a temperatura caía, mais agradáveis ficavam os banhos nas piscinas e banheiras quentes, a maioria delas aromatizada, sendo as nossas favoritas as águas com aroma de vinho, leite ou rosas.

Apenas no auge do inverno as piscinas externas eram fechadas, pois estavam instaladas em um terraço aberto nos andares intermediários do alto edifício que abrigava o hotel. De fato, era complicado sair da água a 38 graus e enfrentar um frio de dez graus negativos.

Dessa forma, o frio trazia alguns inconvenientes. Um deles consistia na redução gradual das atividades físicas a céu aberto, principalmente pela manhã, escasseando cada vez mais as minhas possibilidades de interagir com Theo, o informante chinês. Sem muitas opções de horário disponíveis, marcamos uma tarde de sábado na qual ambos estávamos livres de compromissos. Logo que nos encontramos, ele começou a elogiar a palestra que eu havia ministrado em inglês semanas antes na faculdade, aquela sobre o comportamento nas redes sociais, dizendo-se impressionado com a minha capacidade de transmitir uma mensagem sem ser rastreado.

— Preciso reconhecer sua habilidade, foi incrível. Você conseguiu alertar sobre os créditos sociais, em pleno território chinês, sem tocar diretamente no assunto. Ninguém pode te acusar de nada, genial — ele me disse.

— Créditos sociais? — comentei, surpreso. — Mas do que é que você está falando?

Naquele dia, ouvi pela primeira vez uma menção sobre o programa de créditos sociais do regime chinês. Embora a minha palestra indiretamente servisse para indicar uma conduta responsável aos alunos, na qual eles abririam mão da sua naturalidade para construírem sua reputação nas mídias sociais, eu nunca havia sequer tomado conhecimento do grande projeto de controle social do Partido Comunista.

— Não acredito — gargalhou. — Você está me dizendo que aquilo tudo foi sem querer? Conta outra, deixa de ser modesto.

Diante das minhas sucessivas negativas, ele finalmente acreditou em mim e me explicou do que se tratavam os tais pontos sociais. Em 2015, poucos chineses dominavam o assunto, mas Theo definitivamente não era um cidadão médio, seu nível de informação me surpreendia cada vez mais.

Suas análises precisas sempre se confirmavam meses ou anos mais tarde, algo que me levou a desconfiar algumas vezes da possibilidade de ele ser filiado ao partido, uma suspeita jamais confirmada, entretanto. Naquela conversa, ele me explicou o mais cruel programa de controle social jamais elaborado, e ano após ano pudemos testemunhar a evolução desse pesadelo da forma como nós dois havíamos previsto.

Nem Moura tampouco qualquer outro estrangeiro havia mencionado comigo até então uma das mais preciosas gemas da ditadura para manter a população inteira sob controle. O Sistema de Crédito Social começou a entrar aos poucos na vida dos chineses, já com Xi Jinping ocupando a Presidência da China.

Batizado de *Shèhuì xìnyòng tǐxì* (社会信用体系), literalmente Sistema de Crédito Social, o programa passou inicialmente por períodos experimentais em regiões isoladas da China a partir de 2009, quando Xi era vice-presidente, mas apenas em 2014 adquiriu contornos nacionais, em um projeto-piloto abraçado pelo governo do líder chinês. O programa adiciona pontos pelo bom comportamento de cada indivíduo e retira pontos de quem desapontar o governo.

Uma pessoa que publicar nas redes sociais loas às políticas públicas estatais, por exemplo, irá ganhar a simpatia do regime e alguns pontos aparecerão no seu perfil. Mas quem criticar a conduta da administração local, pelo contrário, perderá um punhado de créditos. Um chinês dedicado ao trabalho, à família e aos preceitos do partido certamente irá subir na cotação do regime, mas um devedor do banco, um motorista transgressor das regras de trânsito ou um marido que maltrata esposa e filhos irá descer alguns degraus, e assim sucessivamente.

Aqueles que caem nas graças do regime serão premiados com facilidades de crédito bancário, caminho livre para abrir um negócio, permissões para viajar ao exterior e portas abertas para conseguir um emprego. Já os malvistos pelo sistema entram em uma lista negra e sofrem consequências como restrições comerciais, vistos de viagem negados e até impossibilidade de embarcar nos trens de padrão superior. Tudo controlado pela pesada mão de ferro do Partido Comunista Chinês por meio de dispositivos eletrônicos, com destaque para os celulares. Há também cerca de 500 milhões de câmeras de vigilância espalhadas em todo o território nacional, ou uma câmera para cada três pessoas, muitas delas capazes de reconhecer fisionomias, um aparato capaz de humilhar George Orwell.

Quando terminou de escrever *1984*, no ano de 1949, Orwell revelou grande parte da sua genialidade ao antecipar como seriam os regimes totalitários do futuro, principalmente o sistema de vigilância por câmeras e a manipulação de informações.

A realidade da China atual é a que mais se aproxima do mundo vislumbrado pelo visionário escritor britânico, onde o Grande Irmão e o Ministério da Verdade operam a todo vapor, vigiando cidadãos e impondo narrativas que distorcem a realidade. O Sistema de Crédito Social começou a cadastrar voluntários em 2017, e dessa forma o governo conseguiu a adesão de milhões de pessoas de diferentes setores da sociedade para testar seu funcionamento.

Em 2018, o programa aplicou as primeiras medidas restritivas a cidadãos transgressores dos manuais de boa conduta estabelecidos pelo governo. A partir de 2020, todos os chineses da parte continental passariam a ser compulsoriamente avaliados pelo novo sistema. Na teoria, o governo chinês vende a ideia de que o programa consegue condicionar as pessoas a escolher as melhores práticas para o bom convívio em sociedade e o desenvolvimento do país. As crianças são bombardeadas com propagandas para se habituar ao sistema no qual serão incluídas futuramente. As campanhas do regime falam em um "jogo da vida", como se a invasão de sua privacidade se tratasse de um *game*.

O regime providenciou tradução em diferentes idiomas para a sua propaganda, incluindo materiais em inglês, russo, francês, espanhol, alemão e português, entre outras línguas. No Brasil, pais demonstraram indignação com professores que divulgaram em salas de aula a propaganda falaciosa do regime chinês. Em outros países, a publicidade do governo socialista permeou as redes sociais durante semanas. Se, na teoria, o regime classifica sua estratégia no rol de um jogo como tantos outros, com ganhos e perdas, vencedores e derrotados, na prática o programa pode se tornar uma máquina de moer o equilíbrio emocional de milhões de pessoas, com consequências imprevisíveis para a sociedade.

Quando apresentei uma palestra *on-line* a brasileiros sobre o programa do PCCh em 2018, a reação de alguns participantes foi imediata: "Parece aquele episódio de *Black Mirror*", disseram. Na época, eu ainda desconhecia o conteúdo de *Black Mirror*, já que era difícil acessar a série na China. Como eu vivia em Pequim e desejava me aprofundar nos conhecimentos do Oriente, evitava o contato com as produções ocidentais. A menção dos brasileiros à série me levou a assistir ao episódio "*Nosedive*", no qual as pessoas são classificadas em um ranking de 0 a 5 pontos.

Nesse contexto, até um simples "bom-dia" ou uma risada passam a ser ensaiados na frente do espelho com o intuito de agradar o seu interlocutor e angariar algumas curtidas. Do lado oposto, uma derrapada ao tratar uma atendente no aeroporto é capaz de gerar uma desaprovação em cascata, envolvendo passageiros desconhecidos e agentes de segurança. Assim, na prática, todo ser humano vira um motorista de uber, agindo não de acordo com sua natureza, mas, sim, para receber uma nota alta, cumprindo uma série de padrões embutidos artificialmente em uma sociedade que se pretende ideal.

Como consequência, os cidadãos tendem a se relacionar com base em falsidades, formando uma rotina caricata onde desejar "saúde" para alguém que espirrou pode ser visto, inicialmente, como algo positivo. No entanto, caso a pessoa gripada julgue ser um comportamento planejado e interesseiro, ela se sentirá ofendida. A tentativa de conseguir mais pontos poderá, dessa forma, converter-se em perda de créditos, dependendo exclusivamente do humor de quem estiver julgando.

E quando o júri é formado por humanos, há sentimentos envolvidos, há preferências e vivências distintas e, consequentemente, há falhas. A China em breve será dividida em guetos digitais. As pessoas de alta pontuação tendem a se relacionar com seus iguais, evitando perder sua posição caso sejam expostas a problemas causados por amigos, familiares e colegas de menor crédito. Já os cidadãos de nota mais baixa serão abandonados por quem ocupa o pódio dos créditos. Ao tentar recuperar seus pontos e retornar à elite, esses chineses desprezados poderão, por exemplo, contrair dívidas nos bancos para comprar presentes e tentar, em vão, agradar um grande número de pessoas. O tiro, nesse caso, sairá pela culatra, e esses descerão ainda mais a ladeira do sistema de créditos.

A artificialidade de uma sociedade inteira tem prazo de validade, e pode expirar antes que o partido acorde para o problema. O agravamento dos conflitos entre os diferentes guetos digitais irá se transportar para a vida real, gerando uma miríade de problemas para os quais o governo chinês precisa se antecipar para evitar um colapso. O que acontecerá quando 1,4 bilhão de pessoas descobrirem que há privilegiados nesse sistema de créditos? E quando perceberem que sua conduta reprimida pelo governo não rende igual perda de pontos aos membros do partido?

Afinal, muitos filiados do Partido Comunista Chinês são assíduos frequentadores dos SPAS distribuídos por todo o país. E a fase 1 das massagens não costuma, digamos, satisfazer essa exigente clientela. Então, eles serão punidos por traírem suas esposas? Perderão pontos por contratar garotas de programa?

Muito além das ficções apavorantes de *1984* ou *Black Mirror*, o Sistema de Crédito Social da China constitui o sonho de todo ditador. Ele está experimentando, neste início de década, a primavera de sua existência. Na sequência, o verão irá esquentar os ânimos daqueles que perderam seus pontos juntamente com suas esperanças. E no outono do sistema de créditos cairão não folhas, mas máscaras. Passado esse momento, o inverno irá chegar ao regime de Xi Jinping.

Vista próxima ao mirante nas ilhas Phi Phi, na Tailândia, onde mantive contato com o informante inglês Dean.

Mãe circula com filhos em motocicleta perto de Siem Riep, no Camboja, com a filha na parte traseira, como é comum na China e em parte da Ásia, para proteger o menino. População do país foi uma das maiores vítimas do comunismo em toda a história, quase um terço dos cidadãos morreram de fome, doenças ou foram executados em massa. Janeiro de 2016.

Cruzamento na cidade de Shijiazhuang. Trânsito obedece a uma lógica própria, com regras (ou falta delas) incompreensíveis para estrangeiros. Fevereiro de 2016.

Praticantes de Tai Chi Chuan em bairro histórico de Xi'an, capital da província de Shaanxi, região central da China. Fevereiro de 2016.

13. A farsa das notas

Mesmo vivendo na China havia alguns meses, eu e meus amigos brasileiros não desgrudávamos os olhos dos acontecimentos políticos do Brasil. Diferentemente de uma ditadura, onde os eventos na esfera pública são maçantes de tão previsíveis, em democracias imaturas como as latino-americanas sobram emoções.

No dia 2 de dezembro de 2015, a Câmara dos Deputados do Brasil aceitou uma denúncia por crime de responsabilidade que ensejaria um processo de *impeachment* contra a então presidente do Brasil, Dilma Rousseff. O país atravessava a crise econômica mais grave do século, e o governo petista se defendia de acusações referentes a um dos maiores casos de corrupção da história em todo o mundo, envolvendo a estatal Petrobras, cujas cifras ultrapassaram a casa de 48 bilhões de reais em apenas três anos de investigações, ou mais de 20 bilhões de dólares em valores corrigidos.

Nos Estados Unidos, o magnata Donald Trump começava a ganhar notoriedade em sua empreitada para se eleger presidente da nação mais rica do mundo. Trump havia anunciado sua candidatura em junho de 2015, encarada com ceticismo pela mídia e antipatia pela ala mais liberal do próprio Partido Republicano, enquanto sua popularidade crescia rapidamente entre os eleitores. Na Inglaterra, crescia o apoio ao Brexit, impulsionado pelo ativista político Nigel Farage, um dos mais influentes líderes do UKIP (Partido da Independência do Reino Unido, em tradução livre).

Tanto no Brasil quanto na Inglaterra e nos Estados Unidos, os eventos iniciados em 2015 se converteriam em fatos históricos no ano seguinte, mudando para sempre o rumo dos três países. No caso da nação norte-americana, em particular, a eleição de Trump iria impactar profundamente a China.

Ainda em dezembro de 2015, eu precisava preparar as provas semestrais da universidade, a serem aplicadas entre o fim de dezembro e início de janeiro. O frio cada vez mais rigoroso me deixava especialmente feliz. Passamos pela primeira nevasca no início de novembro, e antes de encerrar o mês a natureza já havia tingido a cidade de branco mais uma vez.

Eu adorava acordar e olhar pela janela a neve caindo sobre os prédios, calçadas e pequenos jardins da faculdade. Passava um café sem pressa enquanto preparava um misto-quente, fazendo do café da manhã minha única refeição ocidental do dia. O café preto é um costume recente na China, e ainda conta com poucos adeptos, restrito basicamente aos mais jovens.

Mesmo assim, eles sempre tomam café em algum restaurante, lanchonete ou cafeteria, porque ninguém possui em casa os apetrechos para preparar um bule da bebida. Nos supermercados genuinamente chineses não existe filtro de papel nem suporte para filtro, muito menos pó de café. Isso é encontrado, com muita sorte, em redes internacionais, como o Carrefour, chamado de *Jiālèfú* (家乐福) e o Walmart, conhecido pelos chineses como *Wò'ěrmǎ* (沃尔玛).

Os jovens locais apreciam uma mistura pronta de café e leite já adoçado, facilmente encontrado nos supermercados e vendas de qualquer cidade de grande porte, sempre baratinhos. O paladar da mistura soa um tanto infantil, assim como o do chá com leite, o famoso *naicha* (奶茶), uma paixão nacional que encanta também os estrangeiros, principalmente as universitárias.

Mas eu não me dava por vencido e seguia em busca do café perfeito na China. Quando se encontram os apetrechos para o preparo, assim como o café em pó ou em grãos nos mercados, eles custam uma fortuna. Só não são mais caros do que degustar um bom café em uma cafeteria que imita os padrões ocidentais ou nas franquias internacionais, como o Costa Café e a mais popular de todos na China, a Starbucks. Se você perguntar a algum chinês onde fica a Starbucks mais próximo, vai continuar com vontade de tomar café. Lembre-se de dizer *Xīngbākè* (星巴克), aí todos irão dar um sorriso, dizer "Oh, ohhhh" e indicarão como chegar até lá.

Mas tome cuidado, verifique o preço nos cardápios, e quando não houver menu, pergunte. Certa vez, paguei o equivalente a 9 dólares, algo em torno de 45 reais, em uma mísera xícara de café no aeroporto de Guangzhou. Uma facada. Até que estava gostoso, mas nada como coar o próprio café em casa, com um pó de café trazido do Brasil e usado com parcimônia para não acabar logo. Curioso que, vivendo no Brasil, na minha casa eu normalmente consumia mais chá-verde que café, e inverti a equação na China.

Eu reservava as tardes de chá para a casa de Moura, quando degustávamos fabulosos Tieguanyin (铁观音), Da Hong Pao (大红袍) e os chás de jasmim, o aromático Mòlìhuā chá (茉莉花茶), entre outros magníficos chás verde, branco e vermelho produzidos em território chinês. Enquanto servíamos a bebida em delicadas xícaras da fina porcelana chinesa, respeitando o ritual de preparo e consumo, falávamos de costumes, filmes e, claro, política. Em uma daquelas tardes congelantes de dezembro, Moura me transmitiu o recado do coordenador do curso de idiomas da faculdade, Li qing lang. Ele queria conversar comigo sobre a adequação das provas, as quais eu já havia me adiantado a preparar.

— Como assim, adequação? — perguntei a Moura.

— Olha, algumas regras precisam ser respeitadas. Eu te ajudo a orientar no que for preciso depois, mas antes você precisa conversar com ele. Nem sei como te explicar — disse Moura, levemente constrangido.

Na tarde seguinte, eu me dirigi ao departamento de idiomas, no prédio próximo de onde morávamos, dentro do campus. Subi as escadas e lá estava Li qing lang em sua sala. Ele me recebeu com seu inglês fluente, porém peculiar. Como em mandarim há vários marcadores conversacionais repetidos à exaustão, como "aquele, aquele, aquele...", ou "naquele, naquele, naquele...", a maioria dos chineses acaba usando os mesmos recursos nos novos idiomas que aprendem.

No caso de Li, a expressão em inglês usada insistentemente em todas as conversas era "*I can say, I can say, I can say...*"; em português teria a função de "quero dizer, quero dizer, quero dizer...", isso em uma velocidade impressionante, já que os chineses estão entre os falantes mais rápidos do mundo.

— Entre, entre, sente-se por favor, sente-se, aceita um chá? — ele me ofereceu.

Então Li começou a me explicar como deveria ser a prova, a distribuição das questões e, principalmente, a atribuição das notas. O exame, em si, detinha menos valor que a aplicação das notas, pois os alunos precisariam se enquadrar no padrão exigido pelo Ministério da Educação para uma instituição daquele nível.

Eu precisava distribuir as notas da seguinte forma:

- 30% dos alunos deveriam receber notas entre 6 e 7;
- 60% deveriam ficar entre 7 e 9;
- 10% precisavam figurar com notas entre 9 e 10.

Eu não tinha autorização para reprovar nenhum aluno, assim como nenhum deles deveria ser agraciado com a nota máxima: 10.

— Mas… e se um aluno for muito mal no exame? E se outro acertar tudo? E se a turma toda for estudiosa e conseguir notas acima de 8? — metralhei o coordenador com perguntas.

— Não importa — ele me respondeu e continuou explicando. — Apenas cumpra com essa distribuição de notas em todas as turmas, e certifique-se de dar notas diferentes, como 7,4 ou 9,1, por exemplo. Não se preocupe, é assim que fazemos. Precisamos apresentar esses números para o governo, ou eles podem desconfiar que tem alguma coisa errada com o nosso ensino.

Eu percebi que jamais perderia a capacidade de me assombrar com a crueldade do modelo construído na China pelo Partido Comunista, aquele que conseguiu provocar a morte de 60 milhões de pessoas do seu próprio povo. Meus estudantes estavam iniciando sua vida adulta, muitos deles a caminho do mercado de trabalho, mas para o "mecanismo" não importava a capacidade e o esforço individual de cada um. Interessava somente que cada pessoa se encaixasse como uma peça da engrenagem para manter as aparências de uma sociedade artificial.

Muitas das minhas alunas eram extremamente dedicadas aos estudos, outras naturalmente talentosas, e se esforçavam de verdade em aprender tanto a língua portuguesa quanto a cultura do Brasil e de Portugal. Mesmo as menos talentosas mereciam uma oportunidade justa de mostrar seu potencial, mas nada disso importava.

As provas escolares e os exames nas universidades chinesas são em quase sua totalidade um jogo de cartas marcadas. O desempenho precisa atender tão somente às necessidades e ao planejamento de longo prazo do Partido Comunista. Dedicação, mérito e superação só aparecem na forma de encenação, aplaudida por uma audiência cativa. A maioria dos alunos, privada desde criança de desenvolver capacidade crítica, nem sequer suspeita fazer parte do teatro montado pelo regime. Eles simplesmente aceitam o resultado dos exames como uma justa avaliação dos seus saberes.

Aproveitei a condição de ser professor universitário na China para formar uma rede de contatos com docentes e ex-professores estrangeiros de instituições chinesas. Arregimentei no mesmo grupo, ao longo de meses, dezenas de profissionais de países como Portugal, Espanha, Canadá, França, Austrália, Japão, Cuba, Bolívia, México, Brasil, Inglaterra, Estados Unidos, Angola e África do Sul. Todos os professores, sem exceção, relataram experiências idênticas nas instituições chinesas onde trabalharam.

Também eram unânimes em um mesmo entendimento: na primeira vez que passamos por essa situação das notas nas provas, a tratamos como uma insanidade. Com o passar do tempo, contudo, nos acostumamos. Quanto mais anos passamos na China, mais nos anestesiamos com a desumanidade dispensada pela ditadura aos seus cidadãos. Prometi a mim mesmo nunca me acostumar àquela perversidade, jamais ceder ao embrutecimento.

E os estudantes protegidos pelo Partido Comunista, gozariam de algum privilégio?, pensei. A resposta veio depois de uma ligação de Daniel e Felipe, alunos do quarto ano. Daniel é aquele que quase comungou sem querer na missa, e Felipe era o favorito do partido para cerrar fileiras depois de formado.

— Oi, professor, a gente pode passar na sua casa para conversar? É rápido — disse Daniel ao telefone.

Concordei, e minutos depois bateram em minha porta. Era uma noite bastante fria, e os dois chegaram com uma caixa de presente para mim. Eu os convidei para entrar, sentamos e servi uma cerveja belga gelada. Abri a caixa e, dentro dela, havia uma garrafa bastante cara de Baijiu, o destilado chinês. Agradeci já suspeitando daquele gesto bondoso e falamos sobre bebidas por alguns minutos. Antes de eu perguntar a que devia tão honrosa visita, eles foram direto ao assunto.

— Bem, professor, a gente está estudando bastante, mas queríamos estudar o que for mais importante. Será que você poderia nos passar uma cópia da prova final? — perguntou Daniel.

Ficamos em silêncio por alguns instantes, os dois olharam para a TV ligada em um canal chinês, estava passando o noticiário nacional do canal 13, continuamos em silêncio até acabar a cerveja, então falei:

— Eu aceito o presente como uma cortesia, muito obrigado. E fico feliz por saber que vocês estão estudando, porque isso será necessário para conseguir uma boa nota na minha prova. Vou fingir que não tivemos essa conversa sobre o conteúdo do exame, está bem? Agora, se me dão licença, tenho trabalho a fazer.

Eles se entreolharam sem graça, levantaram-se e disseram que voltariam para o dormitório, onde estudariam mais para a prova. Felipe, que durante todo o semestre alcançara um desempenho abaixo de mediano, demonstrou preocupação, mesmo sendo cotado para se filiar ao partido futuramente. Ou talvez por isso mesmo desejava conseguir uma nota alta. Antes de sair, já com a porta aberta, Felipe fez uma última tentativa.

— Professor, a gente é amigo, né? Continuamos amigos?

Ele me olhou como se eu lhe devesse algo, provavelmente uma compensação por seu silêncio no caso do livro *1984*. Eu o tranquilizei.

— Felipe, você certamente encontrará meios de alcançar seu objetivo — disse-lhe, e me despedi.

Felipe obteve um surpreendente resultado acima da média da turma não só na minha prova, mas também nas de todos os demais professores do curso. Sabíamos que ele não seria capaz de conseguir aquilo sozinho. Alguém o ajudou, isso era um fato. Alguém com acesso prévio a todas as provas. Alguém cumprindo uma determinação do partido.

A montanha de repolho

O inverno é subdividido em três períodos pelos chineses: o primeiro inverno, o segundo inverno e o terceiro inverno, sendo que cada um deles dura em média um mês. Uma amiga chinesa tentou me explicar direito essa divisão calculada via calendário lunar. Para nós, ocidentais adeptos do calendário solar, não é tão simples, mas tudo o que você precisa saber é: vista um casaco pesado.

Certa tarde, naqueles primeiros dias de frio intenso, eu retornava para o meu apartamento dentro do campus universitário acompanhado de minha aluna Carol. Ela queria tirar algumas dúvidas de português enquanto caminhávamos. Ao chegar até o prédio, deparei-me com uma montanha de repolho chinês depositada ao lado da portaria. Estava na parte interna, perto da escada. Era uma quantidade imensa daquele repolho chinês mais alongado, até então exibindo uma cor verde vibrante, uma pirâmide de repolhos cuidadosamente empilhados, o suficiente para alimentar hipopótamos durantes semanas.

Eu, que por algum motivo já estava mal-humorado naquele dia, desabafei:

— Olha isso aqui, Carol. Que absurdo! Alguém deixou esses repolhos no chão e foi embora. Essas coisas só acontecem na China mesmo. Quero ver quem vai limpar tudo isso.

Ela me olhou um pouco surpresa. Seus olhos delicadamente apertados deixaram escapar um sentimento de desapontamento, ela mirou o chão, sem graça, mas permaneceu em silêncio, não disse absolutamente nada sobre isso. Como sempre, educada, desejou boa tarde minutos depois, despediu-se e partiu para um compromisso.

Após alguns dias, pedi a Carol que me acompanhasse a uma loja de telefonia, para mudar meu plano de celular. Eu precisava de uma "intérprete", e os alunos de lá sempre nos ajudam com essas amolações. Estávamos caminhando por um bairro residencial, falando sobre temas do cotidiano. De repente, ela apontou para os prédios adiante e disse:

— Você está vendo, Rafa? Tem repolhos na portaria de todos esses prediozinhos.

Eu olhei e notei que realmente havia pequenos montes de repolhos ao lado de cada porta. A cena apenas reforçava aquela minha reprovação inicial a esse tipo de comportamento, o de abandonar hortaliças na porta dos outros. Então, Carol, com sua doçura costumeira, continuou:

— Aqui na China, as pessoas mantêm o costume de dividir aquilo que possuem, principalmente quando é abundante, ou excedente de produção. Isso é comum todos os anos, as pessoas ficam felizes por dar presentes aos outros.

Minha reação imediata foi de vergonha pelo que eu havia dito dias antes. Mesmo assim, em um último esforço para diminuir o vexame, tentei sustentar minha posição inicial:

— Mas, Carol, para que tanta verdura? Vai estragar, depois vão jogar tudo fora — argumentei.

E ela me explicou, com seu português beirando a perfeição:

— Não estraga, não. O repolho resiste por meses no frio. As pessoas vão pegando uma a uma, quase todos os dias. Elas tiram só a folha de fora, porque por dentro as outras folhas estão verdinhas para fazer ensopado ou um refogado.

Pronto, agora minha vergonha estava completa. Bateu aquela vontade irresistível de enterrar a cabeça na terra. Eu tinha acabado de receber uma lição incrível de uma jovenzinha não menos incrível. Querida como era, Carol, em vez de me contestar no dia em que reclamei do repolho, pacientemente esperou a oportunidade certa para me mostrar como aquele gesto ancestral dos chineses era, ao mesmo tempo, generoso e significativo para suas vidas.

Carol me mostrou que, muito além da repressão da ditadura comunista, ainda sobrevivem as melhores tradições chinesas. Ela se concentrou em me apresentar apenas aquilo capaz de construir uma grande nação: seu povo. Terminei aquele dia mais confiante na capacidade de os chineses retomarem o controle de seu destino.

Respirando veneno

Após a entrega das notas dos alunos, terminávamos o semestre em janeiro de 2016, e pelas minhas contas estávamos no período do segundo inverno, quando os alunos entram de férias com duração de quase dois meses, período que inclui o Ano-Novo Chinês e a Festa da Primavera.

O que eu não sabia era que a universidade desligava o sistema de aquecimento assim que os estudantes deixavam suas instalações. Em poucos dias, milhares de alunos saíram pelo portão principal do campus carregando suas malas para o período de férias. O trânsito, normalmente tranquilo, tornou-se frenético na estreita rua à frente da universidade.

Táxis, ônibus e carros do Didi (滴滴, o uber chinês) trafegavam sem parar naquele trecho, embarcando alunas cobertas por longos casacos e rapazes felizes por retornar às cidades de seus familiares. Estampando no rosto o riso fácil dos jovens, eles deixavam para trás não só um semestre de estudos, mas também um campus deserto, cinza e frio.

Cinza porque a poluição aumenta durante o inverno, adensada pela fumaça das termoelétricas e, acredite, pelo carvão mineral ainda queimado em casas por toda a cidade. Embora esta última seja uma prática terminantemente proibida, constitui a forma mais barata de os chineses esquentarem seus lares. E nada na China costuma ser respeitado pelos cidadãos até o partido bater às suas portas. Isto é, precisa vir uma determinação de cima para baixo com fiscalização rígida e punições.

Desde 2020, os créditos sociais têm inibido as pessoas a adotar algumas práticas às escondidas, pois podem ser denunciadas pelos vizinhos, em um estado policial comum à Alemanha Oriental desde a década de 1960 até a queda do Muro de Berlim, em 1989. A diferença se resume à forma como a vigilância é feita, valendo-se das novas tecnologias, como as câmeras de vigilância e os aparelhos celulares.

Mas em 2016 ainda havia certa liberdade, uma liberdade cada vez mais cerceada no país sob o comando de Xi Jinping. E aquele mês de janeiro estava especialmente frio, com as temperaturas chegando aos 14 graus negativos, fazendo com que eu me sentisse na pele dos trabalhadores de frigoríficos. A diferença é que o frigorífico era meu apartamento, então eu vivia dentro de uma câmara fria.

Dessa forma, entendi a rapidez de Sofia e Moura em se mandarem de Shijiazhuang no primeiro dia das férias. Eles embarcaram para o Brasil, iriam curtir o sol e o céu limpo durante dois meses, enquanto eu congelava dentro da minha própria sala. Mas ainda deu tempo de eu pegar emprestado com eles um aquecedor elétrico, que se tornou praticamente um animal de estimação dentro do apartamento. Para cada cômodo que eu ia, levava o aquecedor comigo.

Ao menos no quarto principal havia um aparelho de ar-condicionado cuja função "ar quente" ajudava a reduzir a temperatura polar no interior do cômodo. Durante todo o inverno batia sombra no apartamento, isso durante as poucas horas do dia em que o sol parecia estar no céu. Quase nunca víamos a luz solar, encoberta pela poluição.

Quando nos referimos à poluição na China, tratamos de algo muito além da imaginação de qualquer ocidental. Nova York, Paris, Rio de Janeiro, Milão, Londres e Madri possuem ares límpidos em comparação com o veneno respirado por mais da metade da população chinesa.

E Shijiazhuang se reveza com outras cidades de Hebei e Henan na primeira posição do ranking de cidade mais poluída de toda a China e do mundo. Hebei e sua vizinha Henan (河南) disputam a primazia de província mais poluída do país, um título nada honroso.

Difícil compreender a magnitude dos poluentes sem viver diariamente aquela realidade capaz de deprimir o mais otimista dos orientais, contudo, podemos recorrer à frieza dos números para tentar explicar. O índice mais usado para se medir a poluição atmosférica é conhecido como PM 2,5. Aliás, ele é de fato muito conhecido na China, todos os cidadãos locais e expatriados sabem seu significado.

Esse índice mede uma categoria de partículas inaláveis, de diâmetro inferior a 2,5 micrômetros (µm), por isso é chamado PM 2,5. Para efeito de comparação, na cidade de São Paulo, a média diária anual desse índice se situa em 19. Guarde bem este número: 19. Um número dos sonhos para qualquer chinês. De acordo com estudos realizados em diferentes países, quando esse índice supera a marca de 30, alguns grupos populacionais começam a sentir seus efeitos, entre eles idosos e pessoas com problemas respiratórios, como os asmáticos. Ao passar de 50, a medicina recomenda suspender atividades físicas e limitar a circulação nas ruas.

Agora pasme: em Pequim, por exemplo, nós nos arriscávamos a jogar futebol até quando o índice estava em 180. Isso mesmo, você não leu errado, cento e oitenta, ou quase dez vezes a concentração de poluentes da cidade de São Paulo (de 19, lembrem-se). A fome de bola era tamanha que algumas vezes jogamos com a poluição na casa dos 200. Depois de uma hora de atividade física nessas condições, eu e um amigo argentino costumávamos sentir fortes dores de cabeça.

A preocupação com a poluição é tanta que a medição de PM 2,5 aparece na tela de celular junto com a temperatura local. E qual foi o valor máximo que enfrentamos durante o tempo que vivemos na China? Bom, em Pequim, as informações são suspensas quando ultrapassa 500, e isso aconteceu algumas vezes. De novo, para dirimir as dúvidas, QUINHENTOS.

Em Shijiazhuang, lembro-me de um dia ter chegado a 870. É mais seguro você enfiar a cabeça dentro de uma churrasqueira depois do churrasco e ligar um ventilador para respirar a fuligem do carvão. Nos dias mais poluídos, enxergávamos no máximo oitenta metros de distância através da densa fumaça cinza-esbranquiçada. Brincávamos que era possível segurar o ar com as mãos, ou cortá-lo com uma faquinha de serra.

Moura jura que em um dia muito poluído, caminhava lado a lado com sua esposa, Sofia, e, de repente, ela desapareceu por trás de uma cortina de fumaça. Moura só a enxergava de forma distorcida, após uma lufada violenta das brumas de poluição. Eu sempre rio dessa história, mas é verdade que por diversas vezes precisávamos atravessar a rua correndo, porque não conseguíamos enxergar os carros se aproximando.

Sim, sobrevivemos a essa exposição tóxica porque vivemos apenas três ou quatro anos na China. Mas e os chineses que estão convivendo com isso há quase vinte anos? Afinal, segundo os estudos, a exposição contínua aos poluentes gera danos cardiorrespiratórios muitas vezes irreversíveis. O governo chinês, por sua vez, não divulga dados oficiais sobre o impacto na saúde da população exposta à atmosfera venenosa da China. Segundo chineses com quem abordei o assunto, essa realidade é recente em termos históricos, tornando imprecisa a coleta de dados neste recorte temporal.

Para reduzir os efeitos da poluição, muitos locais de trabalho e residências possuem aparelhos para filtragem de ar, cujos resultados alegados causam desconfiança, mas ajudam, sim, a melhorar a qualidade do ar em ambientes fechados. Outra medida adotada em larga escala diz respeito às máscaras, usadas há anos pelos chineses para a contenção dos poluentes.

Na mente dos chineses mais inquietos, as máscaras simbolizam apenas mais uma forma de controle social, no qual os cidadãos se despersonalizam, perdem as suas feições e se tornam olhos sem rosto circulando pela multidão. Ao se desumanizar, a tendência do indivíduo consiste em enxergar o próximo como a si mesmo, ou seja, todos desfigurados, esvaziando sua individualidade. A sociedade perde a identidade, confiança e autoestima, convertendo-se em presa fácil de predadores autoritários.

Naquele inverno rigoroso, eu ficaria feliz por encontrar qualquer chinês com ou sem máscara, porque a aproximação do Ano-Novo Chinês deixou o bairro da faculdade cada vez mais vazio e sem vida. As portas do comércio estavam fechadas, eu me sentia como Will Smith no filme *Eu sou a lenda*. Eu brincava que, se passasse mais uma semana naquela situação, teria de aprender a caçar para sobreviver.

Rapidamente, providenciei passagens para a Tailândia e Camboja, onde eu passaria cerca de vinte dias me distraindo e conhecendo um pouco mais da Ásia. Acionei meus agentes especiais do Chile e da Suécia para saber se havia alguém nesses países que poderia contribuir com mais informações sobre o avanço do Partido Comunista Chinês pelo mundo. Sim, havia, e quando eu colocasse os pés na Tailândia deveria entrar em contato imediatamente para agendar dois encontros: com um jornalista britânico e com uma tradutora mexicana.

14. Espionagem na Tailândia

Na véspera da viagem já deixei tudo pronto, pois meu avião decolaria nas primeiras horas da manhã seguinte, e eu não confiava nos serviços de agendamento de carros de Shijiazhuang, pois já tinha enfrentado problemas anteriormente. Então, eu iria pegar o primeiro ônibus circular do dia, às 5h, desceria no ponto do ônibus executivo para o aeroporto, que partia pontualmente às 5h30. Tudo calculado sob o olhar reprovador de Elaine, minha aluna chinesa.

— Rafa, por que você não agenda um carro? É mais fácil.

Mas eu já havia me decidido e não dava tempo de mudar os planos. Estávamos jantando em um restaurante perto do campus, um dos poucos ainda abertos na região. O vento cortante fazia a temperatura de dez graus negativos parecer ainda mais baixa. Elaine estava se deliciando com o 驴肉火烧 (*lűròu huǒshāo*), uma espécie de hambúrguer de jumento, especialidade da cidade de Baoding (保定), perto de Shijiazhuang, um quitute muito apreciado na China.

— Sabe, Rafa, você está realizando um sonho da minha vida: visitar a Tailândia. Um dia eu ainda irei para lá.

Fiquei emocionado com a sinceridade dela, e torci para que Elaine realmente realizasse seu sonho. Sua geração foi uma das últimas de chinesas rejeitadas desde o nascimento. Com a política do filho único, as famílias preferiam gerar filhos homens, capazes de ajudar seus pais com trabalho e conseguir uma mobilidade social. Fiquei olhando para Elaine, uma jovem guerreira por chegar ao ensino superior mesmo com tanta dificuldade. Ela estava toda feliz e falante enquanto comia seu sanduíche. Elaine me pediu fotos, muitas fotos e vídeos da Tailândia, para se sentir ainda mais perto de realizar seu sonho.

Enquanto conversávamos, pedi uma sopa de vegetais, batata e costelinha de porco, que tinha mais osso do que carne, mas Elaine me explicou que a proposta do restaurante era aquela mesma. Enfim, estava muito gostosa, apimentada e pelando, do jeito que eu queria. Tomamos algumas garrafas de cerveja Tsingtao quentes — os chineses não resfriam as bebidas no inverno. Foi uma das poucas vezes que Elaine e eu tivemos um tempo a sós tomando cervejas. Suas colegas já haviam partido para as férias, e ela iria na semana seguinte; naquele momento, estava hospedada na casa de uma amiga a meia hora de caminhada do campus, a quase três quilômetros de distância.

Nós nos despedimos sem pressa, já que no semestre seguinte nos veríamos raramente. Elaine estava cursando seu quarto ano, e passaria o último semestre cumprindo estágios obrigatórios e produzindo seu Trabalho de Conclusão de Curso, o TCC. Nós nos abraçamos, um gesto restrito apenas a chineses que já viveram em outro país, e seguimos em direções opostas.

No dia seguinte, despertei às 4h. Meu voo para Bangkok teria uma parada em Guangzhou, capital da mais populosa província chinesa, Guangdong (广东), conhecida em português como Cantão, no sudeste do país. Para não me expor a nenhuma vigilância do Partido Comunista Chinês, decidi desativar o WeChat no meu celular durante o período da viagem. Quando peguei o celular para desligar o aplicativo, o telefone tocou.

Eram 4h30 da madrugada, quem poderia me ligar no meu número de telefone chinês naquele horário? Não reconheci o número, fiquei indeciso se deveria atender. Parou de tocar. *Melhor assim*, pensei. Segundos depois, tocou de novo, aumentando a minha aflição. *E se fosse alguma emergência, cancelamento do voo?*, tentei me acalmar... e atendi à ligação, quando ouvi uma voz bastante familiar:

— Rafa, bom dia! É a Elaine, estou te esperando aqui embaixo para te acompanhar até o aeroporto.

Eu não podia acreditar. A pobrezinha caminhou por trinta minutos em um frio de lascar — o termômetro marcava dezesseis graus negativos —, só porque se preocupou com a minha capacidade — ou incapacidade — de chegar sozinho ao aeroporto. Eu fechei a mala, peguei a mochila, vesti um casaco, desci rapidamente, agradeci e disse para ela ir embora descansar. Não adiantou, às 5h ela embarcou no ônibus comigo, e seguimos rumo à parada da condução executiva que me levaria até o aeroporto.

Lá, finalmente consegui convencê-la a ir para casa, e ela só sossegou quando me viu dentro do ônibus estacionado em um meio-fio da avenida ainda silenciosa naquela manhã congelante. Ficou me olhando pela janela, dizendo tchau, acenando com as mãos, e sorrindo. Nunca me esquecerei daquele gesto de cuidado. Nunca mesmo.

Na tarde daquele mesmo dia, aterrissei em Bangkok, liguei o celular e senti uma liberdade única até então. Era incrível poder acessar livremente todo o conteúdo da internet, as redes sociais, o Google, Facebook e YouTube sem nenhuma restrição. Sair de um país autoritário e pousar em uma nação livre constitui uma das sensações mais prazerosas que um ser humano pode experimentar.

Para todos os efeitos, minha viagem seria exclusivamente a lazer, mas na realidade era a primeira oportunidade de encontrar agentes estrangeiros desde que eu havia me mudado a trabalho para a Ásia. Consegui poucos minutos de conexão de internet no aeroporto de Suvarnabhumi, um dos mais movimentados do mundo. De lá, tomei outro voo na sequência, dessa vez para a ilha de Phuket. Fui trocando de roupa no banheiro do avião, porque o calor era mesmo avassalador. Para quem acabara de deixar temperaturas glaciais parecia uma adaptação ao inferno de Dante chegar a um local com termômetros marcando trinta graus.

Mal pousei na badalada ilha de Phuket e saí em busca do barco que me levaria até as paradisíacas ilhas Phi Phi — tudo isso sem acesso à internet. Eu estava agoniado por não conseguir falar com as pessoas com quem deveria me encontrar na Tailândia. E o sufoco ainda não tinha acabado. Já em Phi Phi, me sentindo uma pizza no forno, tomei outra embarcação que me levaria a um *resort* que só existe em sonhos, completamente isolado, aonde só se chegava de barco.

Eu estava literalmente isolado, e isso incluía a internet, porque não havia energia elétrica naquele lugar. Bom, existia energia, sim, mas somente das 20h às 5h. O *resort* dispunha de chalés onde ficavam os hóspedes, e o meu era muito bem localizado, subindo um pouco da montanha esverdeada que cercava o local. Tudo lindo, mas sem internet.

Não demorou muito para cair a noite, e com ela quase caí eu também de tanto sono após madrugar na China, tomar três voos e dois barcos. Mas eu me mantive firme, acordado, matando uma dúzia de mosquitos até que, finalmente, a energia nos trouxe um fiapo de conexão de internet. Mal acessei o WhatsApp e lá estavam as mensagens dos meus contatos, dois profissionais de alto gabarito.

O jornalista inglês tinha levantado a minha ficha, sabia quase tudo, inclusive onde eu estava hospedado. Como ele também estava de férias, decidiu passar uns dias com a namorada em Phi Phi, um lugar a que ele costumava ir com frequência. Marcamos de nos encontrar no mirante da ilha — foi quando descobri que meu *resort* tinha acesso por um caminho inóspito pela montanha até o mirante. Eu levaria cerca de uma hora caminhando até lá por uma trilha semiabandonada e deveria estar lá dois dias depois da nossa conversa, pontualmente às 15h, sozinho, assim como ele.

No dia seguinte, aproveitei tudo que havia no meu pequeno paraíso. Praia, sol e praia de novo. Como minha pele é demasiadamente clara, não posso me expor muito ao sol, portanto minhas opções naquele local eram reduzidas. Agradeci em pensamento a cada um dos hóspedes que no passado deixaram seus livros em uma estante de madeira. Era um presente para os futuros hóspedes, como eu.

Eu só poderia ler mesmo, e na sombra, tomar uma água de coco, comer uma salada de mamão verde e voltar à leitura, isso tudo sem internet nem energia, mas com mosquitos zumbindo no ouvido mesmo depois de me besuntar com repelente. Depois de um dia interminável nessa situação, lembrei que teria outros seis dias como aquele. Seria um martírio. Jurei para mim mesmo nunca mais me instalar em um paraíso isolado.

Aproveitei para fazer alguns vídeos e tirar fotos nada menos que estonteantes para enviar a Elaine. Não que eu seja um fotógrafo muito habilidoso, mas o cenário era fantástico em qualquer direção para onde se mirasse a câmera. Eu enviaria as fotos assim que tivesse novamente acesso decente à rede wi-fi, à noite, perto da recepção, o único lugar onde funcionava.

O momento mais excitante do dia era o fim de tarde, hora do jogo de futebol entre os funcionários locais, tailandeses, contra os hóspedes estrangeiros. Diversão garantida sobre a fina areia branca, brindados pela lenta descida do sol por trás das montanhas. Parecia uma pelada de futebol com o cenário da Lagoa Azul, nada poderia ser mais perfeito, mas o nosso único foco era marcar um gol e vencer os tailandeses.

Na tarde do dia seguinte, depois do almoço, comecei a subir as montanhas em direção ao mirante. No começo, segui umas placas nas quais se lia "Rota de Fuga de Tsunami". Elas eram úteis, mas não é nada agradável tomar consciência do risco de morrer afogado numa catástrofe natural. Então fiz alguns cálculos e concluí que meu chalé estava acima do nível que um tsunami normalmente alcança, assim eu poderia dormir tranquilo nas noites seguintes.

Uma hora depois, cheguei ao local combinado para me encontrar com o informante britânico, sob um calor intenso. A paisagem vista do mirante é um dos cartões-postais mais belos da Tailândia, eu poderia passar horas ali admirando a combinação do mar azul-turquesa dividindo sua perfeição com o verde cintilante das matas tropicais que, de certa forma, me remetiam ao Brasil. Dei uma volta no local, e à esquerda, com vista para a vila principal da ilha, identifiquei o jornalista com quem deveria conversar. Ele deixara ao seu lado um chaveiro de caveira com a bandeira do Reino Unido, como me dissera na mensagem, e assim eu pude encontrá-lo em meio aos demais turistas circulando pelo mirante.

— Dean? — perguntei.

— Hey, Ralph, tudo bem? — ele me respondeu e começamos a conversar. "Ralph" é a forma como muitos amigos estrangeiros me chamavam.

Dean me contou que viveu por nove anos na China, entre 2001 e 2010, todo o tempo na capital, Pequim, mas apenas nos dois últimos anos começou a se interessar pelas ações do Partido Comunista, e se aprofundou nas atividades do regime em diferentes países. Depois de voltar para Londres, costumava ir de duas a três vezes por ano para a China, quase sempre a trabalho. Em outras oportunidades, já morando em Bangkok, esteve de férias em Hong Kong e Macau.

— Eu vivia como a maioria dos estrangeiros em Pequim. Morava em Sanlitun (三里屯), frequentava restaurantes estrangeiros e convivia com amigos ingleses e americanos — contou Dean. — Para mim, parecia um país como qualquer outro, levávamos uma vida confortável, meu salário era o triplo do que eu precisava para viver, não tinha do que reclamar, sabe?

Dean afirmou que tudo começou a mudar a partir dos Jogos Olímpicos de 2008 na capital chinesa. Ele começou a perceber informações desencontradas nos briefings de imprensa, e nunca conseguia respostas convincentes aos seus questionamentos sobre os custos das instalações olímpicas, por exemplo. Por fim, pouco antes de os jogos começarem, surgiram jornalistas chineses e estrangeiros nas entrevistas coletivas que pareciam despreparados para cobrir o evento.

— Depois de uns dias, eu descobri que eles não eram jornalistas — Dean me contou, com uma expressão de incredulidade. — Você não vai acreditar, eram pessoas contratadas para aparecer na cobertura como jornalistas. O governo achava que assim estaria valorizando os jogos perante os olhos do mundo.

A partir daquela cobertura, Dean passou a rememorar fatos de sua vida na China e se sentiu "um idiota", como ele mesmo definiu. Jantares, palestras, visitas a escolas, entrevistas, anos servindo aos interesses do regime sem se dar conta.

— Eu fui usado — disse-me, um tanto inconformado. — Nos dois últimos anos, comecei a coletar todas as informações possíveis, com amigos, diplomatas, militares, agentes de inteligência, eu não me importava se fosse deportado, meu objetivo era descobrir a verdade sobre o país que foi minha casa por tantos anos. Afinal, quem faz coisa errada em casa, repete na casa dos outros.

Dean também formou sua própria rede de contatos, e já conhecia Pagani indiretamente. Com o novo colega britânico, recebi as primeiras aulas sobre a guerra irrestrita chinesa.

Esse conflito tão perfeitamente dissecado no livro de mesmo nome *Guerra irrestrita*, dos coronéis chineses Qiao Liang (乔良) e Wang Xiangsui (王湘穗), coloca a China em posição de vantagem sobre outras nações. O país abdica das investidas estritamente militares para minar a resistência dos seus oponentes adotando táticas distintas, como o desmonte da cultura, o enfraquecimento das religiões, o controle da mídia, a implosão do sistema financeiro e a proliferação do tráfico de drogas, entre outras estratégias fundamentais para se infiltrar em nações estrangeiras, posteriormente oferecendo soluções, produtos e serviços em que lucrarão alto e poderão controlar setores vitais de um país, como o energético e as telecomunicações.

Pela primeira vez, em 2016, eu ouvia alguém enumerar as estratégias de guerra assimétrica da China, só que o livro foi publicado originalmente em 1999. Então, estamos falando de um livro proibido, oculto, difícil de achar? Não, nada disso, *Guerra irrestrita* (*Unrestricted Warfare*) encontra-se disponível em qualquer livraria *on-line*. Acontece que o livro não é, digamos, devidamente divulgado, embora guarde algo de profético.

Em um de seus trechos, lê-se: "[...] enquanto presenciamos uma relativa redução na violência militar, estamos evidenciando, definitivamente, um aumento na violência política, econômica e tecnológica". Em outro trecho: "Até mesmo o último refúgio da raça humana — o mundo interior do ser humano — não está livre dos ataques da guerra psicológica".

Bom, então esses dois coronéis são párias do regime? Nada disso, eles pertenciam ao alto comando aéreo do Exército de Libertação Nacional da China, como são chamadas as Forças Armadas no país, até se aposentarem. Assim como Adolf Hitler em certa medida antecipou acontecimentos em seu livro *Minha luta* (*Mein Kampf*), também *Guerra irrestrita* informa os planos do comando militar chinês para vencer os Estados Unidos e, por consequência, enfraquecer os valores ocidentais tão repudiados por Xi Jinping.

— Ralph? *Are you there?* [Você está aí?] — perguntou Dean.

Mais uma vez, parecia que eu despertava de um transe, estava ali no sudeste asiático, em meio a um paraíso tropical, mas só visualizava nuvens escuras no meu inconsciente, eu me sentia ingênuo por nunca ter pensado naquelas estratégias, e acabei confessando essa minha sensação a Dean.

— Ei, não se culpe — ele me disse. — Sei o que você está sentindo, irmão. Eu passei sete longos anos vivendo na capital chinesa, frequentando todas as semanas as mais distintas esferas do poder socialista sem desconfiar de nada. Ralph, ainda temos muito a descobrir, mas tenha cuidado ao retornar para a China.

Quando ele me falou isso, percebi que havia se aproximado de nós uma jovem mulher de feições orientais, aparentando não mais que 27 ou 28 anos. Ela estava olhando para o nosso lado, mas quando a fitei, a oriental virou o rosto. *Seria uma espiã chinesa?*, comecei a imaginar coisas. Ela virou as costas e começou a caminhar até sumir de vista por trás das árvores de uma trilha sinuosa.

Eu não poderia dizer se a mulher era de nacionalidade chinesa, japonesa, coreana, porque ela não disse nada em nenhum idioma, apenas partiu em silêncio. Tailandesa não era, definitivamente, suas roupas não eram locais. Mesmo os orientais são incapazes de definir o país de origem de algum asiático sem conversar com ele.

Conseguimos reconhecer os chineses mais facilmente quando formam um grupo de turistas, pois caminham sempre juntos, falam bastante entre eles, e falam alto. As roupas também obedecem a um padrão que mistura o clássico entre os mais velhos e o moderno para os mais jovens, embora tenham dificuldade de combinar cores e quase sempre as moças cubram mais o corpo e o rosto que as demais asiáticas, com exceção das pernas, quase sempre à mostra, ainda que vestindo meia-calça em dias frios.

Evitei comentar aquele episódio com Dean para não parecer paranoico e comecei a me preocupar com o sol se escondendo rapidamente por trás das montanhas. Dean retornaria para a vila principal, descendo a montanha por um caminho todo calçado e 80% iluminado, levaria não mais que 35 minutos, considerando seu porte atlético. Já eu teria uma longa caminhada pelas trilhas da floresta, em torno de uma hora, contando apenas com a parca luz do celular, cuja bateria dava sinais de alerta para ser recarregada.

Os últimos gatos-pingados do mirante já haviam partido, Dean se despediu e iniciou sua descida. Olhei para trás e me dei conta de que seria o último a deixar o lugar. Assim que comecei a descer, adentrei pelas árvores e percebi que a trilha seria mais escura do que eu imaginava. Lembrei-me da mulher que nos observava; estaria ela de tocaia e me preparava uma emboscada junto com um grupo de bem treinados espiões chineses?

Acelerei o passo ainda sem ligar a luz do meu celular, economizando para um momento de maior necessidade, foi quando tropecei em uma pedra que quase partiu meu dedão ao meio. O impacto na descida íngreme me fez correr mais rápido que minhas pernas, tentando me reequilibrar para não levar um tombo feio. Nesse momento, ouvi pessoas se movendo no meio da escuridão. Não dava mais para economizar a bateria, acendi a luz, levantei o celular e mirei para o lado de onde vinha o barulho, quando vi um macaco indo embora.

Os macacos são sagrados na Tailândia, mas juro que se um macaco me desse outro susto daquele eu não responderia pelos meus atos. Comecei a correr, literalmente, ladeira abaixo, e quanto mais escurecia, mais morcegos voavam dando rasantes poucos centímetros à minha frente. A luz do celular, como previsto, não resistiu a todo o caminho, e lá estava eu, no meio da floresta, com morcegos e macacos ao meu redor, um breu de atormentar as almas e uma emboscada comunista à espreita.

Parei, controlei a respiração, coloquei os pensamentos no lugar e mirei o ponto mais escuro no meio da mata para meus olhos se acostumarem à falta de luz. Deu certo! Passei a descer lentamente, peguei um longo galho desfolhado para tatear o caminho e, cerca de dez minutos depois, vi as luzes das lanternas na praia ao pé da montanha.

Era o *resort*. Respirei aliviado e segui caminhando lentamente, cheguei em segurança e, naquela noite, tomei a mais deliciosa Tom yum da minha vida, a tradicional sopa tailandesa apimentada de camarão, preparada com capim-limão.

O calor da sopa não fazia frente à minha mente fervilhante, de onde involuntariamente jorravam imagens envolvendo macacos, espiãs chinesas, guerras biológicas, traições, encenações e ditadores usando quepes verdes com uma estrela vermelha. "Quem seria aquela oriental observando a gente no mirante?", eu me perguntava. Ora, provavelmente mais uma turista curiosa com a imagem dos dois únicos branquelos ocidentais em cima da montanha ao cair da tarde.

Essa autorresposta improvisada na noite de brisa refrescante me garantiria o sossego necessário para dormir na escuridão do meu chalé. Enquanto eu olhava distraidamente as ondas do mar, o garçom veio até mim, eu o reconheci imediatamente, era o zagueiro do time de futebol dos funcionários do hotel. Eles haviam vencido o jogo do dia anterior.

— Hoje não te vi jogando na praia — ele me disse.

— É que machuquei o pé caminhando na floresta — contei-lhe, e mostrei meu dedão roxo.

— Que pena, não teremos mais o brasileiro para enfrentar agora — disse o garçom, simpático.

— Engano seu. Amanhã estarei com mais vontade de vencer — falei para ele, e demos risadas.

A tragédia comunista

Depois de seis dias intermináveis no *resort*, sem muito para fazer a ponto de eu ter lido *Moby Dick* do início ao fim, passei meu último dia em Phi Phi na vila principal do arquipélago, localizada na belíssima Baía de Tonsai, retornando no dia seguinte pelo mesmo caminho da vinda: primeiro, uma parada em Phuket, e de lá para Bangkok; dormi uma noite em um hotel perto do Aeroporto Don Mueang antes de partir para o Camboja, onde reservara quarto em um acolhedor hotel boutique com o objetivo de descansar mesmo.

Já em território cambojano, passei cinco dias em Siem Reap explorando cada escultura de Angkor Wat e Angkor Thom, os fabulosos templos hinduístas, posteriormente transformados em budistas, construídos no século XII. Dediquei um dia exclusivamente a outro templo ainda mais antigo e formidável, Banteay Srei, localizado cerca de 35 quilômetros ao norte de Siem Reap e bem menos acessado pelos milhares de turistas que circulam pela região diariamente.

O Camboja sem dúvida foi um dos países que mais me marcou, principalmente pela sua rica história ancestral, mas também pela docilidade e simpatia de seu povo. Quanto mais circulamos pela Ásia, mais percebemos as similaridades entre os povos de diferentes países — com exceção da China, que parece ser um mundo à parte dentro do próprio continente.

Amistoso e pacífico, o povo cambojano foi facilmente dominado por um dos mais mortais regimes comunistas de todos os tempos, o Khmer Rouge, ou Khmer Vermelho. Entre 1975 e 1979, os anos mais brutais da ditadura, o governo fechou escolas e hospitais e adotou o isolamento internacional, apostando na autossuficiência da economia local.

O regime de matriz marxista-leninista, apoiado pela China e combatido pela União Soviética, resultou em um dos maiores massacres populacionais de que se tem conhecimento do século XX. Comandado à mão de ferro pelo ditador Pol Pot, primeiro-ministro do país, pelo menos dois milhões de cambojanos morreram enquanto vigorou o Khmer Rouge, em uma nação que contava 7,8 milhões de habitantes em 1975.

Desses, 1,5 milhão de cambojanos foram perseguidos e executados pelos comunistas por serem considerados inimigos do regime de alguma forma. Centenas de milhares padeceram de fome ou enfermidades provocadas pela evacuação forçada das cidades em direção ao campo, sob o pretexto de proteger os cidadãos de bombardeios estrangeiros.

Pelo menos um terço da população masculina foi dizimada pelo Khmer Vermelho, enquanto 15% das mulheres cambojanas morreram vítimas das atrocidades cometidas pelos comandados de Pol Pot. Três décadas depois dos massacres, lá estava eu conhecendo o Camboja, cuja população evita relembrar as dores e o terror do comunismo. Frequentemente vinham em minha mente as imagens aterradoras que eu havia visto em documentários sobre o massacre cambojano, imagens essas involuntariamente acompanhadas pela canção *Holiday in Cambodia* (Férias no Camboja), da banda punk californiana Dead Kennedys, composta pelo vocalista Jello Biafra em parceria com John Greenway, em 1980.

Eu estava justamente passando férias no Camboja, como dizia a música, um Camboja diferente, liberto dos grilhões do totalitarismo, mas ainda empobrecido, tentando se recuperar do desastre socialista que assolou o sudeste asiático entre os anos 1950 e 1980. Como o meu objetivo era descansar e o dos cambojanos era enterrar as memórias de Pol Pot, eu não insistia em abordar o assunto com a população local. Mesmo assim, tentei algumas vezes.

Chaya G., uma gerente de hotel que conheci em um restaurante de Siem Reap, foi a única a dizer enfaticamente que o comunismo desfigurou o país, mas os cambojanos eram fortes e otimistas, mostrando-se dispostos a pensar no futuro e esquecer o passado.

— Tudo que precisamos lembrar é o mal que a ditadura fez ao nosso povo. O comunismo nunca mais será aceito pelo povo cambojano — disse ela, antes de me pedir para mudarmos de assunto.

Embora os dois milhões de vidas ceifadas pelo Khmer Vermelho representem apenas 2% dos 100 milhões de mortos pelo comunismo no mundo desde a Revolução Russa, em 1917, elas respondiam por um quarto da população cambojana. Proporcionalmente, a barbárie promovida por Pol Pot se inclui entre os maiores genocídios do século XX.

Deixei o país com uma bagagem emocional diferente de tudo o que eu imaginava antes de chegar ao Reino do Camboja. A Ásia ia se tornando cada vez mais interessante, e os cambojanos passariam a disputar com os taiwaneses a condição de população mais acolhedora entre os países que já visitei.

Próximo destino: novamente Bangkok, dessa vez para ficar uma semana inteira e desvendar os encantos que fazem da cidade a líder mundial em turistas estrangeiros, deixando para trás tradicionais destinos como Londres, Paris e Nova York. A capital tailandesa recebe 24 milhões de turistas estrangeiros todos os anos. Para efeito de comparação, chegam ao Brasil inteiro anualmente 6,5 milhões de turistas oriundos de outros países.

Las Vegas, nos Estados Unidos, com seus 7,5 milhões de visitantes internacionais, não chega a fazer cócegas nos números ostentados por Bangkok. Instalei-me em um hotel relativamente perto da Khaosang Road, a rua mais procurada pelos turistas estrangeiros em busca de bares, restaurantes e diversão na capital da Tailândia. Por seus 397 metros de extensão, o equivalente ao comprimento de quatro campos de futebol, passam diariamente milhares de gringos de todo o mundo, tornando fácil para um ocidental se passar despercebido de olhares curiosos.

Seria o local perfeito para qualquer pessoa passar despercebida, principalmente os turistas, certo? Errado. Ao menos para a minha segunda conversa privada com uma ex-agente internacional, a mexicana Valentina R., que havia abandonado seu trabalho no governo para viver como tradutora na Tailândia. Na verdade, Bangkok era já a quinta cidade onde vivia desde sua saída do México. Segundo ela, todo o seu trabalho de tradução é feito *on-line*, então ela pode escolher viver em qualquer canto do mundo.

Poliglota, fluente em mandarim, inglês, japonês e alemão, além do seu idioma nativo, o espanhol, Valentina já havia avançado em seus estudos de tailandês. Em apenas um ano vivendo no país, conseguia se comunicar para resolver questões do dia a dia e entendia o noticiário na TV.

— Tenho facilidade para aprender línguas — ela me contou mais tarde. — Mas eu estudo muito, pesquiso a filologia, a história, cultura, nada me cai do céu.

Em vez de nos encontrarmos no meio da multidão eclética, Valentina marcou para nos encontrarmos em uma sessão de cinema no começo da tarde, em um shopping localizado a quinze minutos de caminhada do meu hotel, mas no sentido contrário à Khaosang Road. *Um cinema?*, pensei. Que ideia esquisita, mas fui lá.

O shopping era frequentado basicamente pela população local, havia poucas feições ocidentais, mas era possível ver um ou outro turista comprando donuts ou croissant na Seven Eleven bem próxima de uma das entradas do centro comercial.

“Como iremos nos reconhecer, alguma roupa específica?”, perguntei em uma mensagem no WhatsApp. “Fique tranquilo, eu te acho dentro da sala”, ela me respondeu. Dito e feito, comprei o ingresso para assistir ao filme *O regresso* (*The Revenant*), estrelando Leonardo DiCaprio, entrei na sala com capacidade para cerca de trezentos espectadores, e havia apenas três pessoas, sentadas distantes umas das outras, além de um casal na quarta fileira.

Como os assentos eram livres (ao menos naquela sessão) sentei-me na penúltima fileira, bem longe dos demais espectadores, no canto superior direito para quem está de frente para a tela. Começou a tocar o hino nacional tailandês, chamado de Hino Real, uma prática curiosa no país, as pessoas se levantaram, inclusive o casal, colocaram-se em posição respeitosa e cantaram o hino.

Fiz o mesmo, fiquei de pé em sinal de respeito à população local, e assim que me sentei, senti um toque no meu ombro de uma pessoa sentada atrás de mim. Levei um susto.

— *Hola, soy* Valentina — se apresentou, pedindo para eu me mover para a última fileira no assento ao lado do seu.

Parecia uma assombração de tão branca, loira, vestindo um terninho escuro, eu jamais iria identificá-la mesmo, pois esperava uma morena com um vestido colorido.

— Você tem certeza de que é mexicana? — perguntei.

Ela riu e me explicou suas origens. Parte da família era espanhola, outra parte, alemã.

— Houve mais mistura nessa história, tenho certeza, mas meus avós falavam pouco sobre isso — ela me contou. Depois das apresentações, ela disse que Dean havia viajado a trabalho para a Malásia três dias depois de me encontrar em Phi Phi, por isso não poderia se juntar a nós em Bangkok.

Valentina adicionou poucas novidades às revelações feitas por Dean cerca de dez dias antes, mas me contou sobre um esforço de seu grupo de tradutores, espalhado por diferentes países, em providenciar a tradução de artigos, documentários e livros que mostrassem ao mundo um pouco mais da realidade chinesa, sobretudo o autoritarismo crescente do Partido Comunista Chinês.

— Valentina, você tem certeza disso? De que o autoritarismo está mesmo se expandindo? — questionei. — Afinal, tenho visto tanto chinês nesta minha viagem. Eles estão em todos os lugares, parecem ter liberdade para viajar, você vira a esquina, lá vem um grupo deles fazendo aquele barulho todo.

Ela riu, conhecia bem os chineses, viveu em três cidades de diferentes regiões da China durante cinco anos.

— Você já percebeu que eles andam sempre em grupos? — ela me perguntou.

Eu já havia notado, claro, mesmo antes de me mudar para a China, e sempre tratei o comportamento como algo cultural, um costume.

— Existe a tradição e existe o medo. Nunca os confunda — ela falou. — O partido sabe extrair da cultura tudo aquilo que pode usar em seu favor. Se algum chinês autorizado a viajar numa excursão se aventurar a deixar o grupo por poucas horas, seu comportamento será comunicado a alguém responsável pelo grupo. Na maioria dos casos, ele terá de explicar o que estava fazendo, e isso poderá lhe render bastante dor de cabeça no futuro — disse-me Valentina.

Sempre procurei me afastar de qualquer tipo de teoria conspiratória, e na Ásia eu repelia ainda mais esse tipo de abstração. Mas quando havia sentido na história, o mínimo que eu poderia fazer era refletir sobre meu aprendizado. Apesar de mais jovem, Valentina possuía experiência internacional, havia sido treinada como agente de inteligência, e parecia bastante realista quanto aos seus relatos.

Assim como eu, aparentava admirar e respeitar a cultura ancestral chinesa, mas temia uma perda profunda dessa identidade popular com a manutenção no poder do Partido Comunista Chinês. E o que a motivava? Aquilo que parecia nos incentivar a todos: uma luta pela manutenção da liberdade em um mundo cada vez mais influenciado pelas ações do regime ditatorial chinês. Ou seja, frear a maior ameaça à liberdade em todo o mundo neste começo de século XXI.

ecoração para celebrar a Festa da
rimavera nas Muralhas de Xi'an. Fevereiro
e 2016.

Cortes de carne de cachorro em cozinha de restaurante na cidade de Shijiazhuang. Iguaria é cada vez mais rara no país, os chineses mais jovens protestam contra o consumo dos animais agora adotados como pets. Abril de 2016.

ofessora e alunas na escola do tradicional ritual de chá em Shijiazhuang. Maio de 2016.

Cena comum nas cidades chinesas, onde gruas e guindastes se espalham por dezenas de quilômetros para suportar o rápido crescimento populacional urbano. Shijiazhuang, junho de 2016.

Crianças chinesas, filhos de professores e funcionários da universidade viviam dentro do campus em Shijiazhuang, como em toda a China. Março de 2016.

15. Wuhan pré-Covid-19

Cheguei de volta à China em um fim de tarde de inverno rigoroso. Precisei trocar de roupa no avião, porque minha jornada naquele dia representava uma queda de quase quarenta graus na temperatura entre a cidade de partida, Bangkok, e o destino, Shijiazhuang. Qualquer intervalo de tempo que você passe fora da China, ainda que curto, pode representar um período de mudanças profundas no cenário em volta da sua casa.

Nas três semanas que passei fora, os chineses começaram a construir perto da universidade novos prédios que tomariam o lugar de predinhos demolidos durante dois meses consecutivos. As obras na China, como já mencionei, têm um ritmo acelerado, não raramente usando operários em três turnos de oito horas cada, ininterruptas nas 24 horas diárias.

Eu passaria mais doze dias isolado em meu apartamento frigorífico até a chegada de minha primeira visita na China. Janaína C., uma amiga dos tempos de colégio, atravessaria o mundo pela primeira vez na vida para me encontrar, trazendo também a mãe, igualmente ansiosa pela viagem.

Nesse período de espera, só me restava ler, comer e praticar algum exercício físico até a chegada das visitantes. Faltando apenas quatro dias para Janaína chegar, meu grande amigo Cheng retorna ao país. Ele me ligou informando que passou uns dias alojado em Pequim a trabalho, chegara em Shijiazhuang para visitar a família no dia anterior, e finalmente veio o convite:

— Rafa, vamos para Wuhan?

Eu já sabia da existência da cidade, talvez por intermédio de alguma lição nas aulas de mandarim, mas nem sabia onde ficava.

— É aqui perto? Voltamos no mesmo dia? — perguntei.

Na verdade, a cidade fica a novecentos quilômetros de Shijiazhuang, e levaríamos pelo menos quatro horas de trem-bala para chegar lá, considerando as paradas no trajeto, e Cheng planejou ficar na cidade por duas ou três noites até concluir seus negócios, mantidos em sigilo. Apenas mencionou ser a comercialização de produtos.

— Vamos, você é meu convidado, eu pago as passagens. Passo na sua casa para te buscar em uma hora.

Uma hora, meu Deus!, pensei, os chineses são muito práticos. Uma hora seria o tempo máximo disponível para eu tomar banho, arrumar a mala, organizar os documentos necessários para viajar e dar uma arrumada na louça, que estava uma bagunça. Para os chineses é bem simples, eles viajam com a roupa do corpo e, quando muito, levam uma pequena bolsa, mochila ou a pasta do notebook. Aquela história de banho todo dia, para os chineses, ficara no Brasil. Estavam certos. Meu país, minhas regras.

Eu estava tentado a viajar com Cheng, mas corria o risco de voltarmos apenas no dia da chegada da minha amiga brasileira. A propósito, Cheng a conhecera no Brasil, pois chegamos a sair juntos algumas vezes. Antes de Janaína e sua mãe chegarem, eu ainda precisava arrumar o apartamento de Moura, onde elas ficariam hospedadas em Shijiazhuang, além de viajar até Pequim e fazer o check-in no hotel antes de encontrá-las no aeroporto. Ou seja, fiz todos os cálculos e não daria tempo, então liguei para Cheng.

— 朋友 [amigo], agradeço muito pelo convite, gostaria muito de viajar pela China contigo, faremos isso no futuro. Sinto muito, mas preciso ficar aqui.

Ele entendeu, e deixei de conhecer a cidade de Wuhan, localizada na província de Hubei. Quatro anos mais tarde, a cidade entraria para o noticiário internacional como o local de origem do novo coronavírus, batizado de SARS-CoV-2, que se espalhou pelo mundo, causando terror, perdas econômicas e milhões de mortes.

A China imperial

Janaína e eu nos conhecíamos desde os tempos do colégio, mas ficamos onze anos sem nos encontrar. Depois disso, passamos outros onze anos colados, amigos muito próximos, a ponto de ela ser a primeira amiga a me visitar na China. A proximidade com a família era tanta que ela trouxe a mãe, e pela primeira vez na vida, eu me tornei um guia turístico em um país estrangeiro.

Durante os anos em que fui consultor pela Embratur, acompanhei cerca de cem jornalistas estrangeiros de quinze países em viagens por todo o Brasil. Agora era diferente, eu iria falar sobre a China para amigos brasileiros. Passamos primeiramente cinco dias em Pequim, onde elas conheceram os principais pontos turísticos, inclusive a Muralha da China na parte de Mutianyu (慕田峪).

Já era a segunda vez que eu visitava a Grande Muralha, mas a primeira em que ia a Mutianyu, muito menos abarrotada de turistas que a área de Badaling (八达岭), sem ficar devendo nada em relação à beleza e à emoção. Aliás, Mutianyu apresenta-se mais natural que Badaling, transmutada por tantas reparações que lhe conferem um ar de perfeição inaceitável para uma obra concluída há tantos séculos.

Lá, minhas visitantes tiveram contato com os trambiques chineses. Contratamos uma van com motorista e guia por um preço razoável, mas eles insistiam em parar a cada lojinha no caminho, onde se vendiam pedras de jade, esculturas, supostas joias e todo tipo de ornamentação para a casa, além de souvenires. A mãe de Janaína, dona Zélia, já estava um pouco enjoada por conta da diferença de fuso horário de onze horas e pedia para chegar o quanto antes à Muralha.

Então, conversei com o guia para irmos diretamente, sem mais paradas, afinal eram apenas oitenta quilômetros. Ele por sua vez conversou em mandarim com o motorista, pude entender um pouco do diálogo, então o motorista falou para duplicar o preço do passeio. Ou seja, as lojinhas seriam a garantia do desconto de 50% no custo da van.

— Sem lojinhas, é o dobro — disse-me o guia.

Eu já previa encrenca, então deixei para brigar no fim do passeio, a fim de não estragar o dia. Mesmo assim, lá em cima da Muralha enfrentamos o primeiro dissabor. Como dona Zélia, uma senhora de setenta anos com mobilidade limitada, não conseguia subir as escadarias, preferiu ficar em uma pequena lanchonete. Quando voltei do sobe e desce das escadarias com a Janaína, dona Zélia estava exasperada por uma discussão com o dono do quiosque.

Ela pediu um chá e perguntou o preço em inglês, e o atendente fez o número 5 com a mão. Obviamente, na hora de cobrar, ele disse que a modesta xícara de chá custava na verdade 50 yuans (na época R$ 30), uma afronta considerando o preço acessível do chá na China. Lá fui eu negociar com o trapaceiro, e o chá acabou saindo por 25 yuans.

E não terminaria por aí. Quando descemos da Muralha, pouco depois do horário do almoço, fui informar ao motorista que só pagaríamos o valor previamente acordado, e que a partir daquele momento dispensaríamos o serviço da van para voltar de ônibus e metrô até o hotel. Pronto, a confusão estava armada. O motorista chinês se prostrou na porta do ônibus, impedindo a nossa entrada, tivemos de acionar a polícia, porque a dona Zélia estava se sentindo cansada e clamava para retornar ao hotel logo, mas não abria mão de pagar só a metade.

A polícia chegou e resolveu tudo. Nós pagaríamos a metade, e faríamos isso apenas quando chegássemos ao hotel. Os nossos contratados foram catalogados pelos policiais, que pediram para eu enviar uma mensagem quando chegássemos a Pequim em segurança. Apesar da cara de vingança do motorista, ele não jogou a van do penhasco como temíamos, e voltamos com certa tranquilidade para tomar um banho na piscina aquecida e, depois, acabamos cancelando o jantar, porque elas queriam descansar. Ainda sentiam os efeitos do fuso horário.

Perfeito, porque assim eu poderia encontrar um jornalista e um professor universitário, ambos coreanos, em um bar no bairro de Santitun, onde ficam aqueles estabelecimentos *fakes* de Pequim, imitações do que existe em outros países. Entramos em um bar de porte médio, mobílias em madeira, um pouco mais sóbrio que a média da região. Subimos ao segundo piso, os coreanos queriam se sentar perto da caixa de som para ninguém conseguir gravar suas vozes. Mesmo assim, conversavam baixo. Era uma dificuldade conseguir ouvi-los, mas me esforcei porque ambos haviam sido indicados por Dean e Valentina, e estavam se colocando à disposição para me ajudar.

— Você precisa se mudar aqui para Pequim — disse-me Ki-woon, o jornalista, contratado por uma rede de TV coreana para trabalhar no escritório da capital chinesa. — Você também é jornalista, nenhuma outra cidade irá te fornecer tanta informação quanto aqui.

— E como eu conseguiria? — perguntei-lhes.

— Consiga um trabalho na cidade, é o único jeito. Só não seja muito precipitado ou agressivo nessa busca de trabalho, para não levantar suspeitas — ele me falou. — Professores quase nunca levantam suspeitas do governo chinês, mas jornalistas podem desencadear alguma forma de pesquisa prévia, se é que você me entende.

Claro, eu compreendia perfeitamente. Tomamos uma última rodada de Paulaner, uma cerveja alemã. Contei a eles sobre as confusões na Muralha e eles riram.

— Suas amigas receberam as boas-vindas autênticas da China, em vez das mentiras oficiais.

Minutos depois, eu me despedi dos novos amigos coreanos e peguei um táxi para o hotel, instalado no centro histórico de Pequim, na rua Qianmen (前门), de frente para a Praça Tiananmen (天安门), a Praça da Paz Celestial, onde ocorreu o massacre de 1989.

Qual não foi minha surpresa ao descobrir que aquela região está situada em uma área de segurança por sua proximidade com os palácios do governo, então os guardas levantam barricadas impedindo a circulação de carros e pessoas em algumas localidades. Nosso hotel ficava naquele exato local, e o taxista, um pouco confuso, me deixou perto do hotel, mas num ponto onde não havia acesso ao hotel, eu precisaria dar uma volta de quase um quilômetro para chegar à recepção.

— Aqui não pode passar —o guarda me disse, de forma ríspida.

Tentei argumentar em mandarim, estava difícil, até que chegou outro soldado que dominava um pouco de inglês. Nada feito, eu precisaria caminhar mesmo, dar aquela volta toda, em um frio um pouco mais tolerável que o próprio cansaço. Passei o caminho todo excomungando os guardas, mas não havia nada a ser feito além de andar. Somente naquele dia, caminhei algo em torno de dezoito quilômetros.

No dia seguinte, nos dedicamos aos passeios na Praça da Paz e na Cidade Proibida — ou Palácio Imperial, hoje conhecido em mandarim como Gùgōng (故宫) —, e finalizamos vendo o pôr do sol na colina atrás da Cidade Proibida. Descemos para o hotel, onde dona Zélia jantou depois de um banho quente na piscina. Eu e Janaína saímos para um restaurante em outro bairro e, ao retornar, nos deparamos com a famigerada barreira do dia anterior.

Chegamos dois minutos depois do horário de fechamento, fiz de tudo para dar tempo, sem sucesso. Como haviam se passado apenas dois minutos, tentei convencer novamente o guarda para liberar a nossa entrada, mas ele era daqueles sujeitos que dizem "ordem é ordem", até que a nossa discussão atraiu seu parceiro que falava inglês.

— Você de novo! — ele me disse em inglês. — Você já sabe que precisa dar a volta.

Janaína me olhou sem entender nada.

— Como assim? De novo? Ontem você ficou no hotel, não? —perguntou.

— Fiquei, claro que fiquei — respondi, não podia lhe contar sobre meus mais recentes encontros na Tailândia e na China. — Vamos, não adianta conversar com esses guardas, melhor dar a volta logo — disse, e comecei a falar sobre a nossa programação do dia seguinte, desviando o assunto.

Nos dias seguintes, depois de visitar os templos e palácios da China imperial em Pequim, embarcamos para Xi'an (西安), antiga capital das dinastias chinesas, onde se localizam os incríveis Guerreiros de Terracota, ou o Exército de Terracota, chamados de 兵马俑 em mandarim, ou *Bīngmǎyǒng* em pinyin.

O famoso exército montado em argila, com soldados, cavalos e carruagens em tamanho real, além de armamento original em bronze, fora enterrado na região de Xi'an há aproximadamente 2.200 anos, durante a dinastia daquele considerado o primeiro imperador da China unida, Qin Shi Huang. Hoje, o local recebe centenas de milhares de turistas anualmente.

Depois de seis meses morando na China, observando como funciona a sociedade contemporânea, começamos a enxergar os monumentos, palácios, as muralhas e, claro, os sítios arqueológicos com um olhar diferente. Não que o Exército situado em Xi'an suscite suspeitas, mas a gente desenvolve uma visão mais crítica em relação às informações oficiais recebidas na China.

Fazendeiros locais descobriram as primeiras peças dos Guerreiros de Terracota em 1974, enquanto tentavam furar um poço. Logo depois, começaram as escavações para desvendar uma das mais intrigantes preciosidades arqueológicas das últimas décadas. A visitação permanece aberta ao público durante o ano todo, e inclui os locais onde pesquisadores montam o quebra-cabeça da imensa necrópole.

Todo o complexo envolvendo o Exército de Terracota, para mim, merecia um dia inteiro de visitação. Como estava frio, a gente não se cansava de caminhar pela imensa área destinada às escavações. Em uma das noites em Xi'an, encontramos um grupo de brasileiros e estrangeiros que viviam na cidade.

Combinamos de tomar café no Starbucks situado no perímetro das famosas muralhas de Xi'an, e conheci pessoalmente Maria Fernanda P., uma professora que completava seu terceiro ano vivendo na China.

— É o limite — admitiu, com bom humor. — É a famosa comichão dos três anos. Depois desse período, muitos estrangeiros vão embora — disse-me.

Eu, recém-chegado, ainda estava passando pelo primeiro estágio, quando o encantamento supera as decepções.

Depois de Xi'an seguimos para Shijiazhuang, sempre de trem-bala, para minhas convidadas conhecerem a cidade onde eu estava morando. Elas queriam vivenciar pelo menos um dia imersas na famosa poluição, ficaram torcendo por um dia mais enfumaçado, mas acabaram voltando para o Brasil frustradas, porque, apesar do frio, os dias estavam surpreendentemente ensolarados.

Passamos o último dia do tour chinês em Pequim, de onde partiria o voo que as levaria primeiramente à Europa, e depois para o Brasil. Missão cumprida, uma viagem e tanto. Após deixá-las no aeroporto, peguei o trem expresso até a estação de metrô de Dongzhimen, e de lá segui para a estação Oeste de Pequim, a Beijing Xi (北京西).

Embarquei no trem-bala e, enquanto a composição acelerava sobre os trilhos rumo a Shijiazhuang, eu pensava: *Preciso dar um jeito de vir morar em Pequim. Será que vai dar certo?* Ironia do destino: ainda naquele ano, eu veria o mesmo trem-bala partindo da Beijing Xi em direção a Shijiazhuang. Mas seria da janela da minha nova casa, em Pequim.

16. Vidas negras

Conforme eu havia planejado, em 2016 passei a frequentar as missas em inglês na igreja de Shijiazhuang, sendo que um dos objetivos seria justamente evitar uma caravana de alunos me acompanhando nas celebrações. Parte da pequena comunidade estrangeira da cidade participava da missa celebrada às dez horas de domingo. Havia alguns americanos, um ou outro europeu, filipinos e latino-americanos. A maioria dos frequentadores era mesmo africana, muitos deles estudantes, e alguns chineses com experiência internacional.

Após meu retorno de Pequim, e antes do início do ano letivo, participei de uma missa cuja celebração terminou com um almoço chinês, e todos os estrangeiros foram convidados. Havia bastante comida, essencialmente chinesa, não exatamente o mais saboroso dos almoços, mas ao menos pude confraternizar pela primeira vez com meus novos amigos da igreja.

Os americanos se aproximaram, era uma família inteira, pai, mãe, filhos, e logo vieram os filipinos, muito amáveis e bem-informados, além de dominarem perfeitamente o inglês. Em seguida, me reuni com um grupo de estudantes africanos, um pouco tímidos no primeiro momento, mas extremamente agradáveis e gentis. Naquela ocasião, conheci Mariama, senegalesa, formada em literatura francesa, e naquele semestre completaria uma segunda graduação em letras-mandarim.

Dona de uma voz suave e um sorriso cativante, Mariama chamava atenção pela discrição e pelo jeito dócil, certamente eu não era o único naquela roda de homens cativado pelo seu charme. Imediatamente, achei que meu segundo semestre em Shijiazhuang seria mais interessante que o primeiro. Eu estava certo.

Meu desafio na faculdade seria manter os alunos motivados durante os meses seguintes, ao mesmo tempo que buscava uma oportunidade em Pequim, sem mencionar o propósito ao meu casal de amigos, Moura e Sofia. Eles, por outro lado, me confidenciaram a decisão de encerrar naquele ano sua vida na China. Seria o quarto e último ano deles no país. Essa era mais uma razão para eu me desligar da universidade, mas eu só comunicaria minha decisão aos diretores no momento em que me chamassem para renovar o contrato.

Em 2016, o presidente Xi Jinping assumiu o comando das Forças Armadas, tornando-se o primeiro líder chinês, desde Mao Tsé-Tung, a acumular as funções de secretário-geral do Partido Comunista, presidente da China e comandante em chefe do Exército de Libertação Nacional. Já no Brasil, o declínio da economia gerava aumento nas taxas de desemprego e uma insatisfação cada vez maior da população, que passou a realizar manifestações frequentes em quase todas as capitais dos estados, com maior intensidade em Brasília e São Paulo, dois importantes termômetros da perda de apoio da presidente Dilma Rousseff.

Sofia, Moura e eu acompanhávamos as notícias do Brasil e conversávamos sobre a situação política diariamente durante o almoço. Naquela época, passei a usar minha conta do Twitter, tentando contribuir com os seguidores, repassando as informações que eu recebia de Brasília. Mas o alcance era limitado. Primeiro, porque o Twitter é proibido na China, então eu só conseguia acessá-lo usando o VPN, que deixa a conexão mais lenta. Segundo, o fuso horário em nada ajudava. Quando era dia na China, era noite no Brasil, e vice-versa.

Nos Estados Unidos emergia a figura de Donald Trump, presente nos noticiários sob uma chuva de críticas da mídia, principalmente quando se comprometia a construir um muro na fronteira entre o México e os Estados Unidos. Era bastante clara a predileção de toda a imprensa pela candidata democrata, Hillary Clinton. No Reino Unido, o primeiro-ministro David Cameron mantinha o seu compromisso de manter a Grã-Bretanha conectada à Europa, mesmo após a crescente rejeição dos ingleses à União Europeia.

A primavera mal começara e eu já estava namorando Mariama, a senegalesa que frequentava a missa em inglês. Por seu intermédio, conheci alguns estudantes e professores europeus e africanos, cuja atuação na Ásia se limitava ao campo da pedagogia. Eles eram muito interessados em cultura, em particular música, cinema e literatura, mas quase nunca conversavam sobre política. Melhor assim, eu tinha um descanso quando estava na companhia deles.

Mariama falava chinês perfeitamente, lia até contrato de aluguel, e seus colegas se mostravam extremamente dedicados ao aprendizado de mandarim. Mesmo quando os nativos de francês estavam juntos, só se comunicavam em mandarim, optavam por uma imersão completa no idioma. Mariama também não tinha nenhum interesse em política, felizmente. Assim, eu não precisava comentar com ela nada sobre o cenário político brasileiro, tampouco o chinês. Repito, era um descanso necessário. Por alguns momentos eu sentia a liberdade de conversar sobre amenidades, falar de cultura, viagens, gastronomia e costumes dos diferentes povos da África.

Outro assunto a ser evitado com os africanos era o racismo na China. Todos eles sabiam como pensavam os chineses, e a maioria já havia passado por algum tipo de problema ou constrangimento, algum episódio em que sofreram racismo ou outra forma de discriminação racial. Não seria eu a tocar na ferida, mantive meu silêncio.

Uma tarde, no entanto, saí para fazer compras no Walmart localizado em uma das principais avenidas da região central, praticamente uma rotina semanal. A diferença é que, dessa vez, Mariama me acompanhou. Na entrada do supermercado havia um guarda-volumes com sistema de autosserviço, a maioria dos clientes deixava lá suas bolsas e mochilas.

O estabelecimento recomendava o uso dos armários, mas não se tratava de uma obrigação. Eu não deixava ali a minha mochila porque, na China, o cliente entra por um lado do mercado e sai por outro, diferentemente do que vi em outros países que já visitei. Além disso, eu levava a mochila para transportar uma parte das compras, era mais fácil já estar com ela ao passar as mercadorias no caixa. Como de costume, nesse dia entrei com a mochila, mesmo sabendo do risco de ser abordado por um funcionário do mercado solicitando para revistar o interior da minha mochila.

Porém, eu nunca havia sido abordado em nenhuma das vezes. Naquele dia, comprei o de costume: pães, queijo, presunto, cream cheese, refrigerante, algumas frutas, cereais e uma bandejinha de Yakult. Após passar no caixa, armazenei parte da compra na mochila e o restante em uma sacola plástica reforçada, tudo exatamente igual aos procedimentos dos últimos seis meses. Nada diferente. No entanto, ao sair da área dos caixas, soou o alarme da segurança, e uma funcionária veio em minha direção. *Finalmente!*, pensei. *Depois de tanto tempo alguém finalmente irá pedir para ver o que tem dentro da minha...* Opa! Eu mal concluía o meu pensamento e a funcionária do Walmart passava direto por mim em direção a Mariama.

— Abra sua bolsa, preciso ver o que tem aí dentro — ordenou a chinesa, de forma um tanto ríspida.

Mariama carregava uma pequena bolsa, aliás, ridícula de tão pequena, mal cabia o celular e um batom ali dentro. Minha mochila poderia comportar quinze bolsas iguais à dela. Ela docilmente abriu a bolsa mostrando seu interior, onde havia apenas o batom, um pacotinho de chicletes e o cartão do transporte público.

— Tudo certo — disse a funcionária. — Pode seguir.

Tudo certo uma ova, pensei, e me dirigi à chinesa.

— Perdão, a senhora não quer ver o que tem dentro da minha mochila? E da sacola? Afinal, aqui tem muito mais coisa para você ver.

— Não precisa — ela me respondeu. — Eu já vi o necessário.

— O que era necessário? — perguntei. — Você precisava ver a pequena bolsa dela só porque ela é negra? Por que ela é africana? Você não acha que isso é alguma forma de preconceito, racismo? — questionei, já começando a me faltar vocabulário em chinês, acabei misturando com inglês e segui falando. — Quero falar com a gerência, onde está o seu supervisor? Alguém que fale inglês, por favor. Afinal, este é um supermercado norte-americano, não é?

A funcionária ficou um tanto desconcertada, ela não entendia o que estava acontecendo. Sua noção de cores, diferenças físicas e racismo não incluía ver um homem branco intercedendo em favor de uma jovem negra. Ela chamou a gerente, que conseguia se comunicar em inglês com um leve grau de dificuldade. A gerente se desculpou, disse se tratar de um procedimento-padrão na loja, e qualquer cliente poderia ser abordado: "Chineses, estrangeiros brancos e estrangeiros pretos". Estrangeiros brancos e pretos? Céus, ela só piorava as coisas. Nessa hora, Mariama comentou comigo em seu tom de voz suave:

— Rafa, muito obrigada pelo que você fez por mim, obrigada mesmo. Mas não tem problema, está bem? Nós passamos por isso com muita frequência aqui na China. Já estamos acostumados. Muito obrigada — disse ela, esboçando um sorriso para me acalmar.

A gerente perguntou se estava tudo bem, desculpou-se novamente, e ofereceu um formulário de reclamação. Um pequeno público de chineses curiosos já havia se formado ao nosso redor, eles olhavam sem saber o motivo da nossa discussão. Eu me lembrei do dia em que fomos ao zoológico, e os chineses fotografaram mais a gente do que os animais, sem nenhum exagero. Para evitar um mal-estar maior no Walmart, demos o caso por encerrado e fomos embora. Mariama segurou minha mão de uma forma mais carinhosa, e suspirou. Segui com o rosto virado para a frente, mas pela visão periférica consegui perceber seu delicado rosto iluminado por um sorriso. Aquele mesmo sorriso de gratidão de momentos antes.

17. Kung Fu versus MMA

Minha experiência na China poderia acabar naquele mês de julho de 2016 caso eu não conseguisse um trabalho em Pequim. Eu já havia considerado a possiblidade de viver em outra cidade chinesa, como Xangai ou Guangzhou, seria um recurso para ganhar tempo e, depois, tentar uma vaga em Pequim. Em maio, Maria Fernanda, minha nova amiga de Xi'an, entrou em contato perguntando se eu não gostaria de acompanhá-la em uma viagem a Luoyang (洛阳), na província de Henan (河南), para visitar as famosas esculturas gigantes de Budas esculpidos nas montanhas, conhecidas como as Grutas de Longmen (龙门石窟), em pinyin lê-se "*Lóngmén Shíkū*".

Outro amigo brasileiro de Xi'an, Márcio B., iria se juntar a nós na empreitada. Achei a proposta interessante, principalmente porque perto de Luoyang fica nada menos que o Templo Shaolin, o famoso *Shàolínsì*(少林寺). Desde criança, sempre acompanhei os filmes de artes marciais chineses, vários deles produzidos em Hong Kong, onde ficavam os principais estúdios da China até os anos 1980.

Eu iria realizar um sonho de infância. Poucos turistas estrangeiros se aventuram a conhecer Luoyang, considerada o berço da civilização chinesa, além de ter sido uma das quatro capitais da China antiga. Um número limitado de estrangeiros se sujeita a se deslocar até aquela região por se situar distante dos principais roteiros turísticos. Porém, localizada na região central do país, a cidade de seis milhões de habitantes atrai visitantes chineses mesmo sem um incentivo maciço do governo. Para o Partido Comunista, não é interessante promover viagens com o propósito de aproximar os cidadãos de temas religiosos, como o budismo.

A restrição se aplica aos Budas gigantes bem como ao Templo Shaolin, esse último localizado em uma região montanhosa a 85 quilômetros de Luoyang. O templo, embora seja sempre associado às artes marciais, também foi erigido por budistas, há dois mil anos.

Concordamos em visitar juntos, os três brasileiros, tanto os Budas gigantes quanto o Templo Shaolin. Por coincidência, na mesma data Mariama havia programado uma viagem para Xangai, então eu iria desacompanhado da namorada até a província de Henan. Elaine, minha engraçada aluna chinesa, estava de volta a Shijiazhuang para uma entrevista de emprego, e me acompanhou até a estação de trem para comprar a passagem. Ela também precisava comprar seu bilhete para Pequim.

Quando eu vi o valor ínfimo pago por ela, questionei como poderia custar um terço do preço que eu costumava pagar.

— Ué, você só viaja de trem-bala, é o mais caro de todos — explicou Elaine.

Há uma escala com seis diferentes tipos de trens na China, desde os mais simples até os mais caros. Perguntei à minha aluna se as passagens baratas podiam proporcionar uma boa viagem.

— Eu gosto — respondeu ela. — É bom, barato, chego bem. Eu gosto — repetiu.

Confiando na opinião de Elaine, comprei a passagem para embarcar dois dias depois. "Eu gosto", ela repetiu mais uma vez. Quando entrei no trem, notei que eu era o único ocidental não só naquele vagão, mas em todo o trem. Quase todos os passageiros eram chineses das classes mais baixas da sociedade, muitos deles camponeses com a pele castigada pelo sol e rugas que mostravam uma idade acima da que eles realmente tinham. Uma senhora com um lenço amarrado ao redor do cabelo sorriu ao me ver. Devolvi o sorriso, e entrei. Notei não haver ar-condicionado, um infortúnio, pois os dias quentes haviam chegado com força total.

Havia um senhor sentado naquele que deveria ser o meu lugar. Era difícil saber onde deveríamos nos sentar, porque o trem era dividido por bancos inteiriços, sujos, sem divisórias, e em cada banco deveriam se sentar três pessoas. Havia uma mesa na frente, e outro banco depois da mesa, e assim sucessivamente.

Comuniquei ao senhor que ele estava sentado no meu assento. Ele fez cara de quem não gostou e continuou sentado. Insisti, então ele disse algo mal-educado em um chinês perto do incompreensível e levantou-se. À minha frente, um casal de chineses idosos comia sementes de girassol sem parar, uma mania na China.

Comiam como periquitos, e lançavam as cascas em uma bandeja improvisada sobre a mesa. Metade das casquinhas caíam fora da bandeja, algumas delas já despencando pelo chão, ou sobre os pés de couro grosso dos camponeses que usavam um tipo de chinelo oriental. Outro passageiro comia um macarrão no estilo lámen com um pé de frango tirado de uma embalagem plástica. Ele também riu para mim.

Seria uma viagem longa, quase oito horas. *Que enrascada*, pensei, e me lembrei que o trem-bala levaria menos de três horas. Imediatamente, me arrependi.

Eu estava bebendo muita água, pois a temperatura não parava de aumentar dentro do trem, era uma sauna em movimento. Como consequência, depois de quatro horas de viagem eu não aguentava mais de vontade de ir ao banheiro. Mandei mensagem para a Elaine contando o pesadelo. Ela apenas riu. Perguntei se alguém poderia se sentar no meu lugar caso eu fosse ao banheiro. E veio a resposta: "Sim, é bem provável".

Dito e feito, lá fui eu pedir para outro chinês resmungão sair do meu lugar. E assim seguimos por longas horas de um calor vulcânico, na casa dos 42 graus.

Não importa, no dia seguinte eu estaria no Templo Shaolin, um sonho que eu nunca havia imaginado realizar. Saímos cedo do hotel com destino ao templo, em uma excursão contratada no dia anterior. Éramos três brasileiros e trinta chineses, e acabamos nos tornando uma atração à parte para o grupo de turistas.

Uma hora e meia depois, chegamos à montanha onde está instalado todo o complexo dos templos, uma joia da arquitetura antiga oriental. Os lutadores de kung fu estavam sobre os telhados dos primeiros templos, manejando armas como lanças, espadas, bastões e nunchakus. Uma imagem incrível, admito, mas um tanto plastificada, como tudo na China atual.

O local foi transformado em um pequeno parque temático em homenagem às artes marciais. Os alunos treinam horas a fio até se tornarem capazes de executar exercícios com alto grau de dificuldade. Em apresentações, testemunhamos saltos, golpes e armas manuseadas com extrema destreza. Tudo muito perfeito e mortal, como nos filmes de Bruce Lee, conhecido na China pelo nome de *Lǐ xiǎolóng* (李小龙), que quer dizer "o Pequeno Dragão Lee". Se alguém disser Bruce Lee, nenhum chinês saberá do que está falando.

As artes marciais em seus diferentes estilos integram a propaganda comunista como um símbolo do poderio chinês. Há décadas, as produções chinesas incluem homens voando, mulheres desviando flechas com suas tranças, lutadores derrotando três, quatro, vinte estrangeiros de uma só vez. Será que o kung fu chinês é tão eficiente assim?

Minha pergunta seria respondida apenas no ano seguinte, em 2017, quando o lutador chinês de MMA (*Mixed Martial Arts*, ou Artes Marciais Mistas) Xu Xiaodong, conhecido pelo apelido de Cachorro Louco, passou a desafiar os grandes mestres de kung fu do país, em particular o mestre de tai chi chuan Wei Lei, famoso em toda a China por suas exibições de poder da mente e exímio controle do corpo, com várias aparições fantásticas em programas de televisão.

Popular em toda a China, Wei era capaz de danificar gravemente uma melancia com seus punhos, além de vencer de forma quase mágica cada um de seus alunos. Na maioria das aparições midiáticas, derrotava facilmente discípulos ocidentais, alguns deles loiros, revelando todo o seu poder incomum ante rivais hesitantes. O mestre de tai chi fazia, oficial ou extraoficialmente, parte da propaganda nacionalista como um símbolo da superioridade chinesa em relação a seus oponentes de outras nações.

Mas os mestres da arte milenar, um após o outro, recusavam o desafio. O argumento dos mestres de artes marciais para evitar o confronto com o Cachorro Louco seria justamente a superioridade das lutas clássicas, já que seus praticantes poderiam matar o adversário com um singelo golpe, o que não é permitido nas competições de MMA. Mas Xu continuava desafiando qualquer um, disposto a enfrentá-los em seus redutos, com as regras que desejassem ou mesmo sem regras que pudessem protegê-lo contra os golpes fatais.

Depois de uma discussão pelas mídias sociais, Wei finalmente aceitou acertar suas diferenças com Xu, que já esperava pela luta na cidade-base de Wei, Chengdu. O confronto ocorreria em uma academia com um público restrito, algumas dezenas de pessoas apenas, e seria filmado. Muita expectativa cercava o confronto, seria um acontecimento épico, certo? Era o que a maioria esperava, mas o embate durou meros vinte segundos.

Sim, estava provado, o milenar kung fu não era capaz de resistir a vinte segundos de socos e pontapés de um lutador moderno. Faz sentido, as artes marciais chinesas se desenvolveram há séculos, quando as necessidades de enfrentamento eram distintas. O tempo passou e os movimentos de defesa e ataque chineses nunca foram devidamente revisados e atualizados. A eficiência deu lugar à plástica, ao encanto e à propaganda. O treinamento fantástico beneficia uma pequena elite das artes marciais que vive de iludir alunos sem colocar seus ensinamentos à prova.

Veja bem, estamos falando de um lutador de MMA chinês que nunca integrou o pelotão de frente nos campeonatos internacionais. A China não possui tradição nos torneios de *Mixed Martial Arts*, nem sequer figura entre os dez países que dominam os pódios, normalmente ocupados por atletas do Brasil, Estados Unidos, Inglaterra, Japão, México, Canadá e Rússia.

Ou seja, um dos mais badalados mestres de tai chi, um astro em todo o país, foi surrado em sua própria casa por um lutador mediano de MMA. Nada mais vergonhoso para o orgulho chinês. A história chegou rapidamente ao conhecimento do comando do Partido Comunista. Em questão de dias, o vídeo da derrota acachapante sumiu das redes sociais. O regime chinês temia desacreditar seu poderio, com potencial de atingir a imagem militar do país, minando, assim, a confiança dos chineses na capacidade do Exército de defender a população.

O vídeo sumiu e, com ele, sumiram também os comentários. Quem insistisse em tocar no assunto poderia sofrer sanções ou advertências. O dano foi contornado, ao menos na China Continental. Mas chineses que viviam em outros países, assim como em Hong Kong, Macau e Taiwan, podiam ver a sova livremente na internet.

Xu Xiaodong começou a ser perseguido por agentes do partido, que lhe pediram discrição sobre o episódio, e um comportamento mais comedido. Mas Xu, um crítico da censura, continuou a desafiar mestres por todo o país, recebendo apenas "não" como resposta. Mais nenhuma estrela do kung fu estava disposta a passar vergonha publicamente. Incontrolável e, consequentemente, ampliando a sensação de fracasso do poderio chinês, já que a notícia havia percorrido outros países, Pequim começou a dificultar a vida de Xu Xiaodong. A hipocrisia mostrava-se completa, pois muitos chineses já conheciam e comentavam a história.

Punir Xu apenas evidenciava a incapacidade do governo chinês ao lidar com uma questão simples. Novamente, o Partido Comunista faria prevalecer a omissão ou a mentira. Preocupado com eventuais comparações entre o episódio e o desempenho dos soldados chineses em uma guerra real, o partido tratou de punir o lutador de MMA com a perda de créditos sociais, limitando seus deslocamentos dentro e fora do país. Xu estava impedido de comprar bilhetes de trem-bala, e sua pontuação continuava a cair anos depois do combate com o mestre chinês.

A Tencent, dona do WeChat, impediu as movimentações financeiras do lutador pelo aplicativo, um canal por onde ele recebia doações. O sufocamento financeiro veio acompanhado do fechamento consecutivo de suas novas contas criadas no Weibo, o Twitter chinês. Em 2020, Xu já havia criado a sua 14ª conta, por onde tentava se comunicar com fãs e atletas.

Assim, a estratégia do Partido Comunista Chinês para calar quem os aborrece se firmou no seguinte tripé do totalitarismo na era da tecnologia:

1. Censurar o cidadão
2. Limitar seu acesso às redes sociais
3. Secar sua fonte de renda pelos meios digitais

Tudo isso só é possível com o apoio das empresas de tecnologia. No caso da China, cabe às Big Techs chinesas executar diferentes punições do regime aos opositores. O Ocidente, historicamente alicerçado pela democracia, já começou a copiar as manobras autoritárias da ditadura chinesa.

Qual foi o crime de Xu Xiaodong?

Nenhum. Ele apenas expôs a realidade das artes marciais chinesas.

Desafios militares

Durante as últimas décadas, o Ocidente se habituou a ver os mestres chineses voadores, invencíveis em praticamente todos os filmes e seriados. Mas, propagandas à parte, como se sairia o Exército de Libertação Nacional em um conflito com uma potência militar? Estariam preparados para lidar com forças estrangeiras? A última vez que as forças armadas do país participaram efetivamente de um confronto foi na Guerra da Coreia, encerrada com um armistício em 1953. Ou seja, suas tropas não enfrentam um inimigo no campo de batalha há mais de sessenta anos. Três gerações de chineses cresceram sem encarar um soldado inimigo.

O país exibe paradas militares e exercícios de guerra tão impressionantes quanto os movimentos de seus lutadores no cinema. Centenas de tanques fazem tremer o asfalto de Pequim nessas exibições de força, enquanto nas regiões desérticas do país os mísseis atingem seus alvos com precisão milimétrica. Xi Jinping passa as tropas em revista, tentando transmitir uma imagem de comandante capaz de liderar seus homens no caminho da vitória.

Diferentemente dos chineses, as tropas norte-americanas e britânicas preferem a discrição, no entanto nunca deixaram o campo de batalhas. Há mais de um século os militares das duas potências ocidentais provam sua capacidade na prática, em conflitos distribuídos por todos os confins do mundo.

Apesar de baixas e derrotas pontuais acumuladas no período, como durante a Guerra do Vietnã, os norte-americanos podem se gabar da condição de maior potência militar do planeta, deixando meia dúzia de países disputarem as posições seguintes. Numericamente, os chineses ocupam uma posição a ser respeitada no ranking militar mundial, ostentando um efetivo composto de milhões de combatentes, além de o país ter acrescentado ao seu Exército uma série de novos veículos terrestres, armamentos, bombardeiros, helicópteros, mísseis, caças, submarinos e embarcações de guerra neste início de século.

O poder militar chinês cresceu sobremaneira nas duas últimas décadas, provocando temor em países vizinhos, mas essa condição é recente. Até os anos 1980, o alto comando chinês reconhecia dificuldades de enfrentar Taiwan numa guerra. Já nos anos 1990, Pequim tentou intimidar o eleitorado taiwanês, propenso a escolher líderes anti-China. Os mísseis disparados pelas forças armadas chinesas no estreito de Taiwan provocaram uma crise regional que durou meses.

Os disparos iniciados em 1995 geraram uma reação dos Estados Unidos. O presidente Bill Clinton ordenou o deslocamento de navios militares para o estreito, incluindo dois porta-aviões, no maior movimento militar norte-americano em águas asiáticas desde o fim da Guerra do Vietnã. O Exército chinês reconheceu sua inferioridade e encerrou as hostilidades na região em março de 1996, uma humilhação.

Ao mesmo tempo que adota diferentes recursos de guerra assimétricos e irregulares, a China também tem ampliado sua presença militar pelo globo, espalhando suas bases em países asiáticos, africanos e, recentemente, na América do Sul. Nos últimos anos, o governo chinês fortificou ilhas no tumultuado Mar do Sul da China, mesmo recebendo sanções internacionais da ONU e reclamações formais de nações integradas pelo mar, como Vietnã, Malásia, Filipinas, Brunei e Taiwan.

Assim como desrespeita acordos comerciais internacionais, a China também ignora tratados militares, avança sobre territórios e, principalmente, mares de outros países, valendo-se da condição de investidor e comprador internacional para dissuadir governos estrangeiros a retaliar suas investidas. Dessa forma, o regime ditatorial chinês se comporta no cenário internacional como o mestre de kung fu falastrão, pelo menos até que apareça um lutador de MMA decidido a desafiar toda essa fanfarronice.

O ciclo das lágrimas

Depois de visitar a província de Henan e realizar o sonho de conhecer o famoso Templo de Shaolin, precisei encarar a viagem de volta naquele trem que ainda hoje habita meus pesadelos. Tentei dispensar o bilhete de volta e comprar uma passagem em um trem de categoria superior, mas estavam todas esgotadas.

De volta a Shijiazhuang, terminei de revisar os trabalhos de conclusão de curso das minhas orientandas do quarto ano, assim como as provas de fim de semestre, atribuindo novamente aquelas notas pré-arranjadas para os alunos.

Tudo acontecia muito rapidamente nas minhas últimas semanas em Shijiazhuang. Recebi de um contato em Pequim a proposta para trabalhar em uma universidade na capital chinesa, seria apenas um dia por semana. Perfeito! Era tudo o que eu esperava. Como meus horários na Faculdade de Mídia de Hebei eram flexíveis, eu poderia ir para Pequim só uma vez por semana, talvez na segunda ou sexta-feira, e manteria os dois trabalhos, aumentando meus contatos no país. Era de fato o melhor dos mundos, só havia um empecilho: no meu contrato em Hebei, eu trabalhava em regime de exclusividade. Porém, havia professores estrangeiros nessa mesma condição, dando aula em duas instituições.

Então, decidi conversar com meus superiores. Falei primeiro com Jordan.

— Infelizmente, não é possível. Esse contrato não atende aos requisitos da nossa província — disse-me Jordan.

Foi um banho de água fria. Em seguida, Moura me recomendou conversar com Li qing lang.

— *I can say, I can say* — ele introduziu a conversa com sua inevitável expressão, e continuou: — Você não deve falar sobre isso com ninguém, nunca. Vamos fingir que não tivemos essa conversa. Você aceita o trabalho lá e não conta para ninguém, *ok*?

Por que eu deveria me surpreender? Era o velho jeitinho chinês novamente. A sugestão se resumia a enganar todo mundo e a burlar as regras. Minha dificuldade é ser incapaz de me comportar dessa forma. Se eu não fazia esse tipo de vigarice no Brasil, por que agiria diferente em uma nação estrangeira? Fora de cogitação. Desisti do trabalho e comuniquei a decisão a minha recrutadora da universidade em Pequim.

Moura já buscava um substituto para minha vaga, depois de minha negociação para a renovação de contrato na universidade naufragar. Na realidade, os chineses quase nunca rescindem o contrato de um estrangeiro que não tenha cometido nenhuma irregularidade, como no meu caso, pois um novo recrutamento gera trabalho e despesas adicionais para o contratante.

Eu também não queria ser a parte a quebrar o compromisso, e a solução foi condicionar a renovação a um salário irreal de tão alto, quase o dobro do que eu recebia. Na sequência, a universidade manteve uma oferta final de reajuste de 15%. Assim, eu recusei e rescindimos o contrato amigavelmente, em comum acordo. Eu estava arriscando meu futuro na China, pois ainda não havia conseguido um novo emprego no país. A única oferta havia partido de outra universidade em Shijiazhuang, também para uma vaga de professor universitário, que recusei.

Nesse meio-tempo, minha aluna Carol retornou para Shijiazhuang para uma reunião. Eu havia me tornado seu orientador. Conversamos bastante numa tarde quente, tomando *milk-shake* em uma pequena lanchonete perto da universidade. Ela manifestou estar triste com a minha despedida, e perguntou se eu não me interessaria em trabalhar como jornalista em Pequim.

— Rafa, tem uma vaga na Rádio Internacional da China, por que você não tenta? — ela me disse. — Manda um e-mail, não custa nada.

Então, ela me passou por mensagem no WeChat o anúncio de seleção de jornalistas promovido por uma das maiores emissoras de rádio do mundo, a CRI, sediada na capital chinesa. Mostrei um interesse comedido e, de fato, eu tinha dúvidas se queria continuar fazendo parte daquele mundo, no qual muitas vezes eu me sentia como um ator interpretando o papel de um farsante. Além disso, comentei com a Carol que esses avisos eram praticamente uma mera exigência burocrática do empregador, mas normalmente uma pessoa com recomendação interna ou contatos na emissora teria muito mais chances do que eu.

Dias depois, enviei um e-mail em português para o serviço da Rádio Internacional da China, cujo nome em chinês é 中国国际广播电台 ou, em pinyin, *Zhōngguó Guójì Guǎngbō Diàntái*. Era minha obrigação ao menos tentar, nem que fosse para aumentar minha experiência de vida em um país estrangeiro. Não avisei a ninguém nem pedi ajuda para os meus contatos, evitando mais uma vez expor meus amigos ou despertar a atenção do governo chinês.

A resposta veio uma semana depois, em um e-mail formal. A coordenadora agradeceu meu interesse, mas informou que a contratação havia sido temporariamente suspensa. Caso uma nova vaga surgisse, eu seria contatado. *Fiz minha parte*, pensei. Concomitantemente, eu havia postulado uma vaga para um curso destinado a professores universitários de português na China. Ele seria ministrado no mês de julho, em Macau, coincidindo com o fim das atividades curriculares na faculdade em Shijiazhuang. Após minha aceitação pelo curso, planejei meu retorno ao Brasil via Hong Kong, localizada na mesma região de Macau.

Minha última aula na universidade seria com a turma do primeiro ano, formada por aqueles estudantes submetidos ao treinamento cívico-militar no primeiro mês. Eu havia criado um carinho especial por aquele pessoal. Eram dezenove alunos, entre os quais apenas três rapazes, o restante eram mocinhas com jeito de adolescentes. Eu os ajudei a escolher seus nomes em português, nomes que utilizam até hoje. Eles já estão trabalhando, alocados em diferentes regiões da China e também fora do país, motivo de orgulho para mim. Só me dei conta de que era o fim de um ciclo importante no momento em que decidi comunicar a eles a minha volta para o Brasil.

— Então é isso, pessoal. Essa é a nossa última aula, e acho que não nos veremos mais, estou indo embora da China — eu disse.

Agradeci por todos os bons momentos que havíamos passado juntos naquele ano e reparei uma reação para mim completamente inesperada. Olhando para as alunas, percebi pares de olhinhos puxados marejados, começando a se encher de lágrimas. Olhei para uma aluna, para outra... mais uma, e até um dos alunos estava sensibilizado com a despedida. Para não correr o risco de "suar pelos olhos", peguei meu material sobre a mesa e saí abruptamente da sala, faltando alguns minutos para a aula terminar.

Depois do almoço, os alunos do primeiro ano começaram a me ligar.

— Professor, você está bem? — diziam. — Depois que você saiu da sala, a gente começou a chorar.

Fiquei profundamente comovido com aquelas demonstrações de carinho. Então, a turma organizou um jantar de despedida em um dos melhores restaurantes de Shijiazhuang, reservando uma sala especial para o nosso grupo. Foi um jantar e tanto com Mariama e os estudantes, para ficar na memória.

Meu voo para Hong Kong partiria de Pequim, então me programei para ficar um dia na cidade, no mesmo hotel onde havia passado as férias com minha amiga Janaína e sua mãe. Na antevéspera da minha ida a Pequim, recebi um contato do *Diário do Povo*, a publicação de maior circulação na China, veículo oficial do Partido Comunista Chinês, o famoso *Rénmín Rìbào* (人民日报).

Havia uma vaga para jornalista no serviço de português, e meu currículo havia sido encaminhado pela Rádio Internacional da China com recomendações da recrutadora. Marcamos uma entrevista, era a grande oportunidade de permanecer na China por pelo menos mais um ano. No dia da entrevista, deixei Mariama no hotel em Pequim e segui para a sede do *Diário do Povo*, localizado na área de Chaoyang (朝阳).

A entrevista transcorreu da melhor forma possível, o editor ficara impressionado com o meu currículo e me ofereceu a vaga. Disse-me para providenciar todos os documentos necessários, entregou-me uma lista com a descrição daquilo que eu deveria lhe enviar quando chegasse ao Brasil. Ele aproveitou para tirar uma cópia do meu passaporte e do meu diploma universitário para iniciar o processo de contratação.

Eu mal podia acreditar que, aos 45 minutos do segundo tempo, deixaria a China com um novo emprego. Naquela noite, acompanhei Mariama até o aeroporto, seu voo partiria antes do meu. Na despedida, ela se comprometeu a voltar para a China; era a única chance de continuarmos juntos. Foi uma despedida triste, dolorida para nós dois, porque ela queria muito manter nosso namoro, mas também queria estar perto da família no Senegal. Estava dividida, mas disposta a deixar seu país para continuar comigo, chorava bastante. Eu a abracei e a beijei pela última vez naquele dia, no aeroporto de Pequim. Somos amigos até hoje.

sita ao Grande Buda de Hong Kong, em
ho de 2016.

Catedral da Imaculada Conceição, também chamada de Catedral do Sul, no bairro de Xuanwumen, região central de Pequim. Dezembro de 2016.

utas de Longmen, na província de Henan. Junho de 2016.

Tradicional refeição servida em casa de família chinesa, na zona rural de Langfang, em janeiro de 2017.

编号:0440632

V00000009842552

外国人签证证件受理回执

VISA / STAY PERMIT / RESIDENCE PERMIT APPLICATION RECEIPT

英文姓 IMOLENE FONTANA 英文名 RAFAEL
Surname Given name
中文姓名 出生日期 1974 年 09 月 18 日
Name in Chinese Date of birth Y M D
性别 男 国籍 巴西 护照号码 FL094985 申请项目 居留证件申请
Sex Nationality Passport No. Application type
拟收费用 400 取证地点 北京市公安局出入境管理总队 取证日期 20161226
Fee Collection option Collection date
受理人 W064 申请人签名 受理日期 20161213

Documento emitido em Pequim para requisitar a permissão de residência na China. Todos os anos a permissão precisa ser aprovada e renovada. Dezembro de 2016.

18. Portugal na China

Desembarcar em Hong Kong equivale a estar não em outro país, mas em outro continente distante da China. Os honcongueses receberam uma educação britânica, aproximam-se mais do comportamento dos taiwaneses, costumam falar mais baixo, respeitam as filas, cumprem as regras e defendem a liberdade. Além disso, assim como em Macau, a população se comunica em cantonês, não em mandarim.

Nas últimas décadas, Hong Kong, chamada na China de Xiānggǎng (香港), se tornou uma das cidades mais prósperas e caras do mundo. O metro quadrado em um bairro residencial de classe média pode chegar a 30 mil dólares, o equivalente a 150 mil reais. Ou seja, um apartamento de quarenta metros quadrados com um quarto, vale mais que uma mansão em um bairro nobre de São Paulo ou do Rio de Janeiro. Somente Mônaco, Londres e Manhattan se equiparam aos valores do metro quadrado de Hong Kong.

Tudo na cidade funciona como um relógio, e a segurança dos cidadãos repete os padrões das metrópoles chinesas. Os índices de criminalidade são ínfimos, tão baixos quanto os observados nas cidades mais seguras da Europa e da Austrália. A taxa de homicídio gira em torno de 0,5 por mil habitantes ao ano, irrisória quando comparada com 83 assassinatos por mil habitantes ao ano de Fortaleza e 102 de Natal, ambas no Nordeste brasileiro, ou 111 em Caracas, capital venezuelana.

Hong Kong seria perfeita se não fosse o intenso calor úmido do verão, com temperaturas acima dos quarenta graus e uma sensação térmica que não raramente atinge 48 graus. Tão quente e abafado, que parecia que eu carregava um sol próprio para qualquer lugar aonde fosse. Certo dia, saí do hotel e voltei vinte minutos depois. Era simplesmente impossível, ao menos para mim, circular pelas ruas da cidade.

Parece que não fui o único no hotel a desistir dos passeios, quando retornei, outros hóspedes se acomodavam no *lobby* aclimatado pelo ar-condicionado, esperando a temperatura baixar depois do almoço. Aos hotéis cabe uma observação: são ótimos, oferecem um atendimento de primeira categoria. No hotel onde me hospedei, tudo o que estivesse no frigobar era gratuito, e havia reposição igualmente gratuita sempre que eu solicitasse.

E o frigobar não era nada comparado à imensa variedade de cervejas de vários países disponível no bar do *lobby*. Detalhe: todas de graça para os hóspedes. Se você quiser passar o dia bebendo cerveja sob as bênçãos do ar-condicionado, basta se servir. O mesmo valia para os variados cafés, chás e biscoitos à disposição durante todo o dia.

Além disso, se o cliente desejasse, no momento do check-in poderia pegar um telefone celular e carregador, sem nenhum custo extra, com navegação na internet e ligações locais ilimitadas. As ligações internacionais também eram gratuitas para cerca de vinte países, entre os quais Japão, Estados Unidos, Austrália, Canadá, Inglaterra e Singapura. Passei dois dias na cidade e depois me desloquei de balsa para Macau. Deixei uma mala grande no hotel de Hong Kong, pois voltaria à cidade para ficar mais dois dias antes de retornar ao Brasil. No percurso de balsa, vi um longo trecho da ponte que estava sendo construída entre Hong Kong e Macau, em processo de finalização.

Depois de sua inauguração, ela se tornou a maior ponte do mundo sobre o mar, com 55 quilômetros de extensão total, ligando Hong Kong, Macau e Zhuhai, na China continental. Macau, chamada na China de Àomén (澳门), é outra cidade extraordinariamente rica, pois concentra os grandes cassinos onde os chineses apostam sua sorte.

Segundo o governo chinês, as duas cidades têm *status* de regiões administrativas especiais, embora a mão fechada do regime comunista tenha pesado cada vez mais sobre as liberdades individuais em ambas desde a ascensão de Xi Jinping ao poder.

A cultura portuguesa foi praticamente varrida de Macau nos últimos tempos, e menos de 1% dos 700 mil habitantes dominam a língua portuguesa, restrita praticamente aos portugueses, brasileiros, africanos e timorenses que vivem na ilha. Mesmo assim, há placas em português dando nome ao Largo do Pagode da Barra, à Igreja de São Lourenço, às ruínas de São José, à Fortaleza do Monte e à Santa Casa de Misericórdia, entre dezenas de outras localidades.

Restaurantes portugueses também estão espalhados por toda a cidade, e é muito comum encontrar os tradicionais e deliciosos sanduíches portugueses bifana e prego — pão com bisteca de porco — nos quiosques.

Além disso, é mais fácil encontrar pastéis de nata — ou pastéis de Belém — nos supermercados de toda a China do que nas padarias brasileiras. Isso se deve ao domínio português sobre Macau iniciado em 1557, até Portugal reconhecer a soberania chinesa na região, em 1999. Os pastéis são conhecidos pelos chineses como *Àomén dàntà* (澳门蛋挞), ou, literalmente, tortinhas de ovos de Macau. Elas são menos açucaradas do que as brasileiras ou portuguesas, assim como todos os doces na China. Embora os pastéis de nata tenham chegado à Ásia pelas mãos dos portugueses, a tortinha mais famosa na cidade leva a assinatura do inglês Andrew Stow, que adaptou a receita portuguesa. Hoje, a Lord Stow's Bakery, ou Padaria do Lorde Stow, vende cerca de 14 mil pastéis por dia em suas cinco unidades distribuídas pela cidade.

Socialismo português

"Verão em Português" era o nome do curso, e o "verão" do título caía como uma luva, porque Macau disputa com Hong Kong o título de cidade mais quente daquela região. O calor dava uma rápida trégua apenas quando chovia, mas logo voltava com ainda mais força, levantando o vapor do asfalto. Ao menos o curso era bastante interessante, coordenado por professores portugueses e ministrado em salas bem refrigeradas.

Logo percebi que ali não era um bom lugar para angariar novos informantes. O controle das ações pedagógicas e as estratégias de ensino estavam nas mãos de Lisboa, não de Pequim. Pude perceber rapidamente uma crescente subserviência de Portugal em relação às políticas expansionistas da China. Mesmo os letrados professores pareciam incapazes de enxergar o avanço do regime socialista chinês sobre a soberania portuguesa. Naquele ano de 2016, Portugal completava trinta anos sob o domínio de líderes socialistas e social-democratas, responsáveis por aparelhar todas as esferas de poder do país.

O ex-primeiro-ministro português José Sócrates, chefe de governo entre 2005 e 2011, aproximou Portugal da China quando Xi Jinping ocupava o cargo de vice-presidente. Em 2009, Hugo Monteiro, primo de Sócrates, mudou-se para a China para "refazer a vida", conforme suas próprias palavras, depois de um escândalo de tráfico de influências envolvendo um contrato milionário de publicidade de um centro de compras no estilo outlet. Em 2014, três anos depois de deixar o governo, Sócrates foi preso sob as acusações de corrupção e fraude fiscal.

No início do século XVI, os portugueses se tornaram os primeiros europeus a chegar à Ásia pelo mar, passando pela Índia e China, antes de finalmente chegar ao Japão, estabelecendo de forma pacífica rotas comerciais importantes, e se firmando como negociantes. Cinco séculos depois, os chineses fazem o caminho inverso, submetendo Portugal aos caprichos de corruptores a serviço do Partido Comunista Chinês. Aparentemente, alguns portugueses enriqueceram bastante nos últimos anos, enquanto o povo português, em sua maioria, está só pagando a conta.

O legado da corrupção

Cheguei de volta ao Brasil no fim de julho de 2016 para um período de férias, a tempo de assistir à abertura da Olimpíada realizada no Rio de Janeiro, provavelmente a que resultou nos maiores desvios de recursos em toda a história dos Jogos Olímpicos modernos. Os jogos, realizados no mês de agosto, deixaram um legado de obras inacabadas e desvio de recursos públicos comparado somente ao da Copa do Mundo também sediada pelo Brasil, em 2014.

Em 2017, Carlos Arthur Nuzman, ex-presidente do Comitê Olímpico Brasileiro (COB), ligado ao Comitê Olímpico Internacional, foi para a prisão. Entre as acusações que o levaram à cadeia constava a compra de votos para o Brasil sediar os jogos de 2016, impondo, na disputa final, uma derrota à cidade de Chicago, nos Estados Unidos, cujos cidadãos rejeitavam a realização das Olimpíadas. Nuzman fora acusado de manter contas secretas na Suíça, onde guardava dinheiro obtido ilegalmente, além de dezesseis barras de ouro no valor de 2 milhões de dólares. Os maiores esquemas de corrupção envolvendo grandes eventos esportivos no Brasil ocorreram durante os mandatos dos presidentes Luiz Inácio Lula da Silva e Dilma Rousseff, ambos do Partido dos Trabalhadores (PT).

Dilma, que havia sido vaiada no encerramento da Copa do Mundo de 2014, no Maracanã, estava afastada durante os Jogos Olímpicos se defendendo das acusações de *impeachment* que a Câmara dos Deputados já havia enviado ao Senado Federal. A presidente foi substituída pelo vice, Michel Temer, outro a receber uma sonora vaia no Maracanã durante a abertura oficial da Rio 2016. Ainda naquele mês de agosto, Dilma Rousseff perdeu definitivamente seu mandato, e Michel Temer, do Partido do Movimento Democrático Brasileiro (PMDB) — atual Movimento Democrático Brasileiro (MDB) —, assumiu a Presidência da República, administrando o país até o fim de 2018.

Enquanto a festa da corrupção esportiva dava as cartas no Brasil, eu aguardava outra carta, que deveria vir do *Diário do Povo* da China, visto que a vaga estava praticamente acertada quando deixei Pequim. Se os chineses se revelam incapazes de tomar iniciativa para romper um contrato de trabalho com estrangeiros, a sina se repete quando precisam reprovar um candidato em um processo seletivo.

Eu já havia enviado todos os documentos, providenciado o novo exame médico internacional, mas nenhuma resposta chegava. Aproveitei o tempo extra no Brasil para visitar familiares e amigos em diferentes cidades, viajei pelos estados de São Paulo, Minas Gerais, Goiás e Distrito Federal, mas nada de receber uma resposta conclusiva dos chineses, apenas informações evasivas. Por fim, entrei em contato com o diretor de RH, e a resposta — uma péssima resposta — veio uma semana depois: a vaga havia sido preenchida por uma portuguesa já residente em Pequim.

Voltei à estaca zero, minha grande oportunidade de ingressar na máquina estatal chinesa tinha acabado de escorrer pelos meus dedos, e naquele momento não havia nada que eu pudesse fazer, a não ser aceitar dar aula novamente em outra universidade chinesa.

Enquanto eu decidia o que fazer, ocorreu uma nova reviravolta. *O Diário do Povo* me recomendou de volta para a Rádio Internacional da China, e iniciei os contatos com a emissora para ser contratado. Dessa vez, pediram validação dos documentos no Ministério das Relações Exteriores do Brasil e na Embaixada da China em Brasília. Uma burocracia imensa, incontáveis idas e vindas para atender a todas as exigências dos órgãos brasileiros e chineses. No decorrer desses trâmites, pude acompanhar a eleição de Donald Trump para a Presidência dos Estados Unidos pela mídia ocidental.

O novo presidente, considerado um *outsider*, superou não só a adversária Hillary Clinton, mas toda a má vontade da imprensa norte-americana, que apontava uma vitória certa da candidata democrata. Ninguém da mídia americana previa a eleição de Donald Trump, com exceção dos roteiristas de *Os Simpsons*. O governo chinês se manifestou de forma comedida durante o processo, mas sabia ser mais fácil lidar com a indicada por Barack Obama. A partir daquele momento, Pequim precisaria negociar com um empresário de temperamento imprevisível e um declarado defensor da economia americana.

O processo completo de minha contratação levou mais de dois meses para ser concluído. Após semanas sem respostas, surgiu um chamado repentino. "Precisamos que você esteja aqui no fim do mês", disse-me a coordenadora do serviço de Português da CRI, a amável Catarina Wu. Faltavam vinte dias para acabar o mês, período em que eu deveria providenciar novamente minha mudança para o outro lado do mundo. A carta-convite, no entanto, não havia chegado, e sem ela eu não conseguiria o visto de trabalho.

Mais uma vez, tudo foi resolvido em cima da hora. Consegui pegar o passaporte com o visto na semana do embarque. No dia 2 de dezembro de 2016, desembarquei em Pequim novamente. Dessa vez, não era a passeio. Fui para morar na histórica capital por prazo indeterminado. Meses mais tarde, eu participaria do evento mais importante do Partido Comunista neste início do século XXI, de onde saiu a decisão que pode mudar a história não só da China, mas de todo o mundo.

PARTE IV

Os anos em Pequim

19. Jornalista *made in Brazil*

Os termômetros marcavam dois graus negativos quando desembarquei em Pequim no fim da tarde de sexta-feira, onde me aguardava a tradutora chinesa Luana J., recém-contratada na CRI. Ela me levaria à minha nova casa, no bairro de Shijingshang, na região oeste da capital chinesa.

Uma das vantagens de se trabalhar na rádio era uma aparente liberdade editorial, algo impossível tanto no *Diário do Povo* quanto na agência de notícias estatal, a Xinhua.

Outra vantagem eram os apartamentos localizados a apenas quatro minutos de distância do trabalho subsidiados pela rádio socialista, um sonho sob o ponto de vista da conveniência e, obviamente, do preço do aluguel. Nos últimos anos, a especulação imobiliária alavancou o aluguel em Pequim para cifras estratosféricas, igualando o valor do metro quadrado à realidade de Roma, Chicago ou bairros parisienses. Isto é, muito acima dos aluguéis cobrados nas mais caras capitais brasileiras, Rio e São Paulo.

Com o subsídio, eu pagaria no máximo um terço do valor de mercado, uma verdadeira bênção. Infelizmente, naquele momento não havia nenhum apartamento livre no prédio dos jornalistas estrangeiros. Eu havia sido informado dessa situação antes de deixar o Brasil e aceitei dividir um apartamento de três quartos com um colega jornalista do Laos, ao menos temporariamente.

Pegamos um trânsito lento em boa parte dos cinquenta quilômetros que separavam o aeroporto internacional de minha nova moradia. Depois de todos os trâmites legais de entrada, finalmente subi para o apartamento, acompanhado de Luana. Os relógios já marcavam 21h quando girei a chave na fechadura e penetrei em um mundo de horror. O imóvel parecia ter sido abandonado na Segunda Guerra Mundial e ninguém mais havia entrado desde então. A espessura da poeira poderia ser contada em centímetros, a poluição penetrava junto com o vento frio de uma fresta aberta na janela.

Ainda não sabíamos qual era a porta da suíte máster em que eu ficaria, todas as portas internas estavam fechadas. Passei pela cozinha e senti náuseas. Havia cascas de ovos quebradas sobre a pia, a gordura no exaustor rivalizava em espessura com a poeira da sala. O botão do micro-ondas estava eternamente apertado, pois a sujeira acumulada o impedia de voltar à posição original. Olhei para Luana e perguntei o que ela achava de tudo aquilo.

— Nossa! É muito legal, adorei o apartamento — ela me respondeu em uma inocência comovente. — Vamos abrir as portas para descobrir qual o seu quarto — disse-me toda animada.

— Luana, este é um dos lugares mais imundos que já vi na vida. Tem certeza de que há alguém morando neste lixão? — questionei, com receio de abrir a primeira porta dos quartos e encontrar um cadáver em estado de decomposição.

Mas ela não entendeu minha preocupação, para Luana estava tudo bom demais. Abrimos a primeira porta, e lá se refestelava meu novo colega, estirado em uma cama despertando de sono profundo. Ele olhou para nós sem pronunciar nenhuma palavra. Somente nos dias seguintes eu saberia que ele dominava apenas seu idioma, o laosiano, o que dificultou bastante a nossa comunicação. A segunda porta estava trancada e não conseguimos abrir com a chave que portávamos.

A terceira e última se abriu como um portal para o paraíso. Deparamo-nos com uma suíte fantástica, ampla e confortável, impecavelmente limpa — ao menos em comparação com o restante do apartamento. Havia sido preparada pelas arrumadeiras para me receber. Luana se despediu. No dia seguinte, sábado, eu já deveria me apresentar para conhecer as instalações, sem nenhum dia de descanso da longa viagem de 36 horas. Na segunda-feira pela manhã, eu deveria estar pronto para o trabalho. Ainda no mês de dezembro de 2016, fiz uma visita a Shijiazhuang para reencontrar os alunos e passar o Natal com Moura e Sofia. Eles estavam morando no novo campus, imenso, onde mais de 15 mil alunos viviam e estudavam.

O apartamento dos professores no recém-inaugurado campus era excelente, novo em folha, com aquecimento no chão, havia opção de dois ou três quartos, todos muito amplos. A poluição, no entanto, estava agressiva naqueles dias, marcando da pior forma possível os últimos dias de Moura e Sofia na China. Eles voltariam para o Brasil depois do Ano-Novo, mas antes viajariam por toda a Europa durante quarenta dias. Um dia depois do Natal, voltei para Pequim porque precisava trabalhar.

Eu havia conseguido a vaga na Rádio Internacional da China sem ter nenhum contato na empresa, o que tornava o processo seletivo legítimo, sustentado pela meritocracia, um ponto positivo no novo emprego. Eu já conhecia pessoas de outros países que haviam trabalhado por um período na emissora, mas já tinham mudado de emprego havia anos.

Além disso, dos poucos brasileiros que trabalham como jornalistas na China, boa parte graduou-se em outros cursos, como história, filosofia e administração. Dos poucos formados em comunicação, nenhum havia atuado em grandes redações ou agências internacionais, colocando-me na situação de *overqualified* para a vaga, ou seja, meu preparo era aparentemente superior ao exigido pela função.

Ouvi isso de uma brasileira e temi que ela suspeitasse que o emprego não era meu principal objetivo, mas ela entendeu minha justificativa: "O Brasil já não me oferecia desafios na carreira, e só me faltava acumular uma experiência fora do país como jornalista". De fato, o trabalho era bem mais simples que o de mim exigido em outras companhias. Ao menos as responsabilidades eram limitadas, e procurei oferecer um trabalho de qualidade para me motivar, ou ficaria deprimido naquele ambiente pouco ambicioso.

Tratei de mostrar serviço logo para ganhar a confiança da equipe, formada por 25 profissionais chineses, dos quais três estavam lotados no escritório do Brasil, no Rio de Janeiro. Em uma empresa privada brasileira, seriam necessárias no máximo dez pessoas para executar o mesmo trabalho dos 25 chineses. O prédio da CRI em Shijingshan compreendia 16 andares, todos destinados à produção radiofônica, e naquele ano a emissora estava expandindo os serviços de vídeo para internet, com foco nas redes sociais como o Facebook, proibido na China, mas disponível nos países de língua portuguesa.

No total, dois mil profissionais estavam distribuídos pelo edifício, dos quais mais de duzentos eram estrangeiros de setenta países, responsáveis pela produção de programas em 65 idiomas diferentes, a maior variedade de línguas entre todas as emissoras internacionais, superando com folga a britânica BBC e com o dobro da alemã Deutsche Welle (DW).

Entre os estrangeiros, 120 viviam no mesmo prédio, muitos deles com a família, tornando a convivência diária com culturas do mundo todo uma das melhores experiências a que qualquer jornalista poderia aspirar. Além disso, a alta rotatividade entre os profissionais estrangeiros permitia formar uma rede de contatos com comunicadores de todos os continentes, abarcando pessoas que haviam conhecido de perto a máquina de propaganda comunista, de quem eu me aproximava quando regressavam a seus países de origem.

Em poucas semanas, percebi um descompasso entre minha capacidade produtiva e as exigências do trabalho. Para agravar a situação, meus colegas chineses em sua maioria desconheciam o básico do jornalismo, mas quase todos eram graduados em tradução. Aliás, os melhores tradutores da China continental trabalhavam comigo na rádio, seja como funcionários permanentes ou colaboradores. Alguns deles dominavam a língua portuguesa como poucos brasileiros ou portugueses se mostram capazes.

O problema não era exatamente a tradução, mas as matérias, os artigos e reportagens que eles recebiam prontos em mandarim dos jornalistas chineses. Um desastre não só no conteúdo — uma reprodução da propaganda governamental sem o menor escrúpulo —, mas também na forma. Os jornalistas mal sabiam construir o *lead* de uma matéria, e o título, com frequência, ocupava duas linhas inteiras, um assombro de tão longos.

Também não sabiam priorizar as informações, tampouco hierarquizá-las. Para dificultar, o texto dos chineses é extremamente repetitivo. Ultrapassa todos os limites da redundância e alcança a tautologia com esplendor. O jeito de escrever, no entanto, apenas reproduz a comunicação oral dos chineses.

Por exemplo, quase todo estrangeiro com experiência de morar na China, antes de aprender a se expressar bem em mandarim, passou por uma situação parecida com esta: você está no táxi e liga para um amigo chinês pedindo que ele diga ao taxista, pelo celular, o endereço de destino. Pronto, pode esquecer qualquer compromisso urgente. Eles irão passar pelo menos quinze minutos conversando. Ao final, você pergunta o que aconteceu, se houve algum problema, se está tudo certo, e seu amigo responderá: “Tudo certo, eu só passei o endereço”.

Como assim? Quinze minutos para dizer um endereço? Aí você começa a procurar a câmera escondida no táxi, aquilo só pode ser um programa de TV e você acabou de cair numa pegadinha. Nada disso, depois que aprendemos mandarim, percebemos que o diálogo deles é assim mesmo, repetem exaustivamente a mesma informação, comentam-na de vários jeitos, apenas reforçam aquilo que disseram no começo da conversa. Chega a ser engraçado.

No trabalho também seria divertido se você não precisasse explicar a mesma coisa todos os dias a cada um deles, sendo que no dia seguinte, o texto vinha novamente com os mesmos problemas. Ou seja, o retrabalho era diuturno, tanto para editar as matérias quanto para lhes explicar mais uma vez a lição aplicada no dia anterior, e assim sucessivamente, semana após semana. Quando cheguei a Pequim, só havia uma colega brasileira trabalhando comigo, a Denise R., e aquele era seu último mês de trabalho na rádio. A outra brasileira, Layanna A., estava de licença-maternidade, e eu passaria três meses e meio fazendo sozinho o trabalho executado por três ou quatro pessoas nativas em português, até contratarem mais um funcionário brasileiro.

A contratação urgia, pois, mesmo antes de aceitar o emprego, combinei com a empresa uma breve pausa de duas semanas, que seriam descontadas das minhas férias, com o objetivo de ir ao Brasil para o casamento do meu irmão. Eles aceitaram as condições e, por fim, trabalhei tanto nos quatro primeiros meses que já havia acumulado horas-extras o suficiente para compensar o período requerido. Isso porque precisávamos cumprir, em forma de rodízio, os plantões de fim de semana. Mas como eu era o único nativo, trabalhei quase todos os fins de semana de janeiro a abril em horário reduzido.

Quando eu já estava esgotado pelo trabalho e pela repetição das explicações, a coordenação do departamento encontrou uma solução: eu daria um workshop sobre jornalismo e como escrever textos jornalísticos. Achei ótimo, seria uma tarde inteira, eu tinha material de sobra para o workshop — aliás algo muito simples para quem atuava no mercado havia tantos anos. Mais simples que organizar um *media training*, por exemplo, uma das minhas especialidades dentro da comunicação.

Ao mesmo tempo que preparava a apresentação, seguia no ritmo alucinado de trabalho. Pelo menos, eu já havia me mudado de apartamento, no mesmo prédio da rádio, dois andares abaixo do anterior. Um latifúndio de 140 metros quadrados, com três quartos amplos, sendo um deles a minha suíte máster, com banheira, mesinha e cadeiras para tomar o café da manhã, ou chá da tarde e uma cama king-big-extra-exagerada size, grande o suficiente para três pessoas dormirem sem se encostar.

Por alguns meses, uma professora romena, chamada Alexandra, ficaria morando comigo, resultado de um acordo firmado com a minha colega Denise, de quem eu estava herdando o apartamento, e a romena. Depois que a professora conseguisse um lugar para morar, o apartamento seria exclusivamente meu, por um aluguel inferior aos pagos em quitinetes de 35 metros quadrados nos prédios vizinhos.

O trabalho exaustivo estava surtindo efeito, os colegas reconheciam meu esforço, e eu recebia elogios contínuos, além de alguns petiscos para comer nas noites geladas de Pequim. Ganhava até presentes, esporadicamente. Uma noite, eu estava trabalhando e recebi mensagem no WeChat de uma querida colega chinesa, Suellen, com a seguinte oferta: "Rafa, tenho um aquecedor de fatias de pão para te entregar".

Li a mensagem na tela do celular rapidamente, dentro do estúdio, faltando segundos para começar a gravar o boletim da noite com meu colega chinês Antonio W., um dos melhores intérpretes de chinês-português em todo o mundo. E a mensagem martelando em minha cabeça enquanto gravávamos. *Aquecedor de fatias de pão, que diabo é isso?*, pensei. Quando terminamos a gravação, Suellen havia me enviado uma foto do presente. Ri bastante quando vi que era uma torradeira. Como desconhecia a palavra, ela acabara de inventar um jeito suave de se referir à boa e velha torradeira. Adorei o presente.

Com os esforços redobrados, consegui preparar e conduzir o workshop sobre jornalismo para a equipe da CRI, alcançando os resultados esperados. Dias depois, em um café de Shijingshan, encontrei-me com Domenico F., um jornalista italiano que se tornou um de meus melhores amigos nos anos vividos em Pequim, e falei-lhe sobre o trabalho desenvolvido na rádio para melhorar a comunicação feita pelo departamento de português. Ele ouviu interessado, pediu mais uma xícara de café, e depois me perguntou:

— Você quer ajudar os chineses a espalhar a propaganda comunista?

O infiltrado

Domenico tinha razão, onde eu estava com a cabeça? Cada esforço meu se reverteria em ganhos para a propaganda do regime no exterior, sobretudo em língua portuguesa. Naquele momento, eu tinha duas opções: 1) Executar um bom trabalho e ajudar a propaganda comunista; 2) Fingir que faria um bom trabalho quando, na verdade, só entregaria o básico para satisfazer o departamento. Optei pela segunda opção, mas a transição em relação ao meu desempenho inicial precisaria ser lenta, sem levantar suspeitas. Além disso, eu não precisaria ser um incompetente, bastava focar cada vez mais em assuntos menos relevantes, como artes, turismo, esportes e literatura.

Naquele primeiro semestre de 2017, havia uma série de matérias de economia que nós, jornalistas de diferentes idiomas da rádio, havíamos sido convidados a executar. Eu recebi uma lista com as opções e escolhi uma fábrica de automóveis japonesa localizada a cerca de duas horas de Pequim. Chequei a programação de visita, passaríamos pela área de produção, estoques, novas tecnologias, ampliação das instalações e, por fim, o escritório do Partido Comunista dentro da fábrica. O quê? Como assim, havia um escritório do partido dentro da fábrica japonesa? Sim, isso mesmo, as montadoras estrangeiras em operação na China precisam obrigatoriamente formar uma *joint venture* com uma empresa local, assim os chineses aprendem com os estrangeiros. Em outras palavras, a espionagem em território chinês é institucionalizada.

A cópia de tecnologia, por exemplo, levou ao fechamento da fábrica da Embraer em Harbin, em 2016. A empresa brasileira, uma das maiores fabricantes de aviões do mundo, investiu pesado no país asiático, tinha uma fábrica na China em associação com a Aviation Industries of China (Avic), para a fabricação do ERJ-145, de cinquenta lugares. Centenas de chineses trabalhavam na produção da aeronave e tinham acesso a informações estratégicas. Essas informações levaram a China a desenvolver seu próprio modelo, baseado no avião brasileiro. Catorze anos depois da primeira parceria com os chineses, a Embraer encerrou sua produção no país, deixando centenas de brasileiros desempregados. A mídia brasileira fez uma cobertura bastante discreta do assunto.

Quando estive em Macau para o curso destinado a professores de língua portuguesa, conheci um brasileiro, Paulo C., que estava voltando para o Brasil. Ele era funcionário da Embraer em Harbin e em breve estaria desempregado. Em seu desabafo, deixou claro: "Havia uma sala onde os membros do Partido Comunista se reuniam dentro da Embraer. Eles colhiam as informações e levavam para a empresa chinesa que estava desenvolvendo um jato idêntico ao nosso. Esse escritório externo ficava muito perto da fábrica, a uns cem metros". Em Brasília, dois anos depois, encontrei-me com outro brasileiro que descreveu o mesmo procedimento, praticamente com as mesmas palavras. Ele morou cinco anos em Harbin e prestava serviços terceirizados para os chineses.

Faltando poucos dias para visitar a montadora estrangeira, surgiu uma *press trip* [viagem de imprensa] para a capital da província de Henan, Zhengzhou (郑州), a convite do governo local. Eu deveria escolher só uma das atividades, pois as datas coincidiam, então acabei optando pela *press trip*, onde eu teria contato com membros do partido em outra região do país. Além disso, seria minha primeira viagem de imprensa dentro do território chinês. Cabe registrar que os jornalistas estrangeiros contratados pelas estatais chinesas, como eu, nunca podem viajar sozinhos a trabalho, e minha companheira nessa viagem seria a Luana, a jovem colega que havia me recepcionado no aeroporto meses antes.

Assim como nos eventos para jornalistas estrangeiros em Pequim, logo na primeira viagem percebi que os chineses usavam as *press trips* para tirar proveito da nossa imagem. Nós acabávamos sendo alvos de reportagens da mídia local, no seguinte estilo: "Jornalistas estrangeiros descobrem o potencial econômico de Henan". Sempre havia algum interesse por trás desses convites.

A comitiva com cerca de trinta pessoas, entre chineses e estrangeiros, partiu de trem-bala de Pequim rumo a Zhengzhou, e Luana não desgrudava de mim, sempre muito simpática e solícita. Mal chegamos à cidade, a maior da província, com dez milhões de habitantes, começamos a programação que envolvia conhecer lugares que receberam investimentos em tecnologia, desenvolvimento de robôs e inteligência artificial. Na primeira noite, participamos de um jantar em um restaurante classe A tipicamente chinês. Eu estava realmente cansado e já sabia como terminavam aqueles jantares regados a Baijiu, e não nos deixariam em paz enquanto não nos embebedássemos com os anfitriões.

Eu estava sentado a uma mesa redonda para dez pessoas, como manda a tradição local. Antes de começarem os brindes infinitos, levantei-me, pedi licença, disse que me sentia indisposto e por isso iria para o hotel mais cedo. A reação negativa à minha iniciativa já era esperada, mas além dos olhares de reprovação, percebi uma Luana transtornada, dizendo que eu não tinha autorização para ir embora sozinho.

— Você precisa ficar até o final, e se precisar ir embora antes, tem de ser comigo — disse-me a iniciante da rádio. — Além disso, não tem transporte exclusivo agora para levá-lo sozinho ao hotel.

Eu sorri e respondi:

— Luana, sou um cidadão livre. Mesmo estando em seu país, não sou um cidadão local, acostume-se com isso. Além disso, sei como chegar ao hotel. Amanhã pela manhã nos encontramos no *lobby*. Tchau — eu me despedi e saí enquanto ela me seguia e repetia que eu era obrigado a ficar. Por sorte, memorizei o caminho feito pela nossa van entre o hotel e o restaurante, mas como não sabia o endereço para informar a algum taxista, precisei caminhar por cerca de quinze minutos até chegar ao hotel. Nesses quinze minutos, meu celular tocou cerca de dez vezes, quase uma vez por minuto. Era a Luana, desesperada.

Além de ligar, ela me enviou várias mensagens perguntando onde eu estava. Cinco minutos depois de chegar ao meu quarto, ouvi baterem à minha porta. *Problemas*, pensei e abri. Era Luana. Sua cara de brava se transformou em feição de alívio ao me ver sozinho dentro do meu quarto.

— Eu queria saber se está tudo bem. Você melhorou?

Até me senti um pouco arrependido, porém, seria insuportável encarar uma noite de bebedeira e ter de madrugar no dia seguinte.

— Estou bem, Luana, obrigado por sua preocupação. A gente se vê amanhã no café da manhã. Boa noite.

E tudo ficou bem novamente, mas minha insurreição foi parar em um relatório.

No terceiro dia da *press trip*, depois de cumprir uma agenda lotada visitando empresas, a zona de livre comércio, fábricas e pontos turísticos, faríamos uma entrevista coletiva com o equivalente ao secretário estadual da Economia da província de Henan, um alto oficial do partido comunista. No caminho para o evento, éramos quinze jornalistas estrangeiros em um ônibus executivo destacado especialmente para o nosso transporte, eu observava a cidade quando uma das organizadoras da *press trip* se aproximou e me entregou um papel com algo escrito em inglês. Eu ainda não sabia bem o que estava acontecendo.

— O que é isso? — questionei.

— É a pergunta para você fazer durante a entrevista — ela me falou. Como jornalista experiente, senti-me ofendido, mesmo sabendo dos esquemas mentirosos da mídia chinesa.

— Olha só, eu faço a pergunta que eu achar adequada no momento certo. E é a minha pergunta, não a sua. Você está achando o quê? Que sou um chimpanzé treinado? — falei, enquanto devolvia o papel para a chinesa assustada, como se nenhum jornalista antes houvesse reagido daquela maneira. Uma colega grega, que segurava outro papelzinho igual ao que eu havia recebido, também devolveu sua pergunta à chinesa. Sem querer, eu havia iniciado uma pequena insubordinação no ônibus.

Outros jornalistas estrangeiros, contudo, resolveram colaborar com a encenação, afinal éramos convidados e ao mesmo tempo estrelas da entrevista coletiva. Durante o evento, o secretário do PCCh tinha todas as respostas decoradas, pois já sabia de antemão o que iriam lhe perguntar. Assim, resolvi dificultar um pouco mais a vida dos nossos anfitriões. Levantei a mão solicitando o microfone para fazer uma pergunta, fugindo ao roteiro do teatrinho montado naquela ampla área de conferência.

As duas moças que levavam os microfones aos jornalistas se entreolharam, ainda não sabiam como reagir à minha solicitação. Um oficial prostrado ao lado da mesa principal, onde estava o secretário, sinalizou para as duas esperarem um pouco. O secretário percebeu a situação e se estendeu muito mais que o normal em sua resposta, até esgotar todos os assuntos que lhe seriam questionados a seguir. De repente, as duas meninas dos microfones desapareceram por um biombo instalado atrás do palco. Nesse momento, o secretário disse:

— Muito obrigado pelas perguntas, infelizmente teremos de encerrar, pois tenho um compromisso de trabalho agora.

Todos começaram a se levantar, então fiz o mesmo e fui em direção ao secretário, para desespero dos organizadores do evento. Eles não sabiam como proceder, mas o secretário havia sido bem treinado pelo partido.

— Secretário, eu queria lhe fazer uma pergunta — falei, enquanto caminhava em sua direção. Ele respondeu:

— Claro, vamos tomar um café?

Então saímos da sala, seguidos por um batalhão de jornalistas, fotógrafos e cinegrafistas. Minha intenção não era causar nenhum desconforto, apenas saber como ele se sairia com uma pergunta que não havia sido combinada, então fiz um questionamento simples sobre o impacto do programa Cinturão e Rota na economia da região pelos próximos cinco anos, um horizonte de trabalho comum na China. Ele me respondeu com clareza e apresentou números, além de reforçar a importância da ferrovia que ligaria sua província até a Alemanha, passando por quase toda a Ásia antes de chegar à Europa. Fomos fotografados à exaustão, e minha audácia acabou rendendo mais informações aos jornalistas. Nós nos despedimos cordialmente e o evento foi encerrado.

Na mesma viagem, visitamos um novo sítio arqueológico em Henan, o berço da civilização chinesa, como já mencionei, e fui pela segunda vez na vida ao Templo Shaolin, mas dessa vez como jornalista. Pude conhecer as instalações de ensino do templo, visitamos salas de aula e locais de treinamento. Apesar do farto material colhido no templo, a CRI nos orientou a não fazer nenhuma matéria ou vídeo sobre o mais famoso templo das milenares artes marciais chinesas. Tudo porque se trata de um local religioso, cuja propaganda é inaceitável para os propósitos de controle social do PCCh.

A *press trip* durou cinco dias. Rendeu um bom material e mais conhecimento sobre os métodos de comunicação do partido, que me pareciam cada vez mais amadores e caricatos, daí a necessidade do governo chinês de contar com jornalistas estrangeiros para expandir seus conhecimentos e penetrar na opinião pública internacional.

Da China para o mundo

Como em qualquer outra carreira do Partido Comunista, a prioridade na comunicação também consiste em mostrar ao seu superior que você está realizando um trabalho eficiente, mesmo que utilize todos os tipos de invencionices e distorções para alcançar seus objetivos. Na CRI, Xinhua, CCTV e no *Diário do Povo*, os grandes veículos estatais chineses, a lógica permanece a mesma.

Dessa forma, atingir o público estrangeiro acaba sendo um objetivo secundário para muitos funcionários ávidos apenas em subir um degrau dentro do partido. Nesses veículos de comunicação, por exemplo, os jornalistas chineses se referem à Coreia do Norte somente pelo nome de República Popular Democrática da Coreia (RPDC), um termo completamente desconhecido no Ocidente. Para um brasileiro, africano ou português, essa denominação gera, no máximo, uma confusão, pois ao ouvir a palavra "democrática", a tendência seria pensar na Coreia do Sul, e não na ditadura ao Norte.

Por mais que você prove seu ponto aos chineses, dificilmente será capaz de convencê-los a mudar a expressão, como ocorreu na CRI. Esse é apenas um exemplo entre centenas de outros. Um membro do partido não irá argumentar com seu superior sobre um assunto dessa natureza. Não porque seria incapaz de obter sucesso em sua argumentação, mas porque aquilo não lhe trará nenhuma promoção ou reconhecimento. Os burocratas chineses pensam, primeiramente, em seu cargo, depois no povo chinês, e são incapazes de enxergar as necessidades dos estrangeiros. Essa situação só muda quando a ordem parte expressamente do alto escalão do partido, assim os subordinados acatam as mudanças para, uma vez mais, impressionar seus superiores e abocanhar uma promoção ou bônus salarial.

Dessa forma, o governo chinês gasta bilhões de dólares com uma estrutura inchada e, muitas vezes, inoperante. Uma alternativa adotada na última década consiste em formar parcerias com emissoras estrangeiras para exibir o conteúdo produzido pelos serviços estatais de comunicação da China. Na teoria, a estratégia parece interessante. Na prática, contudo, os programas são tão ruins que os parceiros rejeitam as parcerias com troca de conteúdo. Assim, os veículos chineses acabam pagando para obter espaço nas emissoras de outros países.

Mesmo pagando, a maioria dos canais brasileiros costumava desistir da negociação após conhecer a precariedade criativa das produções chinesas. Os chineses possuem equipamentos de primeira linha e toda a tecnologia necessária para executar grandes programas. Porém, criados em uma realidade onde a criatividade poucas vezes é estimulada, os profissionais geram apenas a mais insossa propaganda comunista. Desde 2019, no entanto, a dificuldade financeira da mídia brasileira levou a imprensa tradicional do Brasil (rádio, TV, jornais, revistas e portais ligados a esses veículos) a aceitar o dinheiro chinês para veicular a programação produzida sob o comando de Pequim.

Quando eu trabalhava na CRI, a emissora já havia mantido contatos com a Band, TV Cultura e emissoras de rádio do Rio de Janeiro, de Minas Gerais, do Rio Grande do Sul e de São Paulo, mas nenhum acordo havia sido firmado. A mídia brasileira ainda tinha esperanças de uma vitória petista nas eleições presidenciais de 2018, o que lhe garantiria uma sobrevida ao receber as verbas de publicidade do governo federal. Isso não aconteceu. A partir de 2019, a mídia convencional do Brasil, altamente endividada, passou a aceitar qualquer conteúdo da propaganda comunista chinesa em troca de dinheiro.

Tedros na OMS

Um acontecimento em particular, no ano de 2017, mereceu uma atenção desproporcional da mídia chinesa em comparação com a imprensa internacional. Depois de dez anos, a chinesa Margaret Chan deixaria a chefia da Organização Mundial da Saúde (OMS) e as eleições na entidade alçaram pela primeira vez um africano ao topo da organização, o etíope Tedros Adhanom Ghebreyesus. "OMS escolhe pela primeira vez um africano para liderar a agência de saúde global", destacou o *Washington Post* em sua edição *on-line* do dia 23 de maio daquele ano.

Quase não havia menções à China em toda a mídia internacional na cobertura da eleição da OMS, ao menos naquele momento. Acionei minha rede de informantes para entender a agenda por trás da euforia dos meios estatais chineses, que dedicavam matérias e editoriais sobre o acerto da escolha na OMS, e a resposta veio em uma curta mensagem via WhatsApp: "O etíope era o candidato apoiado pela China nos bastidores". Estava explicado, e meses depois obtive a confirmação, pois Tedros mal tomou posse e já começou a mostrar a quem servia.

Em uma viagem ao Uruguai, Tedros anunciou a decisão de transformar o então mais longevo ditador da África, Robert Mugabe, em embaixador da boa vontade da OMS. Finalmente, a mídia internacional, incluindo a brasileira, notou a existência do etíope. A *Folha de S.Paulo*, com informações de agências internacionais, publicou na época, em outubro de 2017, que a OMS justificara a decisão ao apontar o regime autocrático do Zimbábue como aquele "que coloca a cobertura de saúde universal e a promoção da saúde no centro de suas políticas".

"O sistema médico no Zimbábue, porém, piorou drasticamente com a crise iniciada nos anos 2000. Parte das irregularidades foi revelada em um relatório de 2008 da ONG Médicos pelos Direitos Humanos. A entidade afirmava que as políticas do regime levaram ao fechamento de hospitais, clínicas e faculdades de medicina, e que as "autoridades maltratavam seus funcionários", informava a reportagem.

Já o *Washington Post*, em artigo assinado por Frida Ghitis, explicou o que estava acontecendo. "Alguns especulam que a decisão de Tedros de nomear Mugabe tenha sido uma recompensa para a China, que trabalhou incansavelmente nos bastidores para ajudar Tedros a derrotar o candidato do Reino Unido para o cargo da OMS, David Nabarro", dizia o texto.

Bingo! A partir de 2020, quando o vírus de Wuhan se espalhou pelo mundo, o diretor-geral da OMS passaria a recompensar a China por cada voto seu recebido. Elogiar a maior de todas as ditaduras da Terra viria a se tornar uma das especialidades de Tedros Adhanom durante a gestão da gripe chinesa, chamada pela comunidade internacional de Covid-19.

20. A joia jesuíta

Assim como em Shijiazhuang, no meu primeiro domingo em Pequim fui em busca de uma igreja para assistir à missa. Como eu já conhecia a belíssima Igreja de São José, localizada no requintado bairro comercial de Wangfujin, assisti à celebração em inglês no domingo à tarde. Estabelecida em 1653 pelo padre italiano Lodovico Buglio, a igreja é chamada em chinês de *Dà shèng ruò sè táng* (大圣若瑟堂), literalmente Catedral de São José, ou, como é comum na China usar os pontos cardeais para se referir à quase tudo, ela é mais conhecida como a Catedral do Leste, ou *Dōngtáng* (東堂).

A missa em inglês era realmente um clássico da comunidade religiosa da capital chinesa, sempre lotada, reunindo pessoas provenientes de todos os cantos do mundo, além de chineses curiosos para ver os estrangeiros. Meu amigo Domenico, no entanto, me recomendou conhecer a Catedral do Sul, ou *Nántáng* (南堂), onde aos domingos, às 12h30, no horário do almoço, era celebrada uma missa em italiano e espanhol.

Foi amor à primeira vista, mesmo antes de eu conhecer a história do templo, que se confunde com a história do italiano Matteo Ricci, um jesuíta responsável pela fundação da igreja em Pequim, em 1605. Sob o nome oficial de Catedral da Imaculada Conceição, traduzida literalmente em mandarim como *Shèngmǔ wú rǎn yuánzuì táng* (圣母无染原罪堂), a igreja fica em Xuanwumen, na região central de Pequim, próxima de alguns dos últimos *hutongs* remanescentes naquele perímetro, ainda que encobertos por grandes e modernos edifícios comerciais.

Passei dois anos consecutivos assistindo às missas e, algumas vezes, participando do coral do templo histórico, cuja viabilização coroou o trabalho feito por Matteo Ricci no Oriente. Conhecido na China como Li Madou (利玛窦), Ricci consagrou-se como um dos fundadores das missões jesuítas no país. Ele chegou à China por intermédio de uma missão portuguesa que partiu de Lisboa. Em 1578, aportou em Goa, então uma colônia portuguesa na Índia, onde permaneceu até 1582, ano em que se mudou para Macau, cidade na qual se prepararia para entrar na China continental.

Ricci começou a estudar mandarim e, no ano seguinte, em parceria com o padre jesuíta italiano Michele Ruggieri, concluiu o primeiro dicionário mandarim-português, considerado o primeiro dicionário de tradução do chinês para um idioma europeu. Já morando em Pequim, em 1601, Ricci se tornou o primeiro ocidental a entrar na Cidade Proibida, a convite do imperador chinês Wanli, ou 萬曆帝, de quem recebeu o terreno em área nobre onde seria erguida a Igreja da Imaculada Conceição, hoje mais conhecida em mandarim como Catedral do Sul, ou 南堂.

Quatro séculos depois, lá estava eu frequentando as missas na Catedral da Imaculada Conceição, entoando cânticos em italiano e espanhol. Formamos uma turma de amigos muito sólida, incluindo latino-americanos, italianos e espanhóis, além de chineses e cidadãos de outros países que dominavam esses idiomas, como os romenos. Às sextas-feiras, costumávamos fazer um jantar na casa de um de nossos amigos, ocasiões nas quais relembrávamos a culinária de nossos países e também fazíamos a leitura da Bíblia, muitas vezes em inglês, porque sempre apareciam convidados extras, entre eles chineses, americanos, ingleses e australianos.

Aos domingos, quando acabava a missa, nosso grupo, incluindo o padre, ia sempre a um restaurante muçulmano situado nas proximidades da catedral, cujos donos eram uigures. Seus traços consistiam em uma mistura de árabe com chinês, e a culinária era simplesmente deliciosa, além de barata. Esse segundo motivo era importante porque entre nossos amigos se incluíam jovens estudantes universitários, que normalmente vivem com o dinheiro contado.

Assim, criou-se a tradição que durou anos, de cristãos almoçando em um restaurante de comida halal, nos padrões islâmicos, no centro de Pequim. Sim, parece estranho, ou até surreal, e todo amigo meu, de qualquer país, que passou por essa experiência, jamais se esqueceu. Eles diziam: "Eu achava que isso seria impensável na China. Missa, cristãos convivendo com muçulmanos, comida halal, como é possível?".

Era possível porque estávamos na capital chinesa, onde o Partido Comunista precisa ao menos fingir tolerar as religiões, quando na realidade persegue religiosos e fiéis por todo o país. As cidades mais cosmopolitas, como Xangai, Tianjin e Guangzhou, além de Pequim, acabam servindo como vitrine do Partido Comunista em relação ao mundo, por isso há certa tolerância com a prática religiosa.

Shijiazhuang, por ser a capital de província mais próxima de Pequim, também conta com certa flexibilidade, porém é uma exceção.

Todas as missas, rituais e cultos religiosos são sempre acompanhados por um agente do Partido Comunista, responsável por entregar um relatório em seu departamento. As cerimônias clandestinas, sem a presença dos agentes, são cada vez mais raras e reúnem um reduzido contingente de pessoas, pois uma denúncia poderá levar os responsáveis a punições severas. Os chineses são autorizados a frequentar templos budistas, mas devem evitar expor sua religiosidade e, principalmente, sofrerão consequências se começarem a convencer outros cidadãos a frequentar seus templos.

O islamismo é fortemente combatido nas províncias muçulmanas, sobretudo em Xinjiang (新疆), onde se concentra a maior população da etnia uigur em território chinês, estimada atualmente em 12,5 milhões de pessoas. Dessas, um milhão está confinado em campos de concentração chamados pelo regime chinês de centros de reeducação. O governo negou por anos a existência dessas instalações, até que fotos de satélites de outros países revelaram as estruturas na província localizada no noroeste do país.

No interior desses campos, os uigures detidos, de acordo com relatos de sobreviventes, são forçados a trabalhar, a estudar a cartilha socialista, a entoar hinos comunistas e a negar seus preceitos religiosos. Idosos acabam adoecendo no local e são libertados quando a morte é iminente. As atrocidades não ecoam na mídia nacional, calada pelo PCCh, e os estrangeiros raramente conseguem permissão para visitar os pontos críticos da província.

Em 2017, dois amigos jornalistas, um peruano e outro holandês, conseguiram autorização para adentrar a província, chamada de Região Autônoma Uigur de Xinjiang. Somente com autorização oficial do governo chinês um estrangeiro pode deixar o aeroporto de Urumqi, capital da província, para dali se dirigir a outras localidades. A área da província (1,6 milhão de quilômetros quadrados) é maior que o estado do Amazonas, no Brasil, e representa mais que o dobro do estado do Texas, nos Estados Unidos.

Emilio e Lars, os amigos jornalistas, moravam na China havia sete anos e quatro anos, respectivamente, e eram apaixonados pela cultura, pela história e pelo povo chinês. Voltaram horrorizados, demoraram a se recuperar do que viram. “Os uigures são tratados como cidadãos de segunda classe justamente no lugar onde vivem há mais de mil anos”, contou Emílio. A polícia local, da etnia Han, estipula onde os uigures podem caminhar e quais estabelecimentos estão autorizados a frequentar. Além disso, eles passam por revistas constantes, e precisam se submeter a detectores de metais, enquanto os chineses Han estão desobrigados dos mesmos cuidados com a segurança.

"É muito humilhante", disse Lars. "Nós fomos abordados pela polícia de forma agressiva porque conversávamos com dois uigures na rua. Os policiais estavam de arma em punho e só se acalmaram quando mostramos nossas credenciais de jornalistas e o documento emitido em Pequim. Depois, nos mandaram sair daquela rua e levaram os dois pobres coitados no carro da polícia. Nós nos sentimos culpados, é claro, por isso não conversamos com mais nenhum uigur durante a viagem."

Além da perseguição aos uigures, o regime comunista também combate o taoismo, e intimida os cristãos chineses destruindo igrejas no interior do país. Adeptos da prática espiritual chinesa Falun Gong foram completamente marginalizados por Pequim. Eles começaram a sofrer assédio e abusos do governo chinês a partir dos anos 1990, a ponto de mudar sua sede para os Estados Unidos. O Partido Comunista combate a prática, surgida no começo do século XX, por considerá-la uma ameaça ao controle absoluto do Estado. Na virada para o século XXI, cerca de 70 milhões de chineses eram adeptos da Falun Gong, e o número crescia rapidamente, acendendo um alerta dentro do PCCh.

Atualmente, segundo números oficiais do governo, 74% dos chineses se declaram ateus, enquanto 16% são budistas e 2,5%, cristãos, cabendo um percentual de 0,5% aos muçulmanos. Cada vez mais distantes dos conhecimentos religiosos, os jovens chineses miram-se nos valores materiais, como dinheiro, vaidade, poder, ostentação e *status*. A nova geração se tornou extremamente consumista e imediatista. Muitos dos chineses modernos, alijados por décadas dos princípios religiosos, desconhecem o valor das pessoas e das coisas. Eles conhecem apenas o preço.

Dormindo com outro inimigo – parte II

No momento em que aumentava minha interação com os amigos estrangeiros anti-PCCh, uma colega chinesa da rádio, a Suellen, aquela da torradeira, me fez um pedido incomum:

— Rafael, um grande amigo brasileiro chamado Jean virá passar alguns dias em Pequim. Ele pode ficar em sua casa? Eu já conversei com ele, seu apartamento é grande, falei que você não recusaria — ela me disse.

Aquilo parecia mais uma intimação do que um pedido. Afinal, ela praticamente tinha dado uma resposta positiva ao brasileiro, colocando-me numa situação delicada de negar algo a uma colega que tanto me ajudava. *Mas por que ela mesma não o hospedava?*, pensei. Claro que haveria justificativas, pois Suellen, membro do Partido Comunista, era casada e seu apartamento tinha apenas um quarto. Já o meu, de três quartos, estava quase sempre ocioso, com dois quartos enormes praticamente inutilizados.

O que mais me preocupava era a coincidência entre minha interlocução com o exterior e aquele pedido-intimação de última hora. Como ela me pegou desprevenido, e eu tenho dificuldade em dizer "não", acabei aceitando, e seis dias depois, o brasileiro chegaria a minha casa. Comentei o fato com um informante de alta confiança, e ele me disse para redobrar os cuidados, porque suspeitava de um espião no grupo de estrangeiros. Fiquei paranoico. Só me faltava essa, o regime comunista iria inserir um espião brasileiro dentro da minha casa. Mas, espere aí, se fosse só espionagem, eles procederiam como sempre, usando câmeras, microfones, o celular.

Será que... não, não era possível. O regime iria montar uma armadilha dentro do meu apartamento para me deportar? Ou eu seria envenenado em casa? Essa última suspeita era pouco provável, disse-me o meu informante, a opção em plantar alguma acusação para me deportar parecia mais plausível. Eu deveria tomar todos os cuidados, suspender os contatos com os estrangeiros e me comportar de maneira exemplar pelos próximos dias.

Jean finalmente chegou. O brasileiro era lutador de kung fu com premiações nacionais e internacionais, algo que aumentou minha paranoia. Eu precisaria demonstrar calma, serenidade e controle emocional, para que o infiltrado sob o meu teto não desconfiasse de nada.

Na primeira noite, por precaução, tranquei a porta da minha suíte, sem dar a ele nenhuma explicação. Na segunda noite, repeti o procedimento. A gente só se via mesmo na hora do café da manhã, durante o dia eu trabalhava e ele dizia estar resolvendo documentações para realizar um estudo e um treinamento na China. Na terceira noite, baixei a guarda e deixei a porta do meu quarto entreaberta. Um grande erro. No meio da noite, escutei Jean se levantando e caminhando pelo apartamento. Tenho o sono leve, e o estado de alerta se manteve aguçado. Ele entrou no banheiro e saiu pouco depois, fiquei de olhos bem abertos, e aconteceu o que eu mais temia: Jean entrou em meu quarto.

Ele se aproximou da minha cama e ficou prostrado de pé, me observando, como aquela mulher possuída no filme *Atividade paranormal*. Ele ficou me fitando, imóvel. Em poucos segundos, passaram-se anos em meus pensamentos. Será que ele vai me atacar? Afinal, ele luta kung fu e eu teria trabalho para me livrar. Ou será que ele vai apenas plantar uma prova falsa em meu quarto? Ou... não, será que ele é gay? Não é possível, será mesmo que ele é gay?

Jean não tirava os olhos de mim, pouco depois olhou ao redor do quarto, e finalmente começou a andar para trás, me observando novamente, sem se virar, e desapareceu na escuridão. Percebi que ele andou mais uma vez pelo apartamento e, finalmente, voltou para o quarto dele. Ouvi o som da porta do quarto sendo fechada. Não perdi tempo e fiz o mesmo, dei um salto da cama e imediatamente tranquei a porta do meu quarto.

Não preguei mais o olho, e se o fizesse teria pesadelos. Acabei me levantando mais cedo que o normal, Jean estava dormindo com a porta fechada. Vasculhei todo o apartamento atrás de algo diferente, de alguma escuta, câmera ou pacotinho contendo drogas, afinal seria o caminho mais efetivo para uma deportação, mas não encontrei nada. *Esses agentes do partido são bem treinados*, pensei. Exausto pela noite maldormida, comecei a preparar um café forte para despertar, nessa hora Jean se levantou e saiu do quarto. Estava diferente, estranho. Ele me viu na copa:

— Bom dia — disse Jean.

— Bom dia — respondi.

Ficamos em silêncio, continuei preparando o café, fiz algumas torradas e servi o cereal matinal com leite. Coloquei tudo na mesa e me sentei. Jean ainda estava de pé quieto, e finalmente quebrou o silêncio.

— Cara, eu entrei no seu quarto de madrugada?

— Entrou — respondi.

— Nossa, que vergonha. — Então ele começou a explicar: — Eu estava morto de cansaço, acho que até agora estou sentindo a diferença do fuso horário. Acordei para ir ao banheiro completamente atordoado. Quando saí do banheiro, me perdi no apartamento e entrei na primeira porta que vi aberta, achando que era o meu quarto. Aí vi você deitado na cama e pensei: "O que ele está fazendo deitado na minha cama?". E você só olhava para mim, sem falar nada, eu não sabia o que fazer. Não sabia se iria dormir no sofá, ou se saía correndo do apartamento. Então, pensei: "Oh, não, será que ele é gay? Ele se deitou na minha cama porque é gay!".

Nós dois gargalhamos.

Eu contei a ele minha versão da história, e quase nos engasgamos de dar risada. Um achou que o outro era gay. Jean foi embora no dia seguinte. Viramos amigos, e ele voltou a se hospedar em meu apartamento em outra ocasião, trazendo presentes da cidade que visitou, e eu ainda hospedei uma grande amiga dele.

Cúpula do Brics

Em setembro de 2017, fui escalado pelo serviço de português da Rádio Internacional da China para cobrir a Cúpula dos Brics em Xiamen (厦门). Da CRI, apenas jornalistas nativos em mandarim, hindi, português, russo e inglês haviam sido convidados pelos organizadores para cobrir o evento, por representarem os idiomas dos países que compõem o bloco (Brasil, Rússia, Índia, China e África do Sul). Eu era o único brasileiro da equipe.

Como fui um dos primeiros a chegar ao centro de imprensa da cúpula no primeiro dia, virei uma atração para os jornalistas chineses, e concedi nada menos que oito entrevistas para jornais, portais de notícias, emissoras de rádio e TV. A cobertura transcorreu sem grandes novidades, ou seja, nossa produção se limitava àquilo que o Partido Comunista desejava comunicar. O presidente brasileiro, Michel Temer, participou do evento acompanhado de uma comitiva de políticos e empresários.

O governo chinês montou um imenso centro de imprensa, como sempre, para mostrar ao seu povo e ao mundo como os eventos na China são importantes. Na realidade, a prioridade da propaganda é sempre a população chinesa, depois o resto do mundo. Tanto que havia vinte jornalistas chineses para cada estrangeiro. Só a CRI enviou 25 profissionais chineses, a Xinhua encaminhou mais de trinta, a CCTV, outros trinta, e o *Diário do Povo* mobilizou uma equipe compatível com a da CRI.

Na última noite em Xiamen, eu conseguiria finalmente me desvencilhar dos meus colegas-vigias chineses sob o pretexto de uma despedida marcada só por jornalistas estrangeiros em um bar, inclusive eu me encontraria com um amigo, o jornalista brasileiro Marcelo Torres, do SBT. Antes de ir ao bar, porém, me encontrei nas proximidades do hotel com um jornalista russo, Dimitri V., do mesmo grupo de informantes do inglês Dean e da mexicana Valentina, com quem me encontrei na Tailândia em 2016.

O esquema de segurança havia sido reforçado pelas autoridades chinesas em grande parte da cidade, e até para entrar ou sair do hotel todos os hóspedes precisavam passar por revistas e detectores de metal, isso sem contar as câmeras que nos filmavam a cada esquina. Por meio de mensagens pelo Facebook, Dimitri havia me orientado a seguir um caminho descoberto por ele onde as câmeras não alcançavam. Obviamente, já que era na areia da praia. Eu o encontrei a aproximadamente quatrocentos metros do meu hotel, e seguimos em direção à praia.

Lá, conversamos longe de microfones e câmeras.

— Desde que o centro do poder socialista se mudou de Moscou para Pequim, o mundo se tornou um lugar mais perigoso — foram suas primeiras palavras, impossíveis de se esquecer.

Jornalista sênior, Dimitri assistiu em Moscou ao colapso da União Soviética, e anos mais tarde se mudou para a China, onde viveu por quatro anos. Quando nos encontramos, ele era correspondente de diferentes agências na Coreia do Sul, e fora contratado para cobrir a reunião dos Brics em Xiamen.

— Conheci o socialismo e o capitalismo em meu país, e posso te garantir tranquilamente que os russos preferem o capitalismo. Os chineses também preferem, só que ainda não conheceram a liberdade em seu país — ponderou.

Segundo ele, o Brics servia exclusivamente para os chineses penetrarem ainda mais na política, cultura e setores estratégicos dos países que formavam o bloco. Nenhuma ação do Brics iria favorecer nenhuma nação além da própria China, de acordo com o colega russo.

— A China não tem aliados, ela tem apenas parceiros comerciais, e ninguém ganha negociando com os chineses. A perda é certa — disse-me.

Nossa conversa foi interrompida por soldados chineses que lançaram um facho de luz de seu jipe sobre nós.

— Identifiquem-se — disseram em chinês.

Nós respondemos em mandarim, perguntei se eles falavam inglês e recebi um "um pouco" como resposta.

— O que vocês estão fazendo aí? — perguntaram, e Dimitri respondeu em um mandarim impecável:

— Eu sou russo, nunca vi uma praia com areia na minha vida, vocês sabem como é viver no frio a vida inteira? — Os soldados riram e nos explicaram que precisávamos deixar a praia, pois a área era restrita.

Esticamos a conversa com os militares para dissuadir suspeitas de que tentávamos fugir das câmeras. Por fim, acabamos pedindo orientações de como chegar ao bar onde os jornalistas estrangeiros se encontrariam, e tomamos um táxi juntos. Ao retornar para o hotel, novamente compartilhei um táxi, dessa vez com uma colega africana. Assim, acompanhado, haveria testemunha da minha chegada ao hotel.

Confie em Dimitri

De volta a Pequim, eu já havia somado horas extras o suficiente para tirar alguns dias de descanso, e tratei de organizar uma viagem para a Coreia do Sul. Além de conhecer Seul, eu conseguiria também reencontrar Dimitri, e o jornalista coreano Ki-woon, de férias em seu país natal. Eu me sentia confiante na coleta de informações, pensava estar distante do rastreamento do Partido Comunista. Eu já havia reservado o hotel em Seul e, no dia em que iria comprar a passagem aérea, fui chamado pela minha chefe e seu braço direito para conversar em uma sala da Rádio Internacional da China.

— É uma conversa sigilosa — disse Catarina.

Pronto, pensei, o PCCh havia descoberto meus encontros com informantes de outros países, mas eu já estava preparado para negar qualquer acusação. No horário combinado, nos isolamos em uma sala de reuniões, e ela começou a dizer:

— Você está sendo convidado para fazer um trabalho para o governo chinês, é uma grande honra. Durante alguns dias, sua chefe não serei eu, mas outra pessoa importante, você responderá diretamente a ela. É muito importante, e você não pode comentar com ninguém. Ninguém mesmo, está bem? — Concordei e ela continuou. — A partir do dia 9 de outubro, você ficará incomunicável, ninguém conseguirá entrar em contato com você.

Eu ainda estava processando a informação a caminho de casa, quando encontrei meu amigo marxista, Gaio D., casado com minha colega do departamento, Layanna. Nós morávamos no mesmo prédio. Gaio era filiado ao Partido Comunista do Brasil (PCdoB) e também ao Partido Democrata dos Estados Unidos, já que possuía dupla nacionalidade.

— Está tudo bem? — ele me perguntou.

— Tudo — respondi. — Existe algum motivo para não estar tudo bem? — questionei, desconfiado.

— Não, não existe. Só vi que você parecia meio preocupado, ia te chamar para irmos ao supermercado — completou.

De fato, costumávamos ir juntos ao supermercado. Quando eu não podia ir, ele comprava algumas coisas de que eu precisava, e vice-versa. Naquele fim de tarde, fomos e conversamos sobre charutos, uísque, cervejas, coisas de que os dois gostávamos. Não toquei no assunto, ao menos por ora.

No dia seguinte, o departamento me convocou para outra reunião sigilosa, onde fiquei sabendo mais detalhes a respeito do trabalho. Eu iria participar da tradução e edição do discurso oficial da 19º Congresso do Partido Comunista Chinês, o evento mais importante do país, realizado a cada cinco anos. O discurso seria proferido pelo presidente chinês, Xi Jinping, e apenas dez estrangeiros teriam acesso antecipado ao conteúdo, sendo eu um deles.

Cada um dos dez estrangeiros selecionados pelo partido iria trabalhar em seu idioma nativo, para deixar o discurso pronto na véspera em que Xi Jinping o leria em mandarim para todo o país. O governo chinês decidiu disponibilizar o documento em dez línguas, incluindo inglês, francês, português, espanhol, alemão, japonês e laosiano, este último a cargo do meu colega jornalista com quem dividi o apartamento ao chegar a Pequim.

Será que o partido estava querendo me testar, ou sumir comigo por uns tempos? Ou definitivamente? Como eu iria saber se não podia comentar com ninguém? Várias perguntas enchiam minha cabeça, eu precisava ao menos me proteger, então liguei para um amigo de confiança no Brasil e contei somente a ele a situação. Como ele era um alto funcionário do governo brasileiro, teria condições de fazer uma denúncia caso eu desaparecesse. Isso me gerava certo conforto, mas nenhuma segurança.

A data do trabalho coincidia com minha viagem para a Coreia, então precisei antecipá-la, e comuniquei minha mudança a Dimitri e Ki-woon, sem oferecer maiores detalhes. Ainda assim, consegui manter a comemoração do meu aniversário, dias antes do embarque para a Coreia. Gaio me ajudou, ou melhor, eu o ajudei a preparar uma feijoada aos convidados, com direito a farofa, vinagrete, molho de pimenta, arroz e uma verdura parecida com a nossa couve, que dificilmente encontramos na China. Para completar, providenciamos caipirinhas e fiz brigadeiros para a sobremesa. Um sucesso completo tanto de público quanto de crítica.

O jantar ocorreu em meu apartamento, reunindo cerca de trinta pessoas de diferentes nações: China, Brasil, Argentina, Itália, Espanha, Equador, Afeganistão, Ucrânia, Sri Lanka, Bangladesh, entre outras. Mórbido, meu inconsciente dizia ser uma festa de despedida, mas eu me forçava a pensar que era uma festa de aniversário, espantando logo qualquer paranoia.

Meu voo decolou de Pequim rumo a Seul no dia 22 de setembro de 2017, uma sexta-feira. Duas horas depois, desci na capital coreana. Parecia ter passado por um portal, tamanha a diferença do comportamento entre chineses e coreanos. Fiquei hospedado em um hotel localizado entre a Lotte Tower — o edifício inaugurado naquele ano com seus impressionantes 555 metros de altura, um dos mais altos do mundo — e o badalado bairro de Gangnam.

Depois de dois dias conhecendo os pontos turísticos mais famosos de Seul, no domingo almocei com Dimitri e Ki-woon em um restaurante situado a quinze minutos de caminhada da Casa Azul, a sede do governo coreano. Fazia seis meses que a ex-ocupante da Casa Azul, Park Geun-hye, havia sofrido *impeachment*, a exemplo do que acontecera no ano anterior com a presidente do Brasil, Dilma Rousseff.

A capital coreana já respirava novamente ares de estabilidade política, e um número reduzido de turistas fotografava a sede do governo quando lá estive, na minha última parada antes do almoço com os colegas jornalistas. O restaurante era um autêntico coreano, em uma ruazinha deserta para os padrões de Seul, que somente um coreano legítimo como Ki-woon seria capaz de indicar. Tão escondido que foi difícil achar, acabei me atrasando. Por sorte, os coreanos são bastante solícitos ao fornecer informação e quase todos os jovens na capital dominam o inglês, o que me auxiliou a chegar ao nosso ponto de encontro.

— Desculpem-me pelo atraso — fui logo me justificando, e os dois já tomavam uma Cass Lager gelada, uma das cervejas coreanas mais populares.

— *No problem* — disse Ki-woon, sempre cordial. — Eu sabia que você teria dificuldades para encontrar, esse era o objetivo — ele me falou, em tom de brincadeira.

Contei aos dois sobre o meu trabalho a ser realizado para a 19ª Grande Reunião do Partido Comunista Chinês. Dimitri conhecia bem o evento, já estivera em duas dessas reuniões como jornalista, e sabia ser muito difícil vazar informações, já que os envolvidos nos trabalhos ficavam enclausurados, sem contato com ninguém.

— Provavelmente ficarão com o seu celular, e você não terá nenhuma conexão com a internet até o momento em que te deixarem de volta em seu endereço — disse-me o russo. — E você só sairá do seu bunker horas depois do pronunciamento oficial de Xi Jinping — completou, antecipando tudo o que viria a acontecer dias depois.

Aproveitei os conhecimentos de Dimitri para questionar se eu corria algum risco.

— Não, nenhum — respondeu prontamente, com segurança. — Pelo que apurei, você é o único dos selecionados que não tem nenhuma proximidade com o partido. Entre os outros estrangeiros, alguns são membros de partidos comunistas e socialistas em seus países, duas mulheres são casadas com chineses do partido, e os últimos dois são notórios capachos do PCCh, uns puxa-sacos que só pensam no dinheiro do governo.

Fiquei impressionado com os conhecimentos de Dimitri. Embora sua carreira toda tenha sido na área de comunicação, o russo conhecia agentes de inteligência de diferentes países, e já havia produzido reportagens sobre espionagem internacional, além de cobrir guerras, como a primeira Guerra da Chechênia e a segunda Guerra do Golfo. Já que estávamos ali juntos, na segunda rodada de Cass, finalmente contei a história que ocorrera na Tailândia, da moça oriental que nos observava, a mim e ao inglês Dean, no mirante de Phi Phi. Seria uma espiã? De novo, a resposta foi negativa. Segundo ele, uma agente jamais seria percebida por nós naquele momento.

— Sei que você é novo nisso, mas fique tranquilo. Quando o governo chinês decidir te espionar, você não ficará sabendo — afirmou Dimitri.

Tranquilo? Confesso que aquela colocação não me deixava nada sossegado.

Aliás, quanto mais eu me aprofundava nos conhecimentos sobre o regime chinês, menos tranquilo eu ficava. Mas, afinal, eu não estava fazendo nada de ilegal, ninguém me contratava para espionar quem quer que seja. Eu só estava coletando informações para oferecê-las gratuitamente àqueles que desejam impedir o avanço do autoritarismo do PCCh no resto do mundo. Seguimos conversando sobre política, futebol e cervejas enquanto comíamos um delicioso *Bibimbap* acompanhado de *kimchi*. O restaurante estava vazio, pois cheguei apenas às 14h30, quando a maioria dos clientes já havia terminado seu almoço, e nossa conversa se estendeu até o entardecer.

Voltei para Pequim faltando duas semanas para iniciar o trabalho no 19º Congresso do Partido, chamado em chinês pela forma reduzida de *shi jiu da* (十九大). Havia uma situação a ser resolvida: o aniversário de minha mãe, em outubro, ocorreria no período em que eu estaria isolado, sem poder me comunicar com ninguém. Expliquei aos coordenadores do trabalho que precisaria ligar para ela.

— Se eu não ligar no aniversário de minha mãe, ela irá comunicar à embaixada, à polícia, ao Ministério das Relações Exteriores, enfim, será um grande problema — disse a eles.

Como resposta, eles afirmaram que não poderiam abrir essa exceção, por questões de segurança.

— Então obrigado pela honra do convite, mas não posso aceitar — retorqui.

— Como assim? Você já havia aceitado — disse o chinês que comandaria nosso trabalho. Criou-se um impasse e, por fim, os chineses cederam, mas sob algumas condições: primeiro, deveria ser uma ligação rápida; segundo, eu estaria acompanhado no momento da ligação; e, finalmente, eu não poderia revelar isso a ninguém, para não abrir precedentes. Concordei e, pronto, lá estava eu de volta ao jogo.

21. Dentro do Congresso comunista

No dia 9 de outubro, um carro chegou à porta do meu prédio logo cedo. Eu já estava esperando acompanhado do meu velho amigo laosiano, que não falava nada além do seu idioma, e de uma assistente chinesa que nos levaria até nosso claustro. Nada de venda nos olhos, como vemos nos filmes de espionagem; também não fomos levados a uma fortaleza encrustada em uma montanha. O carro, um sedan preto de luxo, tinha vidros escuros e bancos traseiros amplos como os de uma limusine, nada além disso. Quando o motorista chegou para nos buscar, a assistente pediu para desligarmos os celulares, e o carro partiu para um lugar que eu conhecia, decepcionante. O motorista até deu umas voltas desnecessárias para nos despistar, mas eu já havia passado por ali algumas vezes de bicicleta.

Era um hotel exclusivo do Partido Comunista, reservado para eventos e também para receber alguns convidados em viagem a Pequim. O carro parou na entrada do estacionamento, e tivemos de descer. Meu celular foi lacrado dentro de um envelope pardo com uma identificação em chinês. Os agentes de segurança revistaram toda a minha bagagem, reduzida a roupa e alguns artigos básicos de higiene pessoal. Dias antes, eu já havia assinado um contrato de confidencialidade e também preenchi uma ficha contendo o que eu precisaria em meu quarto durante o isolamento, como xampu, sabonetes e creme dental. O partido providenciou tudo conforme eu havia solicitado, nisso foram bastante eficientes.

Passei por uma revista cuidadosa, além de atravessar o detector de metais, enquanto a bagagem percorria a esteira do aparelho de raio X, depois fui autorizado a voltar para o carro, que nos deixaria na recepção. Meu quarto era simples, pequeno, mas confortável, com vista para o jardim central, de uma beleza incrível. A jardinagem da China e do Japão parecem imbatíveis, em poucos lugares do mundo encontramos tanta harmonia no paisagismo. O chão acarpetado e macio garantia um conforto extra, principalmente porque a temperatura estava começando a cair. Embora Dimitri tenha esquecido de me alertar, eu já sabia que meu quarto estava grampeado à moda antiga, com microfones escondidos em alguns pontos, sensíveis para captar até uma respiração um pouco mais profunda. Por isso, eu entrava mudo e saía calado, só falava quando recebia visitas dos meus colegas chineses, que ocorria com frequência, para desenvolvermos o texto do discurso.

Ali eu passaria os próximos oito dias e oito noites, trabalhando em tempo integral sob o escrutínio do Partido Comunista Chinês. A equipe de língua portuguesa era formada por seis chineses, dos quais cinco iriam traduzir o discurso e uma chinesa coordenaria os trabalhos, além de um brasileiro, eu, responsável pela revisão e a edição final em parceria com a coordenadora. Meu time contava com alguns dos melhores tradutores de chinês-português do mundo, entre eles quatro já eram meus colegas na CRI, fator que ajudou na fluidez do trabalho.

Na primeira noite, as autoridades ofereceram um jantar especial aos cerca de duzentos chineses e dez estrangeiros responsáveis pela tradução e formatação do discurso a ser proferido por Xi Jinping. Mais uma vez, ficamos naquela situação desconfortável de nos sentarmos a uma mesa mais luxuosa que a dos chineses, separada em um espaço exclusivo para nós, com pratos mais requintados. As colegas da França e da Inglaterra compartilharam do meu constrangimento.

Conforme Dimitri havia adiantado, eu não tinha acesso a celular, computador nem tablet. Minhas ferramentas de trabalho se resumiam a lápis e papel, algo bastante rudimentar considerando a nossa atual dependência das novas tecnologias. Nem meus colegas chineses acessavam a internet na sala de tradução. Apenas um computador estava autorizado a se conectar à rede, mesmo assim cada acesso ensejaria uma justificativa, levando o grupo a evitar seu uso. Uma das maiores dificuldades no trabalho era adequar o discurso ao novo acordo ortográfico da língua portuguesa, um monstrengo burocrático sem sentido que mais atrapalhou do que contribuiu para unificar o idioma entre o Brasil, Portugal, África e Timor Leste.

Alguns dos tradutores chineses eram discípulos da linhagem de Portugal, mas a maioria escrevia de acordo com os padrões brasileiros. A internet teria ajudado sobremaneira, mas tivemos de nos virar com o que tínhamos: dicionários e gramáticas em papel, alguns deles desatualizados. O trabalho começava cedo todos os dias. Logo depois do café da manhã, já me entregavam um calhamaço de papel sobre o qual eu me debruçava munido de lápis e borracha.

Fazíamos uma pausa para o almoço, sacrificávamos a sesta e voltávamos ao batente, motivados pelo café expresso liberado à vontade em duas máquinas no prédio principal. Quando o sono batia, e isso era bastante comum, eu vestia um casaco leve, calçava o tênis e buscava um café. Aproveitava para conversar com meus consortes estrangeiros. O jantar era servido cedo, a partir das 18h, no horário em que os chineses já estão desmaiando de fome.

Depois do jantar, poderíamos voltar ao trabalho ou, caso o cronograma estivesse adiantado, estávamos liberados para praticar esportes e assistir aos filmes exibidos nas três pequenas salas de cinema improvisadas. Uma delas exibia filmes chineses, e as outras duas exibiam filmes estrangeiros com legendas em mandarim. Recebíamos a programação de cinema durante o dia, e o responsável pela escolha dos filmes tinha um gosto bastante eclético.

Um dos filmes exibidos foi o italiano *A grande beleza* (título original: *La Grande Bellezza*, 2013), de Paolo Sorrentino, totalmente destoante da sobriedade dos demais filmes. Era engraçado ver a cara dos chineses um tanto constrangidos com as cenas no mínimo excêntricas para a realidade do nosso trabalho. Além do cinema, havia uma pequena academia disponível para todos nós e quadras para jogar basquete, badminton e squash, bem como um pequeno salão de jogos eletrônicos. Às 22h, no máximo, deveríamos nos recolher aos nossos quartos para dormir, ler ou trabalhar, não havia outra opção. No dia seguinte, estávamos de pé novamente às 6h, com muito trabalho pela frente.

Conversei separadamente com praticamente todos os tradutores, com exceção de um ou dois, um time de profissionais muito bem preparado para executar o serviço. Identifiquei um a um, segundo as descrições de Dimitri, os membros dos partidos comunistas em seus países, as casadas com comunistas e os dois puxa-sacos. O meu velho amigo de Laos, Donechanh La M., com quem eu nunca havia trocado uma só palavra, definitivamente não era um dos bajuladores. Sempre usando seus óculos escuros, mesmo em ambientes fechados e, algumas vezes, à noite, já no banquete de recepção ele mostrara a que veio. Quando os nossos anfitriões chineses propuseram o primeiro brinde, ele se levantou, como todos nós, mas foi embora.

Pensamos que ele tinha ido ao banheiro, ou algo parecido, mas ele simplesmente não voltou. Todos os dez pratos da noite foram também servidos em seu lugar vazio, depois retirados intocados. O informante de Dimitri dentro do Partido Comunista Chinês realmente conhecia o serviço a ser desenvolvido pelos tradutores. Pela primeira vez desde a minha chegada à China eu via um trabalho sendo executado com qualidade, método, planejamento, cujo resultado não poderia ser mascarado com relatórios inventados, porque o produto final, o discurso de Xi Jinping, seria primeiramente entregue para a imprensa internacional e, semanas depois, se converteria em um livro a ser publicado em diferentes idiomas.

Dessa forma, nosso trabalho passaria pelo crivo de leitores experimentados de diferentes nações pelo globo, muito diferente do amadorismo diário da imprensa estatal chinesa. Assim, todas as equipes estavam bastante concentradas, e ouso dizer que o time de português se classificava entre os três melhores, considerando a velocidade do trabalho e a qualidade dos tradutores chineses. Apenas um dos nossos tradutores apresentava algumas deficiências, e sua parte da tradução foi a mais complicada para minha edição. Além disso, eu precisava padronizar o texto, ou ao menos tentar uniformizar ao máximo os capítulos traduzidos por pessoas diferentes.

Os dias foram se passando e a rotina era a mesma. Pouca conversa, muita leitura, refeições em horários rígidos, trabalho árduo durante o dia e filme à noite, enquanto a temperatura caía paulatinamente. E, assim, chegou o dia do aniversário da minha mãe, e eu precisava fazer o telefonema. Semanas antes de partir para o isolamento, eu havia avisado a ela que iria viajar para um lugar próximo a Pequim, mas que ficava na montanha e talvez eu não contasse com sinal de celular nem internet. Portanto, eu poderia enfrentar dificuldade para telefonar.

No dia do aniversário dela, já era noite em Pequim e manhã no Brasil, chamei a responsável pela autorização, e uma colega chinesa do time de Língua Portuguesa me acompanhou até a entrada do hotel, onde os celulares e outros aparelhos eletrônicos estavam armazenados.

Entrei em uma pequena sala com ela, logo se aproximou um oficial do partido, e ficamos os três muito próximos. Fiz a chamada, tocou até cair a ligação. Tentei novamente, chamou, chamou, e mais uma vez caiu. O oficial perguntou o que estava acontecendo, expliquei a situação e ele me disse: “Mais uma tentativa”. Respirei pacientemente, e liguei pela terceira vez, então minha mãe atendeu, muito alegre com a minha ligação, e pude lhe desejar um feliz aniversário. Expliquei a dificuldade com o sinal e disse que ligaria novamente depois do dia 18 — a data do primeiro dia do Congresso. Falamos por no máximo quatro ou cinco minutos, a minha colega traduzia em voz baixa o conteúdo da conversa para o oficial. Quando terminamos, ele tirou algumas dúvidas sobre a ligação e devolvi o celular já desligado, que fora novamente lacrado em um novo envelope e trancafiado em um armário de ferro.

Faltando dois dias para o Congresso, a tradução em língua portuguesa estava praticamente concluída, à frente de todos os demais idiomas, com exceção do laosiano, empatado conosco na “liderança”. Meus colegas estrangeiros já não praticavam mais esportes à noite nem viam filmes. Na verdade, mal jantavam, comiam apressadamente, ou levavam a comida para o quarto, onde continuavam trabalhando enquanto faziam a refeição. Apenas a tradutora de francês acordava bem cedo e praticava um pouco de caratê sozinha, executando os movimentos dos *katas* do estilo *shotokan*.

Da janela do meu quarto eu não conseguia ver seu exercício matinal, mas o colega espanhol conseguia, e logo nos contou, durante um almoço, sobre as atividades físicas da carateca.

Nas refeições conseguíamos conversar mais profundamente, discutindo tópicos importantes da tradução. Um deles tratou da definição do termo "era" ou "época" para a nova fase da China. Em português, inicialmente, adotamos a terminologia "época", com a minha concordância, pois eu ainda não estava totalmente familiarizado com o seu contexto.

Com o avanço dos trabalhos, percebi ser mais adequado usar a expressão "era", e as tradutoras de inglês e francês fariam o mesmo em seus respectivos idiomas. No momento em que chamei a chefe do time de português para explicar-lhe a mudança, os chineses por coincidência haviam chegado à mesma conclusão. O mais importante, contudo, era o significado do que estava acontecendo. O termo "Nova Era" seria aplicado para a seguinte definição: "O pensamento de Xi Jinping sobre o socialismo com características chinesas para uma nova era".

O audacioso movimento do secretário-geral do PCCh, ainda cumprindo seu primeiro mandato, deixava clara a ambição de Xi Jinping, o terceiro líder comunista a inscrever seus pensamentos na Constituição chinesa, depois de Mao Tsé-Tung e Deng Xiaoping. Os dois predecessores, no entanto, participaram dos combates da Revolução Comunista e ajudaram a vencer as tropas do Kuomintang, contribuindo durante décadas para a consolidação do socialismo chinês. Mao foi o primeiro grande líder comunista da China, enquanto Deng elevou a economia da China a um novo patamar, assim como ampliou a política externa do país, permitindo sua penetração em outros países, ao mesmo tempo em que conseguiu negociar o retorno de Hong Kong e Macau ao domínio chinês.

E Xi Jinping? Qual sua contribuição efetiva à história recente da China para, ainda no primeiro mandato, inscrever seus pensamentos na Constituição? Embora muitos observadores considerem o movimento precoce, poucos na China têm coragem de dizê-lo abertamente. E no exterior, parece ainda maior o medo de estrangeiros melindrados, tamanho o temor de magoar um grande comprador de seus produtos.

Uma parcela importante dos pensamentos de Xi Jinping deriva de um discurso seu proferido em 2013, com foco em Karl Marx e Mao Tsé-Tung. Nesse discurso, ele dissertou sobre o lugar da China na história, a competição estratégica com as nações capitalistas e um apelo para aderir aos objetivos do comunismo. O ditador chinês também argumentou em seu discurso terem sido o marxismo-leninismo e o pensamento de Mao Tsé-Tung os guias do povo chinês para fora da escuridão. E o que o pensamento reserva ao futuro? Segundo Xi, será a consolidação e o desenvolvimento do sistema socialista, exigindo uma luta incansável de gerações.

Presidente para sempre

Apenas em 2018, durante a Assembleia Nacional Popular (ANP), a Constituição chinesa passaria a contar com os pensamentos de Xi Jinping. E esse não seria o movimento mais importante do secretário-geral do PCCh no Congresso do Partido Comunista de 2017. Ali, como testemunhei durante os trabalhos de confecção do discurso, iniciou-se o movimento para incluir uma nova emenda constitucional encerrando o limite de mandatos para presidente da República. Assim, Xi Jinping poderia ser reconduzido ao cargo vitaliciamente, como nenhum presidente antes dele. Isso porque a Constituição atendia, até então, a um acordo firmado havia quase quatro décadas entre as diferentes facções políticas do PCCh, prevendo um rodízio entre os diferentes grupos no comando do país.

O acordo garantia um respiro democrático no topo da política nacional, mantendo, assim, o conceito de ditadura democrática proposto por Mao. A premissa da ditadura democrática, termo também incluído há décadas na Constituição chinesa, baseia-se no conceito de que o controle ditatorial do partido é necessário para evitar que o governo caia na ditadura da burguesia, segundo os ideais maoistas.

A possibilidade de perpetuação de Xi Jinping no topo da pirâmide do poder seria referendada pela assembleia de 2018, e sua recondução a um terceiro mandato, algo inédito no país, ocorrerá somente em 2023, quando termina o segundo mandato do presidente chinês. Até lá, as forças políticas contrárias a essa decisão estão de mãos atadas. Elas sabem que Xi Jinping continuará na presidência, mas por enquanto nada podem fazer, já que Xi ainda cumpre seu segundo mandato.

Quando um líder modifica leis ou a constituição de seu país para beneficiar o país e seus sucessores, ele pode ser considerado um estadista. Mas quando o faz em benefício próprio, terá apenas praticado oportunismo político. Xi Jinping poderá, dessa forma, lançar a China a uma espiral de brigas internas no partido e levantes de dissidentes, entre eles os bilionários perseguidos e intimidados pelo regime. Seu governo prendeu, executou e silenciou opositores em todas as regiões do país, além de ter ameaçado Taiwan e reduzido a liberdade em Hong Kong e Macau.

Xi Jinping modificou as leis do país porque sua saída da presidência em 2023 seria arriscada para ele mesmo, sua família e seus aliados, que poderiam sofrer revides violentos a sua atuação tirânica dos últimos anos. As retaliações se tornaram comuns desde a instalação do comunismo na China. Xi terminaria seus dias em uma prisão, na melhor das hipóteses.

A partir de 2023, a China como a conhecemos deverá ficar para trás. Nenhuma ação dos opositores de Xi obterá resultado imediato. Eles só serão sentidos entre 2025 e 2028, antes do fim do virtual terceiro mandato do presidente chinês. Eu já possuía todas essas informações e formulara a análise de suas repercussões antes de Xi Jinping começar seu discurso. Passei a última noite de clausura no hotel pensando em tudo isso, e queria naquela madrugada do dia 18 de outubro de 2017 contar ao mundo tudo o que eu sabia. Mas eu estava em Pequim, isolado em um quarto, sem nenhuma forma de comunicação com ninguém. Soltei apenas um grito silencioso.

Figurantes no Palácio do Povo

No dia 18 de outubro, uma quarta-feira, logo cedo fomos libertados de nosso cativeiro, vestimos nossas melhores roupas, todos formais — eu havia separado meu melhor terno, uma gravata italiana e sapatos de couro argentino —, e meus colegas, tanto os chineses quanto os estrangeiros, capricharam no visual. Saímos do hotel pela primeira vez desde o início do trabalho, acomodados em ônibus e vans que nos conduziriam ao 19º Congresso Nacional do Partido Comunista Chinês, no Grande Palácio do Povo, em Pequim. Seria minha segunda visita ao palácio, mas a primeira em um evento dessa magnitude.

Os oito dias de trabalho pareceram na realidade um mês ou mais, tamanhas foram nossa imersão e dedicação. Na antevéspera do evento, equipes de jornalistas chineses estiveram no hotel para nos entrevistar. Como sempre, fizemos uma simulação, um teatrinho do nosso ambiente de trabalho. Vestimos roupas formais e seguimos para uma sala de reuniões que até então desconhecíamos existir. Lá, começamos a discutir os temas do discurso, enquanto éramos filmados e fotografados pela mídia estatal. A seguir, cada um de nós, individualmente, daria uma entrevista para os jornalistas chineses, priorizando a TV.

Os demais veículos usariam o conteúdo da entrevista televisiva para produzir seu material. Dos dez estrangeiros do nosso grupo, apenas dois éramos jornalistas, os demais haviam construído suas carreiras como tradutores e escritores. E dos dois, eu era o único a ter trabalhado com *media training*. Era chegado o momento de aplicar na prática o que eu ensinava aos meus treinados. O que desejava a mídia chinesa, afinal? Declarações de especialistas estrangeiros tecendo loas ao Partido Comunista, a Xi Jinping e ao socialismo com características chinesas. Todas as perguntas levavam a isso. E todas as minhas respostas começavam com: "Como diz o documento...", "Como revela o documento...".

Eu já sabia que eles iriam capturar apenas uma resposta curta e dispensar 90% do conteúdo da entrevista, como normalmente acontece. Então, quando a repórter pediu para eu destacar um ponto altamente positivo do discurso, apontando para a Nova Era, respondi:

— Existe um ponto importante, como consta no documento: é o povo o soberano de uma nação, e o Estado existe para servir ao povo.

Bingo! Essa seria a frase usada nos noticiários oficiais. A frase foi parar no principal telejornal da noite, uma espécie de *Jornal Nacional* misturado com *A Voz do Brasil*, porque é o telejornal de maior audiência e, simultaneamente, obrigatório em toda a rede estatal.

Assim, minha declaração pode ter sido vista por 300 milhões de chineses, um contingente maior que toda a população do Brasil, e o equivalente à população inteira dos Estados Unidos. Como não tínhamos acesso a rádio, TV, celulares nem computadores, desconhecíamos o impacto da entrevista. Mas bastou chegar ao Grande Palácio do Povo e encontrar os primeiros convidados que, surpreso, me dei conta do tamanho da repercussão:

— Oi, Rafael, eu o vi na TV, muito legal sua fala, parabéns — disse-me uma jornalista chinesa que estava ali para cobrir o evento.

Milhares de pessoas circulavam pelas colossais galerias do Grande Palácio do Povo, cercado por um forte esquema de segurança, embora discreto para os padrões chineses. Meu grupo de tradutores foi levado para as galerias superiores, de onde acompanharíamos o discurso proferido pelo presidente chinês. No caminho, me deparei com um consultor brasileiro, Diego M., uma espécie de faz-tudo que havia estudado mandarim na China e se escorava em qualquer tipo de trabalho público ou privado para levantar dinheiro. Sua esposa, chinesa, estava grávida, e ele precisava trabalhar com qualquer coisa, até como jornalista.

— Diego, o que você está fazendo aqui? — perguntei-lhe.

— Estou cobrindo o evento — ele respondeu, caminhando com um turbilhão de jornalistas chineses e estrangeiros também encaminhados para as galerias superiores. — Depois lhe explico melhor — ele me disse, antes de eu o perder de vista em meio à multidão.

Não precisava explicar, logo encontrei um conhecido alemão, outro daqueles cujo emprego era ser "estrangeiro" na China. Cabelo claro, olho azul, pele alva, é o tipo preferido dos chineses, quanto mais branco, melhor. Eu o encontrava vez ou outra no shopping, com roupas de skatista. Dessa vez, vestia terno e gravata que lhe caíam de forma um tanto desajeitada.

— Você viu o grupo de jornalistas? — ele me perguntou.

Pronto, estava tudo explicado.

O Partido Comunista havia reservado uma área maior que o usual para os jornalistas, uma forma de prestigiar o secretariado do Partido Comunista controlado por Xi Jinping. Acontece que os assentos não podem ficar vazios, então eles contratam "jornalistas estrangeiros" para preencher os lugares não preenchidos pelos profissionais credenciados para o evento. Pelo jeito, o alemão fora escalado em cima da hora e providenciou um terno às pressas. Dias depois, conversando com o coreano Ki-woon, ele me revelou que pelo menos 20% da área de imprensa fora preenchida por figurantes. Eu reconheci pelo menos três pessoas contratadas nesse esquema, além do brasileiro e do alemão.

Segundo a mídia chinesa, cerca de três mil jornalistas estavam em Pequim para cobrir o evento. No espaço a eles destinado nas galerias do Grande Palácio do Povo, no entanto, cabiam não mais que trezentos jornalistas, dos quais cem eram estrangeiros. Dos estrangeiros, no mínimo vinte eram atores que receberam dinheiro para estar lá.

Um total de 2.338 delegados e 205 membros do Comitê Central do partido aguardavam a entrada das principais lideranças da agremiação no plenário. Pela primeira vez, eu via pessoalmente os ex-presidentes chineses Jiang Zemin e Hu Jintao, sentados na porção central do imenso plenário. Os alto-falantes anunciaram a entrada do secretário-geral do Partido Comunista, Xi Jinping, recebido por um uníssono aplauso ao mesmo tempo coreografado e sincronizado, lembrando as cenas de filmes da Guerra Fria em que o aplauso parecia um momento de artificialidade e obrigação de ofício. Nos eventos do partido, eles são assim mesmo.

Só que as palmas sincronizadas não terminavam nunca, a situação começou a ficar ridícula de tão exagerada. Rememorei o *Show de Calouros* do Silvio Santos, em que a plateia aplaudia sem parar cada um dos jurados anunciados, entoando aquela musiquinha "*la-la larala-lá, lala, larila-la-la-lá*". Na minha cabeça, a qualquer momento iria aparecer o Pedro de Lara no Grande Palácio do Povo. *Pedro de Lara, lá, lala-ra-la lá...*

Nos meus primeiros dias de trabalho como jornalista da China, eu achava estranho o fato de Xi Jinping ser anunciado como o secretário-geral do PCCh, e não como presidente da China. Rapidamente, compreendi que o *status* mais importante dentro a China comunista é o de secretário-geral, não o de presidente. Dessa forma, os interesses do partido se sobressaem aos interesses da nação. O povo chinês se orgulhou por séculos do Império Chinês, da cultura chinesa, de suas tradições e seus costumes, de sua história milenar, das conquistas, dos avanços e das invenções. A partir de 1949, o partido vem usurpando o lugar da histórica nação chinesa.

Assim como ocorria na União Soviética, o cargo de líder do partido se sobrepõe à posição de presidente, levando a uma perda de unidade nacional da qual o povo chinês provavelmente não se apercebe. Nas matérias enviadas pelos chineses para a minha edição na CRI, eu precisava sempre trocar a primeira menção a Xi Jinping, substituindo o "secretário-geral do PCCh" por "presidente da China". Expliquei reiteradas vezes aos meus colegas chineses até eles finalmente aceitarem e mudarem a forma de escrever, ao menos enquanto eu trabalhava lá.

— Para o resto do mundo, ele é o presidente da China. Esse é o cargo mais importante para os estrangeiros, entendem? — eu dizia aos tradutores, e exemplificava. — Quando ele vai a uma reunião dos Brics, ele participa como presidente da China, e não como uma autoridade do partido.

Felizmente, eles entendiam e colaboravam. No Brasil, em Portugal, na Inglaterra ou nos Estados Unidos, há uma separação clara entre Estado, governo e partido. Na China de hoje, Estado, governo e partido se confundem, assim como os poderes não gozam de nenhuma independência. Os parlamentares chineses, além dos tribunais, obedecem às ordens do partido. Está tudo centralizado. A única separação se dá entre o Estado e o povo, daí a importância de nunca generalizarmos quando nos referimos à China.

A civilização chinesa possui cinco mil anos de história e, por mais que a geração atual sofra as influências de setenta anos do pensamento comunista, o povo chinês não pensa nem age em consonância com seus governantes. O povo chinês se transformou, ao longo das décadas, em vítima do regime socialista, apesar de nem todos conseguirem enxergar essa condição. Existem, sim, milhões de chineses conscientes da necessidade de mudar o sistema de governo, e uma ínfima parte deles está dentro do partido, arriscando-se na tentativa de obter meios para libertar a população da ditadura.

Tive a oportunidade de observar tudo isso de perto, de muito perto, contribuindo, ainda que de forma modesta, para o sucesso do 19º Congresso do Partido Comunista Chinês. Quando Xi Jinping começou a ler o discurso cujo conteúdo tem o poder de mudar os rumos do século XXI, eu já não esperava nada além de aplausos coreografados. A claque comunista não me decepcionou.

22. Três horas de discurso

Eu havia calculado, isolado em meu quarto de hotel, que o discurso do líder chinês iria durar pelo menos três horas. Eu me baseava no pequeno rádio-relógio disponível no quarto, mas sem o celular era difícil cronometrar com precisão. Além disso, havia a diferença de idiomas e a velocidade do discurso. Mesmo assim, acertei. Xi Jinping falou por três horas e 25 minutos, levando muitas pessoas a bocejarem nesse período. O ex-presidente Jiang Zemin, então com 91 anos, olhou para o relógio repetidas vezes durante a leitura. Não que a oratória de Xi seja intragável para os chineses, mas uma parte dos milhares de espetadores *in loco* acumulava o cansaço da viagem, da preparação para o evento e da longa espera para entrar no palácio.

Eu era um desses zumbis de olheiras profundas, castigado por duas noites maldormidas, a última praticamente em claro. Obviamente, todos disfarçávamos o bocejo, por educação e respeito, mas víamos um ou outro chinês cochilando, algo bastante esperado. Chineses cochilam depois do almoço, cochilam no ponto de ônibus, nas suas motonetas estacionadas; cochilam sobre o teclado do computador, no trabalho ou debruçados na mesa do McDonald's, no banco do jardim, dentro dos vagões do metrô. Por que não cochilariam uns cinco minutinhos naquele assento confortável?

Mesmo os estrangeiros, como eu, davam umas pescadas enquanto Xi Jinping falava. Longe de ser pouco-caso, antes o contrário, só não entrei em estágio alfa porque Xi Jinping falava com confiança e convicção. Entretanto, sua característica mais marcante nunca foi a de um orador magnífico, como Martin Luther King ou John Kennedy, tampouco se encaixa na categoria de um orador carismático e objetivo, a exemplo de Winston Churchill e Margaret Thatcher, muito menos enérgico e gestual, nos moldes de Adolf Hitler, Hugo Chávez ou Benito Mussolini. Xi Jinping abriu espaço no partido como um orador comunicativo, que usa palavras de fácil entendimento, no estilo de Ronald Reagan e Nelson Mandela, e sua locução remete à suavidade oriental dos discursos de Mahatma Gandhi. Enfim, ele atende ao figurino chinês e não faz feio diante de seus antecessores, lembrando que o próprio Mao Tsé-Tung possuía certa musicalidade e oferecia discursos convincentes e bem costurados, mas não memoráveis.

Seria injustiça afirmar que Xi Jinping revelou-se prolixo, seguindo a cartilha de Fidel Castro, com base nesse discurso de três horas e 25 minutos. De forma nenhuma, porque a ocasião merecia cada uma de suas palavras, com a finalidade de atender a sua necessidade de se estabelecer definitivamente no poder e convencer a população chinesa de duas coisas: primeiro, que a China ocupará seu lugar de destaque no mundo; segundo, que ele é o líder mais preparado para alcançar todos os êxitos almejados.

Eu já conhecia o discurso de trás para a frente, trabalhei exclusivamente nele durante oito dias ininterruptos, inclusive auxiliei no processo de tradução do chinês para o português em vários momentos, adaptando para a língua portuguesa termos que existem apenas em mandarim. Em alguns casos, precisei apelar para dicionários de chinês-inglês, geralmente mais completos que os similares de outras línguas. Mesmo me esforçando, eu era incapaz de entender *ipsis litteris* o discurso proferido por Xi, dada a complexidade dos temas e meus conhecimentos limitados de mandarim.

O texto longo e cuidadosamente formulado destacava as conquistas do partido durante o primeiro mandato de Xi, iniciado em 2013, incluindo o fortalecimento e a revitalização das Forças Armadas. Alguns trechos abusavam da hipocrisia a ponto de serem "tragicômicos", como uma parte referente ao importante papel da China na condição de "portadora da tocha" na luta contra as mudanças climáticas. Ora, em termos absolutos, a China é o país que mais emite gases poluentes em todo o mundo, incluindo os de efeito estufa. Sua posição no ranking *per capita* não é das mais confortáveis, atrás de países como Estados Unidos e Arábia Saudita, ostenta o triplo das emissões *per capita* do Brasil e está à frente do Reino Unido.

O documento é repleto de termos poéticos do início ao fim, comuns à comunicação chinesa, mas soa um pouco pueril e ultrapassado para o Ocidente, além de frequentemente dissimulado, porque atrás da suavidade das palavras há uma ambição global bastante agressiva, e as recentes ações truculentas da China no campo diplomático em nada corroboram a maciez do elóquio. Por fim, a escolha da expressão "portadora da tocha" para se referir à mudança climática não poderia ter sido mais infeliz.

No campo doméstico, o presidente chinês reforçou a importância do combate à corrupção, além de desenvolver a economia e proteger o meio ambiente. O chefe de Estado falava à sua população, deprimida com os altos índices de poluição, embora reduzidos naqueles dias de Congresso do PCCh. Duas coisas são certas em Pequim a cada grande evento que atrai a atenção internacional: o ar melhora e a internet piora.

O governo ordena a redução da atividade industrial nos arredores da capital, limpando o ar por alguns dias. Muitos chineses creditam o fenômeno aos supostos poderes paranormais de seus líderes. E a qualidade da conexão de internet cai por diferentes razões, entre elas pelas redes congestionadas e pelo aumento da fiscalização estatal na conta dos usuários. Navegar com o uso de VPN torna-se praticamente inviável, dado o bloqueio aplicado pelo regime comunista em toda a cidade e arredores. Ao menos dessa vez, impedido de acessar meu próprio celular, estive imune aos dissabores de uma conexão lenta e suscetível a interrupções.

A tecnologia, no entanto, estava contemplada no discurso de Xi Jinping, sobretudo aplicada às Forças Armadas. Segundo o documento, a modernização da defesa nacional deve estar concluída até 2035, e as Forças Armadas constituirão um poderio militar "de classe mundial em meados do século XXI". Ou, mais precisamente, em 2049, quando o Partido Comunista pretende completar um século no comando da China.

Nascido em 1953, depois da revolução, Xi Jinping estará com 96 anos em 2049. Caso viva até a data, certamente não será mais o líder supremo da nação chinesa. O comunismo colapsou na União Soviética pouco antes de completar setenta anos, afrouxando a guarda do Ocidente sobre seus riscos, levando Pequim a herdar a primazia do socialismo no mundo. A longevidade do sistema na China já ultrapassou o seu equivalente soviético, e quanto a isso não há nada a se comemorar.

A diplomacia da força

Em seu longo discurso, Xi Jinping alertou que a corrupção, ou *fǔbài* (腐败), continua sendo a maior ameaça à sobrevivência do partido, apesar de uma guerra de cinco anos contra a corrupção que ele afirma ter sido "construída em uma maré esmagadora". O recado era o seguinte: "Continuaremos perseguindo os opositores e os acusaremos de corruptos, mantendo a narrativa adotada nos últimos anos".

Outros recados nada velados se dirigiram a Hong Kong e Taiwan. O ditador chinês se comprometeu a não permitir que o modelo "um país, dois sistemas", sob o qual a ex-colônia britânica tem sobrevivido com relativa autonomia frente a Pequim, fosse "distorcido", assim como os ativistas da independência jamais seriam tolerados. E, ainda mais especificamente para Taiwan, disparou: "Nunca permitiremos que ninguém, nenhuma organização ou partido político, em qualquer momento ou forma, separe qualquer parte do território chinês da China".

As declarações tirânicas do secretário-geral do Partido Comunista Chinês foram recebidas com a complacência de costume da mídia internacional. Já naquele ano de 2017, o inimigo do mundo, na visão da imprensa, parecia ser Donald Trump, em seu primeiro ano na Casa Branca. Se as perguntas dirigidas a Trump nas coletivas de imprensa se repetissem na China de Xi, o jornalista levaria uma descompostura pública, além da perda de créditos sociais, e até mesmo alguns anos na cadeia. Com sorte, o jornalista chinês não sumiria. Dessas punições, o presidente norte-americano adotava apenas a descompostura pública, criando o bordão "*You are fake news*" [Vocês são notícias falsas].

O discurso do Congresso Comunista não mencionava Donald Trump nominalmente, mas o alfinetava indiretamente, como noticiou o jornal britânico *The Guardian* naquele dia: "Sem mencionar Trump diretamente, ele [Xi Jinping] observou como a China 'assumiu uma posição de liderança na cooperação internacional para responder às mudanças climáticas'".

Após os cumprimentos finais, começamos a nos dirigir para os veículos estacionados na Praça da Paz Celestial.

Minha equipe seria liberada apenas ao cair da noite daquela quarta-feira. Estávamos no hotel recolhendo nossa bagagem e o celular, e, ao sair, fomos novamente revistados para não levar nenhuma anotação do trabalho. Liguei meu telefone depois das 18h e notei duas coisas de imediato. Uma, que o VPN não estava funcionando. A segunda, acumulavam-se centenas de mensagens não lidas no WeChat, muitas me cumprimentando pela reportagem da TV na qual eu aparecia. Meus contatos enviavam o link com as matérias.

Dois dias depois, no dia 20 de outubro, a agência de notícias Xinhua publicou uma matéria com o seguinte título: "Especialista brasileiro elogia rápido desenvolvimento da economia chinesa". O especialista, no caso, era eu. No dia 24 de outubro, eu deveria voltar ao Grande Palácio do Povo para a cerimônia de encerramento do congresso. Estava prevista uma foto de Xi Jinping e os membros do politburo com o meu grupo de trabalho, fato que deixava meus colegas eufóricos.

Tentei dissuadi-los da minha presença, essas idas ao centro do poder comunista, para quem estava abastecendo uma rede internacional de informações sobre o partido, pareciam cada vez mais arriscadas. Por fim, na condição de jornalista *old school*, eu sempre me recusei a tirar foto com quaisquer das minhas fontes e entrevistados, sejam políticos, artistas ou atletas. Não teve jeito, para os chineses era uma honra irrecusável participar daquele momento histórico, e se eu não fosse, aí sim levantaria questionamentos desnecessários.

No dia 24 bem cedo, novamente um carro veio nos buscar na emissora de rádio e fomos levados até o hotel. De lá, ônibus executivos nos transportaram até o Grande Palácio do Povo. Os organizadores juntaram no mesmo grupo, além dos tradutores de língua estrangeira, também tradutores de outros idiomas falados na China. O país reconhece 55 minorias étnicas em seu território, além da etnia dominante, Han. Centenas de línguas são faladas em toda a China continental, e pelo menos onze delas são oficialmente reconhecidas, cinco delas contempladas em cada cédula de yuan.

Assim, nativos de minorias chinesas também traduziram o documento e posariam na foto conosco. Enquanto esperávamos, o congresso anunciou o nome dos novos membros do comitê central, além da recondução de Xi Jinping para mais um mandato de cinco anos à frente do partido. O primeiro-ministro chinês Li Keqiang (李克强) e Xi foram os únicos a renovar suas posições como um dos sete membros do Comitê Permanente do Politburo Central. Pela primeira vez, os cinco novos nomeados da elite do partido, que substituíam os que deixavam o comitê, eram todos nascidos depois da revolução de 1949. E, como esperado, nenhum deles era um sucessor claro de Xi Jinping, reforçando a tese da recondução do ditador para um terceiro mandato.

O portal da revista *Veja*, com informações das agências Reuters e AFP, percebeu a manobra e publicou uma reportagem no dia 25 de outubro mencionando a idade dos novos membros, todos acima dos sessenta anos. "A idade dos integrantes é um forte indício de que nenhum deles sucederá Xi Jinping no próximo congresso, em 2022", discorreu a matéria da revista. Eram esses sete membros que esperávamos para tirar a foto.

Éramos mais de cem pessoas, e a posição para tirar a foto era rigorosa, organizada de acordo com altura, cor, roupa e outros detalhes. Os estrangeiros precisariam estar juntos, em uma posição central, um pouco à esquerda dos membros do comitê. Para alcançar o resultado esperado, montaram uma espécie de escada com degraus altos, praticamente uma pequena arquibancada com três níveis para todos ficarem próximos.

Depois de ficarmos parados feito estátuas por cerca de quinze minutos, informaram-nos de um atraso, então desfizemos a formação para um descanso. Minutos depois, voltamos para a mesma posição, petrificados até dar cãibra na perna. Novamente, um atraso e mais um descanso. A partir daí, decidi não tirar mais a foto e saí da grande sala acarpetada onde aguardávamos os sete membros do politburo. Achei que não sentiriam falta de mim, mas não tardou e um colega veio me buscar nas escadarias do palácio para tirar a foto.

— Vamos lá, agora é para valer — disse-me Carlos Y.

— Olha, Carlos, não me leve a mal, mas nunca tirei foto com FHC, Lula, Dilma, Temer, ministros... sou jornalista, aparecer em uma foto dessas abala minha neutralidade — expliquei.

Mas ele insistiu:

— Vamos, é um momento histórico, é importante para a nossa equipe de Língua Portuguesa estar com o time completo, você faz parte disso.

Na verdade, ele tinha razão, e parecia sincero, afinal ele atravessou todo o hall até me encontrar isolado nas escadarias.

— Certo, vamos lá — respondi, e voltamos para o salão da fotografia.

Ficamos lado a lado novamente e, dessa vez, foi mesmo para valer. Um animador de torcida, que já havia ensaiado a coreografia enquanto eu estava fora, pediu para todos começarem a aplaudir até a entrada dos líderes do partido. Todos começaram a aplaudir sincronizados, menos eu.

Instantes depois, entraram na sala Xi Jinping e Li Keqiang, acompanhados dos cinco novos membros: Li Zhanshu, Wang Yang, Zhao Leji, Han Zheng e Wang Huning. Todos vieram em nossa direção, com Xi Jinping à frente. Ao meu lado, os colegas estrangeiros continuavam aplaudindo, e mantive minha posição imóvel, com as mãos também imóveis. Então Xi Jinping olhou para nós, estrangeiros, e veio diretamente até onde estávamos, para nos cumprimentar, mais precisamente até onde eu estava.

Era o momento do meu encontro com o ditador, em uma ocasião histórica, seus passos pareciam eternos, mas na verdade era tudo muito rápido, Xi Jinping veio sorrindo, estendeu a mão para me cumprimentar, mas o colega alemão, Hartmut L., incapaz de conter sua euforia, esticou o braço a minha frente e apertou a mão de Xi.

Permaneci com minhas mãos abaixadas, o líder chinês manteve o sorriso cordial e seguiu cumprimentando o restante do grupo, o tempo era curto para tirarmos a foto naquele dia de agenda cheia para o politburo. Essa foi a terceira e última vez que estive com Xi Jinping. Por obra e ironia do destino, o aperto de mãos não se consolidou. Comentei o episódio naquela semana por telefone com um dos mais influentes jornalistas brasileiros das últimas décadas, talvez o mais conhecido do Brasil, e ele me disse:

— Se você apertou a mão do ditador, já pode abraçar o diabo.

Ri do comentário, e garanti que um alemão me livrou da danação eterna.

Dias depois, recebi uma caixinha comprida de cor vermelha, dentro da qual estava a foto tirada no Grande Palácio do Povo em tamanho grande, impressa em um papel fotográfico de alta qualidade. Também ganhei uma caneta, medalha, selos e envelopes selados, todos os presentes em homenagem ao 19º Congresso do Partido Comunista Chinês. Nenhum desses artigos, além de uma edição limitada dos selos, estava à venda. Ou você ganhava ou ficava sem, simples assim. Presenteei um amigo jornalista brasileiro com a caneta, e ele a levou a um de seus trabalhos com o governador do Maranhão, Flávio Dino, do Partido Comunista do Brasil. "O Dino arregalou os olhos de inveja", contou-me semanas depois. Mostrei a foto apenas para meus pais quando regressei ao Brasil de férias. Até hoje, eles guardam o registro na casa deles, em uma gaveta.

Surra de cinturão

De volta ao ônibus, dei-me conta da importância do encontro com o líder supremo para alguns chineses. Um chefe de tradução de minoria étnica, vestindo roupas a caráter do seu povo, entrou extasiado no veículo balançando sua mão direita à frente do rosto, dizendo:

— Nunca mais vou lavar minha mão!

Todos caíram na risada, era uma brincadeira, mas o significado para eles era de fato grandioso. Ele havia apertado a mão de Xi Jinping pouco depois do alemão.

Com a minha missão cumprida, voltei a minha rotina de trabalho. Em breve, eu receberia meu irmão e minha cunhada, que seriam os primeiros a me visitar em Pequim, em novembro de 2017.

Na semana seguinte ao congresso, Gaio, meu amigo marxista, marcou um almoço com duas chinesas estudantes de Língua Portuguesa recém-chegadas do Brasil. Elas haviam passado um ano estudando em Porto Alegre, capital do Rio Grande do Sul, em um convênio entre universidades dos dois países.

Elas sabiam do meu trabalho na rádio e queriam me conhecer, então fomos almoçar os quatro juntos no restaurante do apart-hotel onde morávamos. Nós, estrangeiros, vivíamos na parte que era chamada de *flat*, e havia um hotel agregado ao prédio dos *flats*, com um restaurante no térreo, cuja comida era bem agradável a um preço justo. As duas jovens chinesas tinham vinte anos de idade, eram bastante comunicativas. Fiz a pergunta básica para quebrar o gelo:

— E então, do que vocês mais gostaram nessa experiência no Brasil?

— Gostamos muito da comida — elas responderam. — Principalmente o churrasco, as carnes, e os doces também.

Achei engraçado, e engatei uma nova pergunta:

— E o que menos gostaram?

Elas ficaram um pouco sem jeito, e logo responderam:

— Porto Alegre é muito pobrezinha.

A resposta, embora fizesse sentido, era um tanto surpreendente, não só para mim, mas também para Gaio, que comentou:

— Essas meninas estão mal-acostumadas. Vinte anos atrás vocês achariam a China pobre e o Brasil, rico.

Ao que uma delas emendou:

— Há vinte anos nós não éramos nascidas.

Bem, além de perceber que estávamos ficando velhos, notamos também uma mudança brutal na China entre 1997 e 2017. Em apenas duas décadas, Brasil e China trocaram de posições em seu desenvolvimento. A China vinha crescendo a uma média de quase 10% ao ano nesse período, enquanto o Brasil ostentava um dos piores avanços econômicos do mundo. Sim, nos anos 1990 o Brasil parecia desenvolvido aos olhos dos chineses. Hoje, porém, as metrópoles chinesas são muito mais modernas, estruturadas, seguras e desenvolvidas do que as grandes cidades brasileiras.

Pequim e Xangai disputam ano após ano a liderança no ranking de maior metrô do mundo. Cada uma já ultrapassou a marca de quinhentos quilômetros de trilhos, e ambas continuam ampliando a malha metroviária em ritmo acelerado. Pesa a favor da China a necessidade de construir sem parar, já que precisa, ao mesmo tempo, gastar o cimento produzido no país (65% do total mundial), e empregar um volumoso número de chineses com baixa qualificação. Nada mais conveniente, portanto, que a construção civil.

Essa necessidade também explica a importância do programa Cinturão e Rota para a manutenção das altas taxas de crescimento econômico. A China saturou sua infraestrutura em muitas regiões. Em 2020, as linhas férreas de alta velocidade respondiam por dois terços de todas as linhas de trens-bala do mundo, superando um total de 22 mil quilômetros de ferrovias. Há rotas ociosas e redundantes, mas a construção não para, assim como também existem bairros e cidades-fantasmas, com edifícios gigantescos erigidos para ninguém morar.

A solução para vender cimento, ferro e empregar milhões de chineses passa necessariamente pela exportação dos serviços de construção civil. Assim, a China marca um *hat trick* [três gols] nos países que aceitam jogar o Cinturão e Rota:

- **Primeiro gol:** a China consegue empregar centenas de milhares de chineses nesses países;
- **Segundo gol:** as obras de infraestrutura consomem o cimento chinês e escoam o excedente de produção do país (vestuário, utilidades domésticas, eletroeletrônicos, carros, maquinários etc.);
- **Terceiro gol:** o governo chinês empresta dinheiro para esses países contratarem as empresas chinesas para construírem seus portos, aeroportos, rodovias e ferrovias, além de redes energéticas e de telecomunicações. Dessa forma, monta a *Debt Trap* [Armadilha do Débito], endividando essas nações. Os países endividados se tornam dependentes do capital chinês. Caso não consigam pagar sua dívida, os bancos chineses, todos estatais, tomam para si as obras dos países ditos "beneficiados".

Resumindo: a China ganha de uma forma ou de outra, mas só ela ganha. Como costumávamos dizer em Pequim, ninguém se desenvolve negociando com o regime chinês. Eles sempre irão ganhar, de um jeito ou de outro, legal ou ilegalmente. Essa é uma lição bastante óbvia que o mundo inteiro precisa aprender.

Vista da janela do quarto do meu apartamento em Pequim, em um dia de densa poluição em que mal conseguimos ver o sol. Dezembro de 2016.

A mesma vista da janela da suíte do meu apartamento em Pequim, em um dia de céu limpo. A diferença é brutal. Fevereiro de 2017.

TV chinesa noticia o escândalo de corrupção da Odebrecht e os desdobramentos da Operação Lava Jato. Rodrigo Maia, citado nas planilhas da construtora, foi reeleito presidente da Câmara dos Deputados em fevereiro de 2017.

Entrevista coletiva para os jornalistas estrangeiros da Rádio Internacional da China em Luoyang, capital da província de Henan. Ao quebrar protocolo, deixei os organizadores desorientados. Junho de 2017.

23. Trump: primeiro ato

Mal os festejos de encerramento do congresso comunista foram concluídos, e os chineses começaram a falar sobre a visita do presidente norte-americano, Donald Trump, ao país, cujo desembarque em Pequim estava previsto para o dia 8 de novembro de 2017. Em seu primeiro mandato, o representante dos Estados Unidos gerava certo receio entre os chineses por suas excentricidades e seus movimentos imprevisíveis, assim como declarações em defesa da nação norte-americana acima das demais, sob o slogan *America First*, algo como "América em primeiro lugar".

Certa vez, eu tomava cerveja e conversava em meu apartamento em Pequim com Alex T., um californiano negro, eleitor do partido Democrata, professor de uma prestigiada escola de inglês na capital chinesa. Ele namorava a romena que dividiu o apartamento comigo por alguns meses. Mesmo antipáticos ao presidente republicano, Alex me confidenciou:

— Eu gosto de ver os chineses pisando em ovos com Trump na Casa Branca.

Sim, era uma sensação comum entre os norte-americanos. Alex não estava morando na sua multicultural São Francisco, nem em Los Angeles ou San Diego. Ele vivia em Pequim e recebia um salário mais baixo que seus colegas americanos BRANCOS. Ainda que seu salário fosse alto, era inferior também ao de sua namorada romena BRANCA.

Nos grupos de WeChat, era comum recebermos vagas de trabalho para estrangeiros, existiam algumas redes e grupos especificamente para isso. Frequentemente, os anúncios diziam:

- Procura-se vendedoras estrangeiras que falem inglês, BRANCAS.
- Vagas para professores de inglês em escola no centro. *no blacks.*
- Contrato temporário para modelos nas férias. Somente BRANCAS.
- Precisamos de garçons. Africanos, não.

Centenas de anúncios como esses são rotineiros na China, e inexiste qualquer movimento parecido com *Black Lives Matter* em território chinês. Na primeira tentativa, os estrangeiros problemáticos são enviados de volta a seus países. Para a maioria das vagas, candidatos de pele negra são aceitos, mas é comum que recebam salários inferiores aos das loiras de pele pálida e olhos azuis.

Em 2017, a chegada de Trump à China era cercada de, no mínimo, curiosidade. A mídia estatal estava organizadamente dividida. Os canais de TV tratavam das cerimônias, dos acordos comerciais previstos e do histórico do primeiro-casal norte-americano. Já o *Diário do Povo*, normalmente mais crítico, ressoando a voz da ala fundamentalista do governo, publicava editoriais céticos sobre as intenções de Trump e sua interferência em assuntos asiáticos.

A Casa Branca procurou reduzir a importância da viagem à China, incluindo no mesmo roteiro o Japão, Coreia do Sul, Filipinas e Vietnã. A primeira parada ocorreu justamente no Japão, onde Trump declarou: "Não há um único lugar onde eu preferiria começar minha viagem que aqui com todos vocês: os incríveis homens e mulheres das Forças Armadas dos Estados Unidos e seus incríveis parceiros, as Forças de Autodefesa Japonesas". E prosseguiu: "O Japão é um parceiro precioso e aliado crucial dos Estados Unidos". Depois, jogou golfe com o primeiro-ministro, Shinzo Abe.

Eu já esperava uma declaração da mais irascível das porta-vozes do regime comunista chinês, Hua Chunying (华春莹). Cabia a ela dar lição de moral no mais arcaico estilo diplomático de todo o mundo. "O Japão precisa aprender com seus erros do passado", ela sempre repetia, como se coubesse à China ensinar qualquer coisa aos japoneses. A diplomacia chinesa, extremamente agressiva, constitui um contrassenso em todos os sentidos, ultrapassando todos os conceitos de hipocrisia, nivelando-se à mais aguda dissimulação.

Ao mesmo tempo que reafirma seu protocolar compromisso de não interferir em assuntos internos de outros países, tudo o que a China faz é justamente o contrário. O regime comunista interfere em todos os países com quem mantém relações diplomáticas, valendo-se da guerra irrestrita para se infiltrar em governos, empresas e universidades com a finalidade de desestabilizar tanto a sociedade quanto a economia.

Em sua tentativa de *soft power*, o governo chinês repete diariamente em reportagens, discursos e eventos a necessidade da construção da "Comunidade de Futuro Compartilhado para a Humanidade", uma das mais deslavadas mentiras cunhadas por Hu Jintao e encampada por Xi Jinping. Repetem o mantra exaustivamente, procurando vencer o interlocutor pelo cansaço. Essa "comunidade futura", cuja missão angelical caberia a uma desapegada China, de compartilhada só tem os problemas. A "cooperação de benefício mútuo", outra balela incluída em todas as matérias da mídia estatal, na realidade beneficia exclusivamente o regime socialista chinês. Não há nada de mútuo.

As suavidades chinesas não combinavam com o estilo enérgico de Trump, acusado pelos jornalistas chineses de levantar muros, enquanto a China os derrubava, em referência ao muro proposto pelo americano na fronteira com o México. No discurso socialista com características chinesas, a China é amigável como um filhote de panda. Mas na realidade, praticamente não existe imigrante na China. Nós sempre nos referimos aos moradores de outros países como estrangeiros ou expatriados, porque nenhuma pessoa nascida fora do território chinês, que não possua ascendência chinesa, jamais obterá cidadania chinesa.

Os estrangeiros conseguem, em sua maioria, vistos de trabalho ou estudo, que precisam ser renovados a cada ano. O máximo que uma pessoa obtém na China é permissão para morar quando se casa com um nativo ou uma nativa. Mesmo assim, o cônjuge jamais obterá a cidadania chinesa nem gozará plenamente dos mesmos direitos auferidos a um nativo. Enquanto a Europa recebe milhões de refugiados de todos os continentes, sobretudo da África, a China mantém suas fronteiras fechadas há setenta anos.

Na crise humanitária registrada em Myanmar em 2017, a população rohingya precisou se refugiar às pressas em Bangladesh para não ser massacrada. Mais de 700 mil refugiados cruzaram a fronteira oeste de Myanmar, porque a fronteira leste, com a China, estava repleta de soldados enviados pelo regime comunista para impedir a tiros a entrada de um único refugiado.

Dessa forma, na China — um país com 1,4 bilhão de pessoas —, apenas 700 mil são oriundas de outras nações. Isso equivale a 0,05% do total de habitantes, enquanto nos Estados Unidos vivem 44,8 milhões de estrangeiros, o equivalente a 14% de sua população, grande parte composta por imigrantes legalizados. A cidade de Londres, sozinha, abriga 2,1 milhões de cidadãos estrangeiros, ou seja, o triplo da quantidade de expatriados que vivem em toda a China continental.

Nesse terreno diplomático carregado de cinismo, Donald e Melanie Trump desembarcaram em Pequim no dia 8 de novembro, uma quarta-feira de céu limpo em Pequim. Os anfitriões chineses prestaram as mais altas honrarias ao casal norte-americano. Pela primeira vez na história, um presidente dos Estados Unidos era convidado a visitar a Cidade Proibida a portas fechadas, na companhia do presidente Xi Jinping e de sua esposa, a elegante primeira-dama Peng Liyuan (彭丽媛), no passado uma famosa cantora da música popular chinesa.

O afago chinês não passou despercebido pela mídia internacional. Segundo reportagem na agência Reuters, os preparativos foram "mais elaborados que o usual", e prosseguiu: "Embora o amplo complexo do palácio no centro de Pequim seja uma parada regular para dignitários em visita, é raro um líder chinês oferecer sua companhia pessoal".

Trump retribuiu a hospitalidade com declarações simpáticas aos chineses, eximindo Pequim de responsabilidade pelo profundo déficit comercial dos Estados Unidos em suas transações com a China. Pelo contrário, ele culpou administrações passadas de seu país. Entretanto, tocou no tema que geraria as maiores tensões entre os dois países neste início de século. Em um encontro com lideranças empresariais, o presidente americano afirmou: "O comércio entre a China e os Estados Unidos não tem sido, há longos anos, muito justo com os Estados Unidos". "Como todos sabemos", continuou Trump, "os Estados Unidos têm um enorme déficit comercial anual com a China, de centenas de bilhões de dólares."

E não parou por aí. "Precisamos impedir imediatamente as práticas comerciais desleais que impulsionam esse déficit. Precisamos realmente olhar para o acesso ao mercado, a transferência forçada de tecnologia e o roubo de propriedade intelectual, que por si só está custando aos Estados Unidos e suas empresas pelo menos 300 bilhões de dólares por ano", afirmou Donald Trump em território chinês. O recado estava dado, e era bem claro.

A hora da verdade

Os eventos se sucediam rapidamente naquele ano, e, poucos dias depois do Congresso do Partido Comunista, começamos uma Copa das Américas de futebol amador em Pequim, reunindo oito times, entre eles Brasil, México, Venezuela, Equador, Argentina, Chile, Uruguai e Estados Unidos. Eu estava inscrito na seleção brasileira e participei dos três jogos da fase inicial, somando três vitórias. Meus companheiros de time eram todos melhores que eu, não exatamente pela técnica, mas fisicamente, pois muitos deles tinham 23 anos de idade, eram professores de futebol e corriam como velocistas jamaicanos.

Nesse meio-tempo, meu irmão chegou com a esposa a Pequim para uma visita de algumas semanas, sendo que na metade da viagem iriam para o Japão passar uma semana, depois regressariam para a China. Era um prazer imenso receber o primeiro membro da minha família na China. Mesmo que eu estivesse trabalhando, aproveitei cada momento livre para ficar com eles. Fomos juntos à Grande Muralha e voltamos a tempo de eu trabalhar à noite. Em um domingo, assistimos à missa em italiano e espanhol na Catedral do Sul, e eles puderam provar o almoço no simples porém delicioso restaurante muçulmano localizado perto da igreja, em Xuanwumen (宣武门).

A temperatura estava sempre abaixo de zero naqueles fins de tarde, e os lagos de Houhai (后海), perto da Cidade Proibida, começavam a congelar. Passando por ali, observamos algo inusitado: dois senhores, com cerca de sessenta anos, cruzavam o lago a nado, na parte em que ainda não estava congelada. Parecia uma cena de filme. Eram 17h, a noite já começava a cair e a temperatura externa estava na casa dos dois graus negativos. Os senhores saíram do lago de sunga, sem a menor pressa de se enxugar.

Próximo dali, na região central de Pequim, marquei um encontro com um amigo brasileiro, Tiago N., que precisava trocar dólares por yuans; eu desejava justamente o contrário. Nós nos encontramos na rua, nos sentamos em um banco público e ele sacou 2.500 dólares ali mesmo, e eu tirei do meu casaco um maço de aproximadamente 17 mil yuans em cédulas de cem. Meu irmão arregalou os olhos.

— Vocês vão trocar o dinheiro aqui?

A preocupação fazia sentido, pois uma cena como essa seria impensável no Brasil, sob o grande risco de sermos assaltados. Mas em Pequim, o perigo era inexistente.

Meu irmão viajou para Tianjin com a esposa para experimentar o trem-bala chinês, e eles aproveitaram para conhecer a recém-inaugurada biblioteca da cidade, uma das mais modernas e impressionantes do mundo. Ficaram ambos fascinados com as facilidades e a segurança da China. Depois do retorno de Tóquio, passaram mais alguns dias em Pequim e, finalmente, embarcaram para o último destino da viagem, o Canadá.

Eu já estava arrumando minhas malas, pois, no dia seguinte, era minha vez de entrar de férias, e iria passar uns dias em Paris antes de voltar ao Brasil. Dessa vez, eu teria muita história para contar aos amigos e familiares. A propósito, vale registrar, nossa singela Copa das Américas foi vencida pelo Brasil, que derrotou o Uruguai na final. Eu estava em Paris no dia da final, mas mesmo assim tive direito a uma medalha pela participação.

Minhas férias no Brasil seriam bastante agitadas, eu teria tempo contado para fazer as consultas e exames médicos de rotina, encontrar a família, os amigos, renovar minha carteira de motorista e, claro, passar as informações para meu amigo Pagani, vulgo CSI, em Brasília. Ainda na capital do país, visitei Moura e Sofia — já fazia um ano que não os via pessoalmente —, e visitei as obras de seu novo bar, que seria inaugurado em 2018.

A conversa com Pagani precisaria de privacidade. Assim, ele me convidou para um almoço em sua casa, pois estaria sozinho. Passamos mais de três horas falando sem parar. Pagani ficou fascinado com a riqueza de detalhes e o fato de eu passar despercebido pelos chineses. Quando eu voltasse para Pequim, ele, Dean, Valentina e Dimitri continuariam a ser minhas principais pontes de ligação com os demais informantes de outros países. Concordei, deveríamos minimizar os riscos. Ele também me atualizou com informações que havia recebido de dissidentes chineses que viviam em Taiwan.

— O regime chinês está incomodado com as ações dos Estados Unidos. Eles não confiam em Donald Trump — disse Pagani. — E o Brexit também está sendo tratado com cautela. Para o Partido Comunista, é mais fácil influenciar a Europa por intermédio do Parlamento europeu. A saída do Reino Unido pode dificultar essa influência, e outra coisa que os preocupa seria o fato de mais países deixarem o bloco.

De fato, essas informações corroboravam análises que eu já tinha ouvido de jornalistas da BBC na China. Meus contatos com Taiwan eram cada vez mais raros, pois o governo local não via com bons olhos o fato de eu estar trabalhando como jornalista na mídia estatal chinesa. Por mais que eu mantivesse uma excelente relação com os taiwaneses, eles se distanciavam diplomaticamente, sem romper os contatos por completo. O general Junjié C., excelente fonte entre os militares, continuava respondendo às minhas mensagens, mas de forma lacônica, lamentavelmente.

Em minha agenda lotada em Brasília, ainda arrumei tempo para visitar a família do meu grande amigo chinês Cheng em sua nova casa, no Lago Norte. Ele havia comprado o imóvel, uma bela mansão que ocupa uma área de 1.200 metros quadrados. Nada mau para quem, anos antes, pedia dinheiro emprestado para comprar passagens aéreas. Em Luanda, Cheng já havia se tornado assíduo frequentador da mansão do ditador angolano José Eduardo dos Santos, que governou Angola de 1979 a 2017, amealhando uma fortuna estimada em 20 bilhões de dólares. Sua filha, Isabel dos Santos, já foi a mulher mais rica de toda a África, e hoje responde a processos na Justiça de diferentes países por lavagem de dinheiro.

As companhias de Cheng e sua rápida ascensão financeira me levavam a questionamentos sobre suas atividades, mas ele me garantia estar tudo dentro da legalidade. “São negócios, Rafa”, ele me dizia. “Estou trabalhando muito, esse é o resultado.” Sua família continuava sempre simpática e zelosa comigo, eu deixava os negócios de lado e apenas falávamos dos velhos tempos e da minha vida na China.

Depois de passar o Natal com a minha família reunida, embarquei para Nova York, onde passaria o Ano-Novo. Era minha primeira vez na Big Apple, e nada como mergulhar na cultura Ocidental antes de voltar para a China. Para melhorar, estava nevando bastante. Aproveitei meus dias em NY para reencontrar uma velha amiga jornalista, Pamela B., que me levou para conhecer pontos interessantes da cidade longe da multidão de turistas.

Na véspera de Ano-Novo, combinamos de assistir a uma apresentação musical na Catedral de São João, o Divino, em Manhattan, mas antes faríamos um lanche em um pequeno restaurante próximo. Pamela, de origem texana, começou a falar de política, atacando o presidente do país, Donald Trump. Eram críticas bastante agressivas, em nada combinavam com ela.

— Olhe bem para ele [Trump], é como se fosse um demônio — repetia ela. — Ele representa o mal para os Estados Unidos e para o mundo.

Eu a acalmei, e contestei algumas informações.

— Veja bem, Pamela, ele pode conter o avanço do Partido Comunista Chinês no mundo, um governo muito pior para a liberdade nos outros países — ponderei.

— Nada pode ser pior que Trump — ela rebateu.

Aos poucos, fui mudando de assunto, focando nas artes, na igreja, em fé, espiritualidade, áreas de que ela gosta muito, e deixamos a política de lado; assim a conversa ficou muito mais agradável. Em nenhum momento eu poderia lhe revelar minhas atividades extraoficiais na China. Assim, depois de um café um pouco aguado, fomos para a catedral, onde prestigiamos um belíssimo espetáculo em uma das mais impressionantes igrejas nova-iorquinas.

Bem perto da catedral, conheci o restaurante do seriado *Seinfeld*, minha sitcom favorita, e na noite seguinte, visitei o Joey Ramone Place, localizado perto do antigo CBGB, no East Village. Estar ali onde os Ramones começaram a tocar significava concretizar um sonho de adolescência. Eu já me considerava pronto para retornar à China, renovado de cultura ocidental para ficar mais um ano imerso no Oriente.

24. Futebol para chinês ver

Janeiro de 2018. Por mais estranho que pareça, cada vez que eu voltava para a China, eu me sentia em casa. Afinal, sem endereço no Brasil, a minha residência estava mesmo na China. Diferentemente de 2017, quando recebi apenas a visita do meu irmão com sua esposa, em 2018 a programação de visitantes seria extensa, e já começou em janeiro, sem previsão de fim. Emendava uma visita na outra.

Era o ano da Copa do Mundo na Rússia, e a China respirava futebol mesmo sem ter se classificado para o mundial. Nos últimos anos, o futebol talvez tenha se tornado o esporte mais popular no país, deixando para trás modalidades como tênis de mesa, basquete, vôlei, badminton, natação, ginástica olímpica e saltos ornamentais. No Brasil, o futebol concentra quase a totalidade das atenções, diferentemente de outros países, como os Estados Unidos, onde futebol americano, basquete, beisebol, golfe e hóquei sobre o gelo alcançam milhões de espectadores, sem contar com uma dezena de outros esportes praticados por todo o país.

Na China também ocorre uma distribuição mais equitativa das práticas esportivas. No norte, frio, os esportes de inverno, como o esqui e patinação no gelo, são praticados por milhares de chineses. No sul, mais quente, natação, atletismo, saltos ornamentais e ciclismo, por exemplo, atraem outra multidão de chineses. Porém, o futebol ampliou ainda mais seu *status* após Xi Jinping ascender à liderança do partido. Entusiasta do esporte, Xi traçou metas ambiciosas. A primeira, mais fácil, será sediar uma Copa do Mundo em território chinês. A segunda já é um pouco mais ousada: conquistar o Mundial até 2050, no máximo um ano depois de o partido completar um século no poder.

Levando-se em consideração a limitada habilidade dos chineses com a bola nos pés, a tarefa parece bem complicada. Para realizar a Copa na China, basta pagar propina a alguns delegados e figurões da Fifa. No entanto, para vencer a competição, o caminho passa pelo desenvolvimento do esporte entre os chineses. E olha que sobram escolinhas de futebol por todo o país, como as do Ronaldo Fenômeno, além de campos de futebol abundantes. É mais fácil achar um campo para jogar em Xangai do que no Rio de Janeiro, sem dúvida.

O que os impediria de alcançar seus êxitos, então? Basta aprender, focar, fazer um planejamento e vencer, certo? Bom, não é tão simples assim. No começo daquele ano, uma lutadora de sanda, Rebeca S., ficou hospedada em meu apartamento após um imprevisto em sua moradia na universidade. Rebeca já havia participado de campeonatos de artes marciais tanto no Brasil quanto no exterior, inclusive na China, onde conquistou troféus importantes. Era baixinha, meiga, mas aqueles grandes olhos azuis camuflavam a valentia de uma lutadora implacável.

Junto com Rebeca, chegaram à China três universitários, Hugo, Tomé e Luiz, selecionados pela Universidade de Esportes de Pequim (北京体育大学) para cursar educação física e jogar futebol pela instituição, na qual conseguiram bolsa de estudos de um ano, que poderia ser renovada por mais três anos, desde que eles fossem aprovados no Exame de Proficiência em Mandarim, o famoso HSK, sigla em pinyin para Hanyu Shuiping Kaoshi (汉语水平考试).

Os três eram craques de bola, dos melhores que vi jogar na China, tinham domínio de campo, técnica apurada, driblavam com facilidade e concluíam as jogadas com maestria. Uma equipe formada por eles, somados a um goleiro eficiente, era praticamente imbatível. Cheguei a jogar em seu time uma vez na faculdade, logicamente me escalaram na defesa só para ajudar enquanto eles davam seu show particular. Os demais universitários paravam o que estavam fazendo só para vê-los em ação, um espetáculo imperdível a que eu assistia de dentro do campo.

Acabei me aproximando mais de Tomé. Assim como Rebeca, ele é lutador de wushu (武术) e sanda (散打), essa última modalidade conhecida no Ocidente como boxe chinês, uma das preferidas de Bruce Lee. Magro, forte, baixinho e um pouco mais maduro, Tomé tinha 22 anos, enquanto seus dois companheiros haviam completado dezenove. Certa vez, na CRI, meus colegas russos e ucranianos chegaram ao trabalho reclamando que haviam sido goleados por um time de brasileiros na noite anterior, e levado um sacode de 9 a 2. Bogdan estava indignado com um jogador brasileiro de estatura baixa, a quem se referia como "pequeno diabo". Segundo ele, ninguém conseguia parar o pequeno diabo. Ele se referia a Tomé, que se divertiu quando lhe contei a história.

Eu deveria ter participado dessa goleada, mas como era a semana do meu plantão noturno, precisei trabalhar. Três semanas depois, Tomé ligou me escalando para um novo jogo, dessa vez seria contra os chineses, e novamente eu trabalharia no plantão noturno, precisei recusar o convite.

— É uma pena — disse ele —, porque os chineses estão querendo apostar, cada jogador vai embolsar 500 yuans — ele me falou, e imediatamente o alertei:

— Você já apostou? Se não apostou, não faça isso, vocês vão perder o jogo e a aposta.

— Como assim, Rafa? Eles são chineses, e nosso time só tem latino-americanos. Jogaremos os três brasileiros mais nossos amigos mexicanos, colombianos e equatorianos. Venceremos de lavada, não existe nenhuma possibilidade de a gente perder —respondeu.

Eu o alertei novamente, em vão. Os chineses são, em geral, pernas de pau, eu joguei por dois anos com eles no Brasil na casa do embaixador da China em Brasília. Depois, passei um ano jogando com os alunos na universidade em Shijiazhuang. E, em Pequim, já acumulava mais um ano de experiência.

Além do pouco domínio de bola, às vezes os chineses são perigosos em campo. Para eles, do pescoço para baixo é tudo canela. Não que sejam maldosos, longe disso, acontece que frequentemente erram a bola e acertam nossos pés, canela, panturrilha, joelho, enfim, um desastre. Tomé já sabia de tudo isso, seus colegas de time também, mas eles ainda desconheciam as artimanhas dos chineses para vencer um jogo em sua terra, principalmente quando envolvia dinheiro.

Um dia depois do jogo, Tomé me ligou, eu estava indo para o trabalho, vi seu número na tela e já imaginei qual seria o teor da conversa. Atendi, e ouvi aquilo que esperava:

— Como você sabia? — perguntou. — Como você sabia que a gente iria perder?

— Tomé, bem-vindo à China. Da próxima vez, ouça quem tem mais experiência — falei, e ele se desculpou por não ter me escutado. — Tudo bem, acontece — continuei. — Mas, me diga, o que eles fizeram dessa vez para vencer? Agora também fiquei curioso.

Tomé me explicou que o goleiro do time estrangeiro precisaria ser obrigatoriamente chinês. O juiz e os bandeirinhas também eram chineses, claro, e marcaram três pênaltis a favor dos donos da casa, que conseguiram a proeza de converter só dois. Mesmo com a imobilidade do "goleiro amigo", em uma das cobranças o centroavante chinês chutou a bola para fora. Além disso, três jogadores estrangeiros foram expulsos, e quatro levaram cartão amarelo. Mesmo assim, o jogo estava empatado em 3 a 3 até os 42 minutos do segundo tempo, quando o centroavante chinês arriscou de longe, e o goleiro do time latino (que era o chinês escalado pelos adversários) deixou a bola entrar. O juiz encerrou a partida no reinício, com a bola no meio do campo, faltando alguns minutos para acabar, e não adiantava discutir. Placar final: 4 a 3 para os chineses.

Aí foi a vez de Tomé me perguntar:

— Eu não entendo, não consigo entender mesmo. Eles nos convidam para vir até seu país, pagam nossas passagens, nos concedem bolsas de estudos, moradia, fazem de tudo para aprender futebol com a gente, mas roubam no jogo! Qual o sentido disso? — perguntou.

— Eles não querem aprender, Tomé, querem apenas vencer — expliquei. — Uma grande parte dos chineses se recusa a aprender com os estrangeiros, prefere que tudo se adapte ao jeito deles. Nem todos são assim, mas a imagem que essa parcela da população transmite atualmente mancha a imagem que temos da China atual.

O basquete se tornou um bom exemplo. Os chineses investem no esporte há trinta anos, são os maiores consumidores de NBA fora dos Estados Unidos. Todos os anos, há jogos da liga profissional americana nas grandes cidades chinesas, com lotação esgotada. Eles idolatram os astros de basquete norte-americanos, assistem aos jogos da temporada, compram uniformes, tênis, bonés e toda a parafernália do basquete internacional. Todavia, a seleção chinesa de basquete nunca figura entre as 25 melhores do mundo. Eles admiram, mas muitos se recusam a aceitar o que vem de fora. Insistem em adaptar o esporte ao seu estilo. No futebol, adotam o mesmo comportamento, por isso dificilmente se classificam para a Copa do Mundo, mesmo sendo o país com o maior número de praticantes de futebol em todo o mundo.

Assim como a China abraçou com relativo sucesso o "socialismo com características chinesas", muitos no país acreditam que podem desenvolver o "futebol com características chinesas" ou o "rúgbi com características chinesas", ou o basquete, e assim sucessivamente. Entre 2014 e 2017, empresas e bilionários chineses investiram cerca de 3 bilhões de dólares no futebol europeu, assumindo o controle de times como o Milan, da Itália, e o Manchester City, da Inglaterra. Em 2017, o jornal britânico *Financial Times* publicou uma matéria afirmando que "Xi Jinping lançou um plano abrangente para transformar a China em uma força do futebol, com a finalidade de incorporar sua visão muscular para o 'grande rejuvenescimento' da nação".

Ainda de acordo com o jornal, "aumentar a influência da China no esporte mais popular do mundo faz parte de um esforço amplo para intensificar o *soft power* do país e conferir à China seu lugar de direito no cenário mundial". Porém, muitos chineses se aproveitam da paixão de Xi pelo futebol para adotar caminhos não ortodoxos tanto nos negócios quanto nas partidas de futebol.

A ambição desenfreada dos bilionários chineses mereceu uma advertência do PCCh, na qual o nome do líder não deveria ser usado para justificar os investimentos, mesmo porque há suspeitas de corrupção envolvendo as transações no mundo do futebol. Além disso, a vitória a qualquer custo levada a cabo por alguns chineses, envolvendo o pagamento de propinas a árbitros e jogadores, pode na realidade manchar a imagem do país em vez de enaltecê-la.

Os gladiadores

Havia uma pelada de futebol semanal envolvendo os funcionários da CRI, que depois passou a ser realizada duas vezes por semana. Durante quase um ano, apenas três estrangeiros jogavam com os chineses: Maurício P., da Argentina, B. Babiker, do Sudão, e eu. No começo de 2018, montamos um time de estrangeiros, que batizei de "Gladiadores"; meus companheiros de equipe me viam como uma espécie de capitão. O que me faltava de habilidade sobrava em motivação e liderança, então eu acabava inspirando o esquadrão. Compramos uniformes pretos com detalhes verde-fosforescentes na loja Decathlon perto da estação Yuquanlu (玉泉路), o que elevou ainda mais nossa fama de homens maus. Pura opressão. Nós começamos a vencer todas as partidas, algo que deixou nossos colegas chineses deveras indignados. Então, eles começaram a inventar novas regras e a trazer jogadores chineses de outros lugares para reforçar seus times.

Conseguiram equilibrar a contenda por um tempo, mas depois voltaram a perder, aí começaram as brigas. O argentino não levava desaforo para casa, enquanto os chineses exigiam que usássemos goleiros chineses, uns frangueiros, repetindo as invenções de regras da época das peladas na casa do embaixador chinês em Brasília. Só trapaças. Por fim, incapazes de vencer os Gladiadores, eles simplesmente aboliram a pelada. Nosso time reunia jogadores da Ucrânia, República Tcheca, Afeganistão, Irã, Turquia, Alemanha, Tanzânia, Sudão, Brasil, Índia e Argentina. Éramos imbatíveis, mas não tínhamos mais campo para jogar.

Ainda naquele semestre, faltando cerca de dois meses para o início da Copa do Mundo na Rússia, eu estava trabalhando na emissora quando um colega da Turquia me ligou. Halil me disse que nós havíamos sido convidados para uma coletiva de imprensa no Grande Palácio do Povo. Além de autoridades do PCCh, estaria presente um russo, representante de alguma comissão da Fifa, e o assunto era, claro, futebol.

Seríamos cinco jornalistas estrangeiros, oriundos de Brasil, Turquia, Irã, Tanzânia e Bielorrússia. Convenhamos, tirando Brasil e Turquia, havia pouquíssima tradição em futebol nos demais países representados. Mas o que importava mesmo aos chineses, para variar, seria a presença de jornalistas estrangeiros, então seguimos para o Grande Palácio do Povo, onde ocorreria o evento para imprensa. Lá chegando, notei a presença de pelo menos cinquenta jornalistas chineses.

Nós cinco nos dirigimos à mesa de credenciamento, assinamos a lista de presença e, para nossa surpresa, apareceu uma dessas modelos chinesas contratadas para o evento, alta, branca, com a tradicional fenda na saia colada ao corpo, trazendo nas mãos cinco envelopes, que ela entregou a cada um de nós, na frente de todos os chineses ali presentes. Eu já deveria ter me acostumado às presepadas chinesas, mas fiquei sem jeito e rapidamente coloquei o envelope no bolso interno do terno, e meus colegas fizeram o mesmo.

— Halil, o que tem nesse envelope? — perguntei.

— Não sei, depois da entrevista a gente vê.

Insisti com ele:

— Halil, isso aqui é dinheiro? Estão nos pagando para participar da entrevista?

Ele respondeu sussurrando:

— Não sei, ninguém me avisou nada.

Lógico que ele sabia, e havia convidado os demais jornalistas como parte do acordo. Aí fiquei bravo.

— Halil, eu sou jornalista, já recebo meu salário da rádio para estar aqui. Se isso que recebemos for dinheiro, vou devolver agora.

— Não! Não faça isso — suplicou. — Talvez não seja dinheiro, pode ser só um certificado ou *press-release* [comunicado de imprensa]. Além disso, se você devolver, nós precisaremos fazer o mesmo.

Halil era uma figura engraçada, havia se tornado um amigo na rádio, e estava precisando de dinheiro para sua família, ou famílias, porque ele é muçulmano. Parei de importuná-lo com a história do dinheiro e entramos para a coletiva de imprensa. Apenas os chineses pareciam estar autorizados a fazer perguntas, e haviam recebido do PCCh as perguntas a serem feitas. Percebi a manobra e comentei com Halil:

— Vou tentar fazer uma pergunta, mas as moças não irão me trazer o microfone.

— Claro que vão trazer o microfone, por que não trariam? — disse ele, incrédulo.

Então levantei a mão, acenei para as moças assim como o fizera um ano antes em Henan. Elas mudaram de feição, o sorriso desapareceu, e logo miraram a coordenadora do evento, uma senhora de semblante severo, que me fuzilou com o olhar. Quanto mais eu acenava, mais nervosas ficavam. O membro do Partido Comunista que estava respondendo à questão do jornalista chinês se estendeu na resposta, enquanto as meninas do microfone desapareceram por uma porta lateral. Eu estava me divertindo, o *modus operandi* era o mesmo em todo o partido, e Halil acompanhava a tudo surpreso. Naquele momento, a autoridade do PCCh deu a entrevista por encerrada, e o oficial russo veio em minha direção:

— Você queria fazer uma pergunta? Vi que acenou, mas acabou o tempo da entrevista — disse o russo, um tanto ingênuo.

Então, começamos a falar sobre futebol, a Copa do Mundo na Rússia, a seleção brasileira, Neymar, um bate-papo descontraído enquanto os fotógrafos e cinegrafistas chineses registravam as imagens do brasileiro (eu) e do russo debatendo futebol, para depois divulgarem na mídia. Halil deu risada. Ao sair do palácio, pegamos o metrô na estação Tiananmen Oeste para voltar à Rádio Internacional da China. Já que o trânsito estava parado naquele começo de tarde, chegaríamos muito mais rápido de metrô, no máximo em trinta minutos, considerando que a CRI também está situada na linha 1 e não precisaríamos fazer nenhuma conexão. Abri o envelope, dentro dele havia mil yuans. Halil sorriu. Ofereci o dinheiro para ele.

— Nada disso, você mereceu, e eu já ganhei minha parte.

Ah, a China...

25. Trump: segundo ato

Dois importantes acontecimentos marcaram o ano de 2018 no contexto internacional: primeiro, a mudança da Constituição chinesa para permitir a recondução ilimitada de Xi Jinping à presidência do país; segundo, o início das tensões comerciais entre os Estados Unidos e a China. No Brasil, consolidava-se a figura de um deputado federal disposto a vencer as eleições presidenciais daquele ano, apresentando-se como um antípoda dos governos corruptos que se sucediam no Brasil, levando à deterioração econômica e institucional.

Ainda no mês de janeiro, o governo norte-americano decidiu aumentar as tarifas de importação dos painéis solares, atingindo inúmeros países, em especial a China, maior fabricante do setor em todo o mundo. Na sequência, no primeiro dia de março, a Casa Branca anunciou a sobretaxa do aço e do alumínio, uma medida de forte repercussão que atingiria diretamente as exportações de Canadá, México, Austrália, Argentina, Brasil, Coreia do Sul, entre outros países em menor escala.

Quatro dias depois, em 5 de março de 2018, começou a Assembleia Nacional Popular (ANP), que iria concretizar a mudança na Constituição chinesa, aceitando a proposta do 19º Congresso do Partido Comunista, e permitindo a recondução ilimitada para o cargo de presidente da China, um benefício direto para o aspirante a ditador vitalício, Xi Jinping.

Embora diferentes assuntos tenham sido tratados durante as sessões plenárias, a atenção da mídia internacional e da população chinesa se concentrou nessa mudança inédita referente à presidência do país. As agências de notícias internacionais, como a *AFP*, destacaram o assunto, reproduzido também em veículos brasileiros, como *O Estado de Minas*. "A perspectiva de uma presidência ilimitada de Xi Jinping, de 64 anos, concentra as atenções. Xi chegou ao poder em 2013 e, com a mudança, poderia permanecer no cargo após o final de seu segundo mandato em 2023", publicou o jornal de Minas Gerais.

Ainda de acordo com a reportagem da *afp*, a perspectiva de um "presidente vitalício" gerou reações críticas e de descrença nas redes sociais, que os censores tentaram silenciar, bloqueando palavras como "imperador", ou "eu não concordo". Acompanhei essa censura nas redes sociais, e meu informante Theo ressurgiu, enviando mensagem para o meu WhatsApp, cuja conta pessoal sempre esteve vinculada somente ao meu número de telefone brasileiro, assim eu só o acessava via VPN. "Essa decisão aumenta o poder de Xi Jinping agora, mas no longo prazo será a causa de sua queda", limitou-se a dizer, e imediatamente se desconectou.

Naquele dia, fui conversar com uma jornalista uruguaia no Departamento de espanhol, e uma das suas colegas chinesas puxou papo comigo. Ela pegou o livro *A governança da China*, que reúne uma coletânea de discursos e pensamentos de Xi Jinping, com a foto do líder supremo estampada na capa. A chinesa fitou a capa com a figura de Xi, depois olhou para mim e disse, de forma irônica:

— Eu gosto muito dele, tá bom? Se alguém te perguntar, diga que eu gosto. Este é o meu presidente... para sempre. — E jogou displicentemente o livro em uma caixa de papelão com vários exemplares do mesmo livro.

Raramente, os chineses se permitem um tipo de comentário como esse em referência a seus líderes, ainda mais interagindo com um estrangeiro, e jamais dentro de uma estatal. Para criar coragem de fazer um comentário desse nível, ela estava mesmo indignada com os rumos da China sob a batuta de Xi Jinping. Tentei abordar o assunto com outros jornalistas e tradutores chineses da rádio, colegas dos departamentos de português, francês, árabe e alemão. Recebi uma resposta unânime, praticamente predefinida entre eles:

— Eu não comento esse tipo de decisão, faz parte da política.

Nas redes sociais chinesas, consegui ver as críticas antes de serem apagadas pelos censores. Circulavam ironias como "Bem-vindos à Coreia do Oeste" em referência à ditadura oligárquica da Coreia do Norte, e via-se na imagem um mapa da China com o novo nome. Os usuários de internet chineses também condenavam um novo culto à personalidade, enviavam imagens de cédulas de yuan substituindo a foto de Mao Tsé-Tung pela de Xi Jinping, além de muitos memes com o Ursinho Pooh, como os detratores costumam se referir ao líder chinês. Qualquer desenho desse personagem, criado na Inglaterra em 1921, é sumariamente eliminado da internet chinesa.

O Partido Comunista suprimiu o debate sobre a questão, recomendou que formadores de opinião não tocassem no assunto e aconselhou advogados a não mencionarem os trâmites legais capazes de permitir ou impedir a vitaliciedade do ditador chinês no comando do país. Esses e vários outros cuidados adotados pelo regime ditatorial deixavam clara a divisão dos chineses quanto à decisão. Por mais que o sósia do Ursinho Pooh sorrisse e acenasse confortavelmente aos seus três mil asseclas durante a Assembleia Nacional Popular, parte da China real recebia a confirmação da notícia, no mínimo, com ressalvas.

Ainda conforme o esperado, a assembleia incluiu os pensamentos de Xi Jinping na Constituição, e o governo espalhou na imprensa o conceito de "Nova Era". Sim, uma nova era de supressão de liberdade e de perseguição a opositores; uma nova era de monitoramento da população, de silenciar a sociedade e de executar prisioneiros; uma nova era de diplomacia agressiva, de expansão militar pelo mundo e de espalhar o terror contra seus inimigos.

A partir daquele momento, ao assumir superpoderes comparados apenas aos experimentados por Mao Tsé-Tung, Xi Jinping já tinha a China nas mãos.

Mas um inimigo externo o incomodava, e era necessário tirá-lo de cena.

A sombra externa

Donald Trump conseguiu se eleger presidente dos Estados Unidos em 2016, mesmo com uma campanha maciça da mídia em favor de sua adversária, Hillary Clinton. Para defender os interesses dos produtores norte-americanos, o magnata havia assumido na campanha o compromisso de lutar na seara internacional para tornar os produtos ianques mais competitivos, assim como impediria países estrangeiros de continuar se beneficiando dos acordos comerciais que puniam tanto a indústria quanto o agronegócio dos Estados Unidos. Ele recebeu da mídia o rótulo de protecionista, e dos eleitores, votos.

O então candidato republicano se referia em particular à China, e manteve seu posicionamento depois de assumir a Casa Branca. Em 2017, a administração Trump esquadrinhou o caminho para reduzir a invasão de produtos chineses no mercado norte-americano, solicitando um estudo sobre as práticas comerciais chinesas às autoridades de comércio americanas. Não havia nenhuma surpresa, os chineses não só não cumpriam os acordos como se beneficiavam da política de troca de "mercado por tecnologia".

E como isso funciona? De forma bem resumida, nos anos 1990, a indústria mundial começou a abrir fábricas na China em busca de mão de obra e logística baratas, inundando o país com o que havia de mais moderno em produção industrial. Em troca, deveriam dar empregos aos chineses e formar *joint ventures* com empresas locais, todas elas ligadas direta ou indiretamente ao Partido Comunista. Já no começo deste século XXI, a rápida expansão econômica da China criou um mercado consumidor imenso, que se tornaria o segundo maior do mundo em 2010, ficando atrás apenas dos Estados Unidos.

Assim, as empresas estrangeiras já não estavam mais interessadas só na mão de obra barata dos chineses, cujos salários haviam aumentado consideravelmente em vinte anos, mas sim no mercado consumidor de maior crescimento em toda a Terra. Em troca, o governo chinês exigiu da indústria internacional a transferência de tecnologia. Para simplificar: quer abrir uma empresa na China? Tudo bem, pode abrir, desde que você tenha um sócio chinês e compartilhe sua tecnologia e seus conhecimentos com a China (leia-se com o governo chinês).

E qual a exigência para empresários chineses abrirem empresas nos Estados Unidos? Nenhuma. No Brasil? Zero. Nas Filipinas? Inexistente. E na Inglaterra, Angola, Zaire, Paquistão e Tailândia? Nenhuma. Isto é, mais uma vez, a China sai como a única ganhadora nos acordos comerciais ou de propriedade intelectual com outras nações. Isso não tem nada de parceria, trata-se de exploração. Os países africanos, nos últimos anos, se tornaram uma das maiores vítimas dessa exploração chinesa, sob o pretexto de receberem investimentos. Na realidade, as nações africanas estão sendo endividadas e colonizadas pela China em pleno século XXI, e a imprensa internacional — pautada pelos veículos de comunicação dos Estados Unidos, da Alemanha, da França e da Inglaterra — raramente toca no assunto.

O alvo naquele momento era Donald Trump, e os jornalistas se apressaram em criar um nome para a disputa de mercado entre as duas maiores economias do mundo: "Guerra comercial". Afinal, era necessário colar o nome do presidente americano a uma guerra, pouco importa se haveria algum conflito armado. Nos dois primeiros anos de administração Trump, houve uma escalada das tensões na Península Coreana. O líder supremo da Coreia do Norte, Kim Jong-un, passou a testar mísseis de longo alcance na região, provocando um alerta geral em países próximos, sobretudo Japão e Coreia do Sul, aliados dos Estados Unidos.

Em janeiro de 2018, Trump já havia passado seu recado mais direto ao ditador norte-coreano via Twitter. "Meu botão nuclear é maior e funciona", afirmou em resposta aos testes militares da Coreia do Norte. As tensões na região aumentavam dia após dia, e Xi Jinping já demonstrava certa impaciência com seu colega ditador de cabelo espetado, uma vez que os Estados Unidos iriam se mobilizar e Trump, pessoalmente, assumiria um papel de protagonista para encerrar as hostilidades no nordeste asiático.

Para nós, estrangeiros que vivíamos em Pequim, a possibilidade de um confronto naquela porção do continente asiático causava sérias preocupações. A estabilidade emocional nunca foi o forte de Kim Jong-un, assim como, do outro lado, Donald Trump dava sinais de que o embate poderia ganhar contornos nucleares. Como Pequim fica a oitocentos quilômetros de Pyongyang, a capital norte-coreana, uma guerra com armas nucleares poderia trazer nuvens de radioatividade para nossas casas.

Boa parte dos estrangeiros pareciam ignorar a proximidade entre as duas cidades, embora estivessem em países diferentes. Para efeito de comparação, os oitocentos quilômetros equivalem à distância entre Uberlândia e Juiz de Fora, ambas localizadas dentro do estado de Minas Gerais, ou à distância entre Nova York e Detroit, as duas no nordeste dos Estados Unidos. Isto é, era perto o suficiente para deixar aqueles que estavam bem informados apreensivos.

Certa noite, em meio a esse momento de tensão, eu me reuni com três italianos na casa de um deles, que era casado com uma chinesa. O filho do casal, um pequenino sino-italiano de apenas dois anos, brincava no chão da sala com seus bonecos de super-heróis americanos enquanto conversávamos na mesa de jantar ao lado, tomando vinho e comendo pães com azeite e pasta de berinjela. Nossos celulares estavam desligados, dentro de um quarto onde havia uma TV ligada em alto volume. Tínhamos os planos A, B e C caso Pequim precisasse ser evacuada. Em uma situação-limite como essa, prevíamos que a legalidade e o bom senso seriam sacrificados em nome do bem-estar dos protegidos do Partido Comunista.

A esposa chinesa do italiano tinha família em uma cidadezinha na província de Shaanxi, a caminho de Xi'an. Lá, estaríamos protegidos contra eventuais precipitações radioativas, isso nos deixava um pouco mais tranquilos. Já havíamos providenciado uma casa com aluguel temporário, prevendo uma longa estada enquanto os ânimos não se acalmassem e pudéssemos deixar a China em segurança.

Mas a única guerra em curso não se tratava de um conflito armado, era só a guerra comercial, tratada pela mídia internacional como uma retaliação tarifária dos Estados Unidos contra a China. Já a imprensa estatal chinesa não poupava impropérios contra o presidente norte-americano, chamando-o diariamente de traidor. A cúpula do Partido Comunista se sentia traída após a recepção calorosa oferecida ao primeiro-casal americano meses antes. No dia 22 de março de 2018, Trump assinou um memorando, instruindo as autoridades de comércio exterior do país a aplicar tarifas de 50 bilhões de dólares sobre os produtos chineses. Em julho, agosto e setembro daquele ano, os Estados Unidos elevaram gradativamente as tarifas que impactariam nas importações de artigos chineses, cuja soma chegaria a 200 bilhões de dólares.

— Eu não entendo o objetivo dessa guerra comercial, as exportações não impactam tanto assim o PIB americano — disse-me o jornalista americano Ken S., que trabalhava em Pequim.

A maioria dos jornalistas, na realidade, era incapaz de entender que a elevação das tarifas deveria ser apenas o começo de uma nova realidade nas transações internacionais, cujo objetivo final seria a propriedade intelectual, desafiando a China a competir em pé de igualdade com os demais países. Porém, as intenções de Trump pouco interessavam à mídia de seu país, obstinada em atacá-lo até conseguir provocar seu *impeachment*, sob quaisquer acusações.

Em Pequim, o tom agressivo da mídia estatal contra o mandatário americano deixava clara a irritação de Xi Jinping. O ditador chinês não teria paz em seus mandatos enquanto Trump ocupasse a Casa Branca. Articular-se para tirá-lo do cargo ou impedir sua reeleição se tornou uma das prioridades do Partido Comunista Chinês, segundo informações cifradas que recebi de Pagani, encaminhadas a partir do grupo de informantes estrangeiros. O regime chinês precisava, de alguma forma, tirar Trump do caminho antes da conclusão do segundo mandato de Xi Jinping.

Se Trump se reelegesse em 2020 para mais quatro anos na Casa Branca, o líder chinês encontraria mais dificuldades em manter o crescimento econômico chinês a altas taxas, uma condição crucial para garantir seu apoio popular e partidário. Assim, nenhum esforço deveria ser poupado na missão de desalojar Trump da Casa Branca e macular sua imagem perante o eleitorado dos Estados Unidos.

atedral de Santa Sofia, em Harbin, sob uma emperatura de 30 graus negativos. Janeiro de 2018.

Termômetros marcam sensação térmica de 37 graus negativos pela manhã em Harbin, perto da fronteira com a Rússia. Junho de 2018.

guarias oferecidas por restaurante de Harbin, entre elas cabeça de esturjão, lebre e aisão. Animais são exibidos na calçada, congelados pelo frio de 25 graus negativos.

Palestra em evento da cúpula do Brics realizada em Brasília no mês de novembro de 201

Foto oficial da equipe que trabalhou na tradução do discurso de Xi Jinping para línguas estrangeiras e para os idiomas reconhecidos dentro da China. Abaixo, a esquerda, Xi Jinping, sentado ao lado do primeiro-ministro Le Keqiang. O autor aparece à direita na foto, na terceira fileira de baixo para cima.

26. A cadeia de mentiras

Mentir é maldade absoluta. Não é possível mentir pouco ou muito; quem mente, mente. A mentira é a própria face do demônio.

VICTOR HUGO

Estávamos em 2018 e a sala de português da CRI não passava por uma limpeza desde 2016. No meu primeiro dia de trabalho na Rádio Internacional da China, percebi poeira excessiva na minha mesa e no teclado do computador, assim como emaranhados fios de cabelo rolando pelo chão quando batia um vento. Lembravam aqueles maços de mato rolantes do deserto do Novo México, só faltava aparecer um coiote. A forte poluição contribuía para agravar a situação, então solicitei à coordenação que, na próxima faxina, limpassem a minha estação de trabalho, aparentemente abandonada por um longo período.

— Não temos serviço de limpeza — recebi como resposta. — Cada um de nós cuida do nosso espaço — disse-me Catarina.

Bom, "cuidamos" era um eufemismo para dizer "mantemos a sujeira como está". No dia seguinte, levei um pacotinho de lenços umedecidos e álcool em gel para tornar o ambiente a meu redor menos grudento. Removi também algumas crostas de poeira achatadas no espaço sob os pés da minha cadeira. A higiene nunca foi a característica mais marcante dos chineses, contudo, aquela situação estava abaixo da média inclusive da CRI, os departamentos de português e espanhol se classificavam entre os piores de todo o edifício.

Isso porque nossos chefes imediatos resolveram cortar custos, a fim de agradar seus superiores — isso é muito importante na cadeia dos burocratas comunistas —, enquanto nós trabalhávamos em condições precárias de higiene. Semanas depois descobri haver um mutirão de limpeza entre meus colegas, que era dividido em grupos. Eu só percebi quando chegou a vez do meu grupo, afinal a faxina era extremamente precária, mal havia produtos de limpeza. Quando me informaram sobre a minha participação no tal mutirão, eu me insurgi contra o subchefe do departamento, um dos integrantes da minha equipe de limpeza. Momentos de tensão:

— Eu pago uma faxineira, podem largar tudo aí — falei. — Não se preocupem, será com o meu dinheiro, eu não vim para a China trabalhar como faxineiro.

Meus colegas congelaram, ficaram me olhando sem jeito, era a primeira vez que alguém propunha contratar uma faxineira particular para limpar a sala. Finalmente, uma colega me disse:

— Tudo bem, fique tranquilo, você não precisa participar. É que não podemos pagar alguém que não seja registrado na empresa — explicou ela.

Droga, eu não podia voltar atrás, precisava manter meu ponto de vista. Afinal, outros departamentos contavam com limpeza regular. O sétimo andar, dos árabes, era uma maravilha, brilhava de tão limpo, era possível colar o chiclete no chão e depois voltar a mascá-lo. O departamento de inglês também era bem cuidado. Em suma, nada se equiparava ao mau estado dos departamentos de espanhol e português. Até na sala de francês, no mesmo andar que o nosso, respiravam-se melhores ares. Isso porque eles estavam mais distantes dos banheiros. A maior vítima, nesse caso, era o departamento de espanhol, cujas portas de entrada se avizinhavam à copa e aos banheiros. O sanitário masculino exalava um odor ininterrupto de urina, impregnado até nos encanamentos, e havia um vazamento aparentemente irreparável, já que ninguém solucionou aquilo por dois anos. No inverno, com temperaturas abaixo de zero, os chineses fechavam as janelas, tornando o ambiente irrespirável. O amigo argentino, Maurício P., colou cartazes, em mandarim, solicitando a todos manter as janelas do banheiro abertas e a porta, fechada.

— *Hijos de mil padres!* [Filhos de mil pais!] — ele exclamava quando se deparava com a porta aberta.

A copa contava com uma pia, armários e a máquina de água quente. Sim, os chineses só bebem água quente, e não estamos falando de água à temperatura ambiente, muito menos morna. A máquina, do tamanho de uma geladeira grande, possui duas torneiras metálicas maciças de onde a água sai a temperaturas entre 98°C e 100°C, conforme mostra o visor digital em tempo real. Ou seja, a água sai fervendo. Eu a aproveitava para preparar chá e café. Mesmo havendo pelo menos duzentos estrangeiros trabalhando no edifício, só havia aquela água pelando para beber. Quem quisesse água fresca, precisaria comprar na cafeteria ou trazer de casa. Outra possibilidade consistia em encher uma garrafa com água fervendo e esperar esfriar.

A água continuava fervendo no verão, quando a temperatura em Pequim pode chegar aos quarenta graus. Ao lado da máquina de água escaldante havia um balde com uma grande peneira ajustada no topo. Ali deveriam ser descartadas as folhas de chá, uma vez que os orientais consomem o chá a granel, de melhor qualidade, não os vendidos em saquinhos. Mas a peneira acumulava de tudo: cascas de banana, maçãs roídas e outros descartes de comida de todos os tipos.

Havia serviço de limpeza tanto na copa quanto nos banheiros, mas as funcionárias, sempre muito amáveis, não davam conta de tanta imundície acumulada.

Para ajudar a sujar mais um pouco, todas as salas tinham uma mesa onde as pessoas traziam "presentes" para dividir com seus colegas. Ou seja, comida, porque presente, para chinês, é quase sempre comida. Os chineses beliscam o dia todo, e ainda assim vivem famintos.

Na maioria das vezes, colocávamos ali quitutes que trazíamos de alguma viagem. Quando eu voltava do Brasil, acomodava na mesa bombons Sonho de Valsa e Paçoquitas. Uma vez trouxe também os caros chocolates especiais da marca Kopenhagen, recebidos com o mesmo apreço dispensado às paçoquinhas de amendoim. Os chineses, por sua vez, traziam os mais variados petiscos de todas as regiões da China, dos lugares onde viviam seus familiares ou de outras regiões para onde viajavam.

Na realidade, era uma cortesia bastante simpática da parte deles, mas a comida ia se acumulando, o farelo se espalhava por toda a mesa, caía pelo chão e assim ficava. Uma das primeiras coisas que apareceu na mesa quando comecei a trabalhar na emissora foi uma embalagem grande com a imagem de um pato feliz, desses de desenho animado, com vários pacotinhos ilustrados por patinhos coloridos. Pareciam embalagens de balas, gelatina ou bolinhos doces, mas na realidade ali dentro havia fígado de pato, coração de pato, estômago, asinhas, bexiga e todo o tipo de vísceras de pato.

Isso é muito comum na china, carnes de todos os bichos embaladas a vácuo. Muitas vezes meus colegas também deixavam ali peixe seco, rosas comestíveis, frutas secas, amendoim, sementes de girassol, camarões desidratados e um inusitado caranguejinho crocante. Sim, caranguejos mesmo, mas bem pequenos, fritos e crocantes, que vêm em pacotes idênticos aos de batatas fritas.

A variedade de alimentos na China é imensa, arriscaria dizer ser a maior do mundo, considerando seu imenso território, os cinco mil anos de História e uma população de 1,4 bilhão de habitantes. Tudo que anda, rasteja ou se move na China pode virar comida. Mas as comidas exóticas do imaginário popular ocidental, como insetos, são bastante raras. Estamos falando da nação que mais produz alimentos em todo o planeta, seguida por Índia, Estados Unidos e Brasil.

Uma população dessas proporções jamais sobreviveria à base de gafanhotos. Os chineses não dispensam o arroz branco, sempre servido em tijelinhas redondas. Também são aficionados por macarrão, massas e sopas, alho, batata, berinjela, pimentão, cebola, ovos e tomate, muita carne de frango, porco, pato e carneiro, além de peixes variados e frutos do mar de todas as cores e diversos tamanhos. Em Pequim, é muito comum comprar espetinhos de lula pela cidade. No começo, é estranho ver mocinhas delicadas fincando os dentes em lulas enquanto caminham pelas ruas, mas depois nos habituamos.

O clima e as estações do ano também determinam os pratos do momento, e olha que o clima muda bastante de acordo com cada região. O território chinês ocupa um pedaço importante da Ásia, incluindo um dos maiores litorais do mundo, montanhas altas, pradarias, vales, planícies, florestas e desertos. As temperaturas no país têm uma das maiores variações simultâneas em toda a Terra.

Em janeiro de 2018, por exemplo, no momento mais frio do inverno, viajei com uma amiga para Harbin (哈尔滨), capital da província de Heilongjiang (黑龙江), no extremo norte da China, perto da fronteira com a Rússia, em uma das regiões mais frias do planeta. Nas madrugadas que passamos em Harbin, enfrentamos um frio de –37°C. Isso mesmo, trinta e sete graus abaixo de zero, poucas vezes me senti tão feliz. Congelado, porém feliz. Visitamos a cidade de gelo, o parque das esculturas, e caminhamos sobre o rio Songhua totalmente congelado, onde crianças patinavam e adultos chicoteavam seus peões gigantes a girar por vários minutos seguidos sob açoites incansáveis.

Na cidade de dez milhões de habitantes, provamos algumas das delícias da culinária regional, preparadas também com o intuito de enfrentar baixas temperaturas, como sopas de carne, batata e vegetais da montanha. Também apreciamos um caldo de tubarão e uma porção de lebre assada, camarões fritos, sem contar as tradicionais salsichas de Harbin — acabamos comprando um punhado para levar de volta a Pequim. Para acompanhar a comida, bebemos a lendária cerveja Harbin, produzida na cidade.

Duas semanas depois dessa experiência congelante, viajei para o outro extremo do país, no sul da China, convidado a participar como jornalista da Feira Internacional de Cafés Especiais, a ser realizada na cidade de Pu'er (普洱), na província de Yunnan (云南). A cidade empresta seu nome a um dos chás mais famosos da China, e um dos meus preferidos. A província desponta como a maior produtora de café da China, país responsável por 1% da produção mundial — o Brasil lidera esse ranking, com 28% do total.

Em um hiato de 14 dias, eu havia cruzado quatro mil quilômetros do norte ao sul da China, saindo dos arredores da Rússia para avizinhar a fronteira de outros três países: Laos, Vietnã e Mianmar. No Norte, eu estava na terra dos tigres e ursos chineses, já no Sul, conheci o reino dos elefantes. Enquanto trafegávamos com minha equipe da CRI nas estradas de Yunnan, percorrendo o trecho da capital Kunming até

Pu'er, víamos placas de trânsito alertando sobre os elefantes selvagens que poderiam cruzar a pista. Incrível, raramente nos lembramos da China como um país de elefantes, mas a verdade é que até hoje eles habitam o extremo sul do país, e nos dias em que lá estivemos os paquidermes gigantescos danificaram as estruturas de uma fazenda de café localizada a cerca de cinquenta quilômetros de Pu'er.

A temperatura na cidade do sul batia os 23°C por volta do meio-dia, mas caía para 9°C durante a madrugada, tornando o clima perfeito para degustar cafés do mundo inteiro. Eu experimentava pelo menos cinco por dia, de diferentes países, entre eles grãos da Etiópia e do Quênia, deliciosos cafés da Indonésia, Vietnã, Tailândia e Camboja, sem contar os tradicionais cafés do Brasil, Colômbia, Jamaica e Equador.

Em questão de dias, entre Harbin, Pequim e Pu'er, passei por uma variação de temperatura de sessenta graus dentro do mesmo país, uma experiência oferecida por pouquíssimas nações ao redor do globo. Além dos cafés produzidos na província chinesa, cada vez mais saborosos, provamos pratos da fantástica culinária de Yunnan, uma das melhores de toda a China. Comemos diferentes peixes preparados com vegetais e pimentas em abundância, o arroz de abacaxi, carne de iaque com batata, macarrão de arroz e cogumelos condimentados, entre outros quitutes.

Dias depois, de volta à realidade de Pequim, toda essa variedade de comida da China parecia caber empilhada naquela mesinha do departamento de português. De vez em quando, eu ou outro colega brasileiro éramos acometidos por alguma espécie de transtorno obsessivo e organizávamos a imensa bagunça para, dias depois, a mesa ficar com aquela cara de fim de festa novamente. Esse era meu acolhedor ambiente de trabalho na capital chinesa.

Dados manipulados

Uma máxima sobre oponentes pode e deve ser aplicada ao Partido Comunista Chinês: "Nunca subestime seu adversário. Mas também não o superestime". No imaginário dos brasileiros, a comunicação encabeçada pelo PCCh se situa na categoria de "superestimada". Porque o cenário real, visto por nós, estrangeiros a serviço da comunicação estatal da China, se resume a uma estrutura inchada, aparelhada por membros do partido e muitas vezes desorganizada, com fortes tendências ao amadorismo.

As escolas de comunicação da China sofrem limitações qualitativas na formação de profissionais justamente pela restrição às informações no país. Da mesma forma, os treinamentos oferecidos pelo partido nessa área também deixam a desejar, uma vez que as lideranças temem oferecer aos seus comandados uma elaborada capacidade crítica e analítica. É assim que funciona a mídia estatal e também as grandes empresas chinesas, inclusive as ditas empresas privadas.

Assim como ocorreu na União Soviética, os interesses do partido usurparam os interesses da nação. Vale ressaltar que o cargo mais importante na URSS era o de secretário-geral do Partido Comunista, assim como o é na China. Como consequência, os interesses individuais de cada membro do PCCh também deixam de ser os esforços em favor do país e passam a se concentrar nos ganhos para o partido, resultando, ainda, em uma falta de identidade nacional. Em um segundo momento, superada essa lacuna de identidade nacional, os filiados ao PCCh começam a confundir os valores do partido com suas vantagens particulares.

Dessa maneira, forma-se uma cadeia de interesses pessoais ou de pequenos grupos na qual a prioridade passa a ser impressionar seu superior imediato, que fará o mesmo em relação ao seu superior imediato, e assim sucessivamente, com a finalidade de ascender na hierarquia, desembocando em uma escala de ambição por dinheiro, *status* e poder por sua vez descolada da unidade partidária.

Assim, a cadeia de mentiras dos oficiais comunistas explica com precisão os escândalos de PIBs inflados em diferentes regiões da China na última década. Uma série de índices fabricados veio à tona no começo de 2017, colocando em xeque o já contestado crescimento econômico nacional. Os índices revelavam um inchaço preocupante no PIB da província de Liaoning entre os anos de 2011 e 2014. A falsificação de dados pode ter aumentado o PIB em 20% no período, o suficiente para impactar a totalidade da economia chinesa.

"'A província chinesa de Liaoning fabricou dados fiscais durante quatro anos', admitiu um alto funcionário, no mais recente golpe para a já instável reputação das estatísticas econômicas da China", escreveu o *Financial Times* em uma matéria publicada no dia 18 de janeiro de 2017. Com 44 milhões de habitantes, o equivalente à população da Argentina, Lianoing era até então uma das joias do crescimento econômico chinês. A conduta reprovável dos membros do Partido Comunista, ocupantes de cargos em diferentes hierarquias estatais, desencadeou uma onda de revelações de fraudes semelhantes em cidades de diferentes províncias.

Chongqing, cuja população em sua área metropolitana expandida compreende 30 milhões de residentes, também inflou os dados de sua economia. A megalópole, uma das quatro sob a administração direta do governo central, possui mais habitantes que toda a Venezuela, e sua mágica fiscal decerto impactou o desempenho do PIB nacional, embora o PCCh não tenha revisado seus números oficiais depois de divulgados, ao menos não de maneira substancial.

Da Mongólia Interior emergiu uma das maiores fraudes contábeis perpetradas por oficiais chineses. "Baotou, na Região Autônoma da Mongólia Interior, revisou sua receita fiscal estimada em 2017, reduzindo-a em quase 50% em um relatório de trabalho anual", publicou a Reuters em uma matéria também veiculada em 18 de janeiro de 2017, assinada pelos jornalistas Yawen Chen e Ryan Woo. Repito: estrondosos 50% de diferença na cidade mais populosa da província que faz divisa com a Mongólia.

Em todas essas manipulações fiscais há uma coincidência bastante sólida: diferentes escalões do funcionalismo público se envolveram nas fraudes, em maior ou menor grau, alimentando uma cadeia de inverdades, uma bola de neve inescapável para aqueles obstinados em ascender dentro da estrutura partidária. Como resultado, a credibilidade da China vive sob suspeição, embora conte com a benevolência de analistas bem pagos pelo capital borbulhante do país.

A Rádio Internacional da China, bem como outros veículos da mídia estatal, não fugia à realidade dessa rede de interesses. Em minhas primeiras semanas de trabalho na rádio, estive tão inundado de afazeres que mal pude observar os movimentos de meus colegas. Com o passar do tempo, reparei na realização de reuniões semanais, das quais nem todos os funcionários participavam. Depois de insistir com perguntas muitas vezes incômodas, finalmente um colega chinês, que manterei no anonimato por questões de segurança, me respondeu:

— Só os membros do partido participam da reunião.

Naquele momento me dei conta de que 70% dos meus colegas do Departamento de português eram filiados ao partido, uma média mantida nos demais núcleos da emissora. Isso justificava boa parte dos carrões ostentados no estacionamento da rádio, embora os salários dos funcionários fossem modestos. Não, aqueles modelos de luxo não haviam sido comprados com dinheiro de corrupção, mas por intermédio dos sucessivos ganhos com trabalhos extras e comissões.

Funciona assim: dentro da estrutura inchada de funcionários, regra do setor público em uma nação socialista, sobra tempo para boa parte dos empregados executar tarefas extras. Os membros do Partido Comunista são os primeiros a ganhar um naco dos polpudos contratos extras, e com frequência subcontratam os colegas não filiados ao PCCh, geralmente mais dedicados e preparados para os trabalhos demandados. Para isso, os membros do partido, "donos do contrato", recebem uma comissão a mais.

Os carrões parados no estacionamento que eu atravessava diariamente não condiziam com os salários dos meus colegas. E eu conhecia o holerite de cada um. Como? Na China ninguém esconde seu rendimento, até os motoristas de táxi perguntam quanto é o seu salário. Na CRI, havia uma tabela pregada em um pequeno mural expondo os salários de todos os meus colegas chineses. No começo, achei constrangedor, mas depois me acostumei. Ninguém sobreviveria em Pequim com aquele rendimento, principalmente considerando o alto valor de aluguel ou compra de imóveis na cidade. Os trabalhos extras eram mais que bem-vindos por todos. Até mesmo eu me beneficiei de alguns.

Passados alguns meses desde a minha chegada, comecei a questionar os resultados obtidos pela emissora, como o número de ouvintes dos nossos programas radiofônicos, a quantidade de leitores da revista produzida pelo departamento e o número de *page views* [visualizações de página] mensais, entre outros dados. O programa de rádio que eu apresentava, por exemplo, além de estar disponível na internet, deveria ser transmitido por uma emissora de rádio de Brasília e outra do Rio de Janeiro. Acionei amigos brasileiros nas duas cidades para vasculhar as emissoras parceiras da CRI, e minha suspeita se confirmou: os programas eram veiculados de maneira irregular, geralmente de madrugada, quando a audiência é mais baixa.

As emissoras brasileiras estavam quase falidas e a parceria significava um fôlego para continuarem operando. Por pior que fossem as notícias enviadas da China, no mínimo representavam a possibilidade de veicular um programa internacional a custo zero para as estações de rádio. Além disso, o departamento comercial delas buscava negociar publicidade com empresas chinesas, nem sempre alcançando sucesso.

Os relatórios que obtive, escondido da chefia, depois de muita insistência, eram manipulados sem o menor pudor. Os números eram inflacionados em até 400%. De qualquer forma, atendiam às exigências da diretoria da CRI, única coisa que importava para os membros do partido. Afinal, quem no PCCh teria condições de fiscalizar aqueles números? A conveniente confiança entre os diferentes escalões do partido garantia o pagamento de bônus anual e a expectativa de uma promoção dentro de alguns anos. No caso da mídia estatal chinesa, as mentiras contadas pelos membros do Partido Comunista têm baixo poder destrutivo, pois seu produto final é a capacidade de comunicação. Se ela não funcionar adequadamente, o resultado se limitará a uma propaganda cara e ineficiente.

Mas qual o impacto dessa rede de mentiras quando aplicada às Forças Armadas? E ao setor aeroespacial? E quanto à infraestrutura construída pela China em nações ao redor da Terra? E no setor energético?

Quando a cadeia de interesses movida a mentiras se desenrola dentro de uma usina nuclear, por exemplo, como ocorreu na União Soviética, então temos o desastre de Chernobyl e suas consequências nefastas.

27. A mentira como notícia

Certo dia, fui contatado por outra gigante de mídia na área de TV paga, produção de vídeos e dublagens, a Startimes. Alguém havia recomendado meu nome para participar, simultaneamente ao meu trabalho na rádio, de dublagens em português. Elegantemente recusei, pois a empresa ficava muito longe da minha casa, a 42 quilômetros de distância, e eu precisaria de duas horas para ir e duas para voltar. No segundo contato, acabei aceitando, pois seria um trabalho de apenas um dia, começando cedo e terminando de acordo com a velocidade com que gravássemos.

Então, com duas semanas de antecedência, solicitei a minha contratante que enviasse o nome do personagem que eu iria dublar, sua idade, seu perfil psicológico e qual era o estilo do filme. Também solicitei um curto vídeo com uma fala do personagem e pedi para me adiantar as falas em português, assim eu já iria ensaiando para oferecer um trabalho rápido e de qualidade. Era o mínimo de profissionalismo que eu esperava, como estava acostumado no Brasil.

"Está bem, vou mandar", ela me respondeu. Os dias foram se passando, e nada de eu receber o material demandado. Cobrei novamente faltando uma semana para a gravação, e recebi outra resposta. "Fique tranquilo, você será o vilão de um filme mexicano", ela me falou. Insisti na obtenção do material, e recebi outro "está bem". É claro que eu não recebi nenhum material e fui para a gravação às escuras.

No sábado, tomei o metrô perto de casa, em Babaoshan, às 6h30, e desembarquei na estação Jingjhailu (经海路) por volta das 8h20, percorrendo 28 estações de três linhas diferentes, e caminhei mais quinze minutos até chegar aos estúdios, com tempo de sobra para reclamar da falta do material que eu havia pedido. As gravações estavam programadas para começar às 9h, e se limitaram a dizer para eu não me preocupar. Às 8h55 entrei em um dos estúdios com o produtor, ele me entregou um fone de ouvido, pediu para eu me sentar no banco em frente ao microfone, e disse:

— Vai aparecer uma cena na tela com o seu personagem. Quando ele começar a falar, você lê as legendas em português sincronizando com o movimento da boca do personagem.

O quê? Assim mesmo, na improvisação? Sem leitura prévia nem ensaio, muito menos preparação? Exatamente assim, improviso e amadorismo completos, e começamos pontualmente às nove horas, acelerando ao máximo para terminar tudo em um dia. O trabalho era mais exaustivo do que eu imaginava. Fizemos uma breve pausa de dez minutos às 10h30, e ao meio-dia paramos para almoçar. Recomeçamos o trabalho às 13h para seguir sem parar até as 16h30, hora em que o estúdio começava a encerrar suas atividades aos sábados. O texto em português era horroroso, e muitas das falas se revelavam muito mais curtas ou mais longas que a duração do movimento dos lábios do personagem.

Sempre muito perfeccionista, eu fazia questão de alterar os textos para torná-los adequados à fala do meu personagem, algo que tomou ainda mais tempo. Por fim, apesar de todo o esforço, precisei retornar no sábado seguinte para terminar a gravação, concluída em uma hora e meia. Ou seja, nessa segunda vez, eu levei mais tempo no trajeto de ida para o estúdio do que permaneci efetivamente trabalhando. Assinei o contrato pelo serviço prestado e fui embora decidido a nunca mais voltar.

A empresa me contatou um mês depois, eu recusei a proposta, estava determinado a nunca mais retornar. Voltou a me ligar dois meses depois, recusei novamente, nada mudaria minha decisão. Recebi uma terceira proposta no ano seguinte, e aceitei, mas esclareço: era uma série colombiana, quase uma novela com mais de quarenta capítulos, e eu seria o vilão máster do começo ao fim. Isso me garantiria semanas consecutivas de dublagem e diversão. Depois, dublei um unicórnio em um desenho animado, dessa vez eu era o herói, e também fui um dragão com curta aparição em outra animação, além de um médico em uma nova minissérie colombiana.

Enfim, não havia muito critério nem padronização dos personagens, para os chineses importa executar o trabalho logo, entregar o produto e receber o pagamento. A qualidade é apenas um detalhe. Na primeira série mexicana, por exemplo, a família do meu personagem era dublada por mim, brasileiro, e as demais pessoas da mesma família, a esposa e duas filhas, eram dubladas por nativas de Portugal, Angola e Guiné-Bissau, cada uma com sotaque diferente, mas todos nós vivendo sob o mesmo teto. Fico imaginando a confusão na cabeça de quem assistia àquela série.

O valor pago pelo serviço era razoável, mas bastante abaixo das gravações extras que eu fazia para duas empresas chinesas de defesa e armamentos. Descobri que vários dos meus colegas jornalistas, sobretudo africanos, faziam o mesmo trabalho de dublagem na Startimes para ganhar um dinheiro extra.

Na realidade, era mais que um extra, pois eles gravavam duas ou até três vezes por semana, igualando a renda da dublagem ao salário recebido na CRI. Isso porque os africanos recebiam salários mais baixos que os europeus na emissora. Segundo a Rádio Internacional da China, a diferença salarial se justificava pela diferença do custo de vida nos respectivos países. Ora, balela, estávamos todos morando na capital chinesa, vivendo a mesma realidade de gastos, os salários deveriam, portanto, ser equivalentes. Quanto à dublagem em si, de qualidade duvidosa, ela não chegava a incorrer em prejuízos além da comicidade e do serviço malfeito.

Desonestidade editorial

Um movimento muito mais perigoso tem se desenhado tanto no Brasil quanto em outras nações. O comportamento amoral de parte dos profissionais chineses, muitos deles filiados ao PCCh, estende-se por todos os setores sociais e produtivos, incluindo a mídia, liderada pelos mais fortes braços da propaganda comunista: a agência Xinhua e o Grupo de Mídia da China. Este último firmou acordos de cooperação com emissoras de TV no Brasil, como a Band, a Globo e, pasmem, com a EBC, a emissora do governo federal.

O grupo de mídia chinês agora adentra os lares brasileiros oferecendo o mais absurdo cardápio de *fake news* da mídia mundial. E não só pela agenda socialista obrigatória, mas também pelo total descompromisso com a verdade. Relato, a seguir, dois episódios para ilustrar do que é capaz o jornalismo chinês, com o qual convivi durante anos atuando em Pequim. O primeiro ocorreu em 2017, quando um jornalista da emissora CCTV, Wang Y., me procurou para que eu fosse o entrevistado de uma reportagem sobre geopolítica. Aceitei. E o repórter me pediu para indicar também um russo para participar da mesma matéria.

Entrei em contato com um colega, mas ele estava viajando. Falei com outro russo, que me informou estar com a agenda lotada naquela semana. Quando repassei essas respostas ao repórter chinês, ele me disse que eu poderia chamar qualquer pessoa que falasse russo. Então recorri a um jornalista ucraniano, Anatoly, que prontamente aceitou.

No dia da entrevista, ocorreu-me que a reportagem poderia ter relação com a reunião do Brics, a ser realizada dentro de duas semanas na cidade chinesa de Xiamen. Ou seja, a TV precisava de fato de um russo, cidadão de um país-membro do Brics, e não de um ucraniano. Consultei Wang Y., da CCTV, ele confirmou a minha suspeita e ouvi algo surreal. "Russo, ucraniano, tanto faz", disse ele. "O que importa é falar russo e ser branco. Vamos falar na reportagem que ele é russo, ninguém vai saber a origem dele mesmo."

Só faltou eu chamar o repórter chinês de ignorante. Mesmo assim, ele deu de ombros. Avisei Anatoly sobre a vigarice. Indignado com a história, mesmo conhecendo as constantes maracutaias chinesas, o ucraniano se recusou a conceder a entrevista, obrigando a TV chinesa a buscar, em cima da hora, outra alternativa. Talvez alguém da Bielorrússia.

Tradutor *fake*

Essas situações, que nos parecem bizarras, eram na realidade corriqueiras durante toda a minha experiência na China, tornando difícil selecionar apenas dois entre tantos casos. O segundo ocorreu em 2018. Um diretor de jornalismo da CCTV buscava jornalistas estrangeiros para participar de um programa de auditório em que seria anunciado um novo aplicativo de tradução simultânea.

Lá fomos nós outra vez, selecionados entre a nata da nata do jornalismo internacional que atuava no Grupo de Mídia da China. Fui o escolhido para fazer o teste de tradução "ao vivo" em português, acompanhado por colegas provenientes de França, Vietnã, Turquia, Índia, Alemanha, Inglaterra, Tailândia e Rússia. Partimos da rádio numa manhã quentíssima de julho, acomodados em luxuosas Mercedes, com destino aos estúdios da CCTV, nos subúrbios de Pequim. Cabe mencionar que o edifício-sede da emissora, localizado na região central de Pequim, é um dos cartões-postais da capital chinesa, dotado de uma arquitetura realmente impressionante.

Já os estúdios para onde nos levaram faz o Projac, da Globo, parecer uma maquete. Chegando lá, fomos orientados a participar de um programa num auditório de suntuosidade incomparável com qualquer estrutura que exista na

América Latina. Nesse espaço de luzes excessivas, tomado por maquiadores, cabeleireiros e produtores, fomos colocados à prova durante o programa veiculado por um dos canais mais populares da CCTV.

O que a imensa plateia no auditório e os milhões de telespectadores não sabiam, contudo, é que o teste havia sido todo forjado, fraudado mesmo. As traduções foram feitas com dias de antecedência, e a apresentação na TV não passou de pura encenação. Mais uma vez, eu me via constrangido ante a picaretagem da mídia chinesa. Sem o menor pudor, milhões e milhões de pessoas são diariamente enganadas pela mídia da China dentro e fora do país. Inexiste nos canais de comunicação do país qualquer forma de compromisso com a verdade ou pacto com a honestidade.

As mentiras propaladas pela imprensa chinesa, sejam aquelas vinculadas à agenda política, à propaganda enganosa do estilo de vida chinês ou mesmo à venda de produtos *Made in China*, agora estão disponíveis nos lares brasileiros. Neste momento, para se sentir enganado pelos chineses, não é preciso mais comprar no Ali Express. Basta ligar a TV.

A propaganda do regime

Nos últimos anos, veículos de mídia do Brasil assinaram acordos de cooperação e compartilhamento de conteúdo com o Grupo de Mídia da China (GMC), o maior conglomerado de comunicação do gigante asiático, que tem avançado vorazmente sobre a comunicação nos países latino-americanos e africanos, sem deixar de fora algumas nações do Oriente Médio e da Europa. A Rádio Internacional da China (CRI), onde eu trabalhava, era um dos braços do conglomerado.

Esses acordos entre grupos de comunicação de diferentes nações ocorrem há décadas, sem jamais terem levantado qualquer tipo de suspeita ou questionamento, desde que respeitadas as regulamentações de mercado para evitar monopólios. Então, o movimento do GMC no Brasil se enquadra nessa regra e deve ser tratado como algo natural, certo? Não, de forma nenhuma.

A diferença é que os convênios observados ao longo das últimas décadas são firmados entre entes privados, ou estatais de países democráticos, enquanto o Grupo de Mídia da China consiste em uma rede estatal que promove a agenda da ditadura chinesa, controlado diretamente pela cúpula do Partido Comunista. Dessa forma, o partido usa o subterfúgio da cooperação para promover a mais deslavada propaganda do socialismo chinês, influenciando a política, o sistema econômico e o entendimento social entre as populações estrangeiras.

No Brasil, além da Globo e da Band, há emissoras de rádio conveniadas à Rádio Internacional da China, que opera em 65 idiomas, com potencial de ser compreendida, dessa forma, por 80% dos habitantes da Terra. A emissora de rádio chinesa também pertence ao GMC. Conhecido em mandarim por *Zhongyang guangbo dianshi zong tai* (中央广播电视总台), o Grupo de Mídia da China tem como carro-chefe a CCTV, chamada de CGTN nos canais estrangeiros. Com seus novos tentáculos em países de todos os continentes, o grupo estatal constitui hoje o maior instrumento de propaganda comunista no mundo.

A crise financeira que se abate sobre a mídia global, sobretudo nos países de economia mais frágil, abre os flancos para a entrada do grupo de mídia chinês. No Brasil, a situação é bem fácil de entender. Os conglomerados de comunicação, que passaram décadas usufruindo dos recursos públicos agora estancados no âmbito federal, estão vendendo seu controle a investidores, como a Editora Abril, por exemplo, salva pelo capital privado de um banco quando estava à beira da falência.

A situação financeira da Band neste começo de década é tão ou mais grave que a da maioria das empresas de comunicação brasileiras. Os prejuízos anuais contínuos levam à busca por novas receitas, mesmo que venham pelas mãos de um regime genocida. O China Media Group (como é conhecido em inglês) possui um orçamento anual estimado em 8 bilhões de dólares, e aumenta a cada ano. Independentemente do valor obtido com publicidade privada, o governo chinês completa a diferença, pois seu objetivo inadiável consiste em amplificar rapidamente a propaganda pró-China pelo mundo.

No vale-tudo pela audiência de populações estrangeiras, a CCTV-CGTN repete práticas reprováveis já adotadas em seu país de origem. As notícias não guardam o menor compromisso com a realidade, sendo distorcidas para levar uma mensagem enganosa aos telespectadores. Nomes trocados, cargos falsos, dados distorcidos e fatos inexistentes elevam as *fake news* a um patamar jamais visto no Brasil, nos Estados Unidos e no restante do mundo.

28. Eleições no Brasil: o Trump tropical

A maior emoção de 2018 para os brasileiros não foi a Copa do Mundo de Futebol na Rússia. Aliás, nem de longe competiu com o clima de torcida das eleições presidenciais daquele ano, quando a rivalidade entre PT e PSDB, hegemônicos desde a disputa de 1994, deu lugar à ascensão de um candidato inicialmente considerado *outsider*, mas que rapidamente galgava posições nas pesquisas de intenção de voto: Jair Bolsonaro.

Em que pesem as comparações com as eleições norte-americanas de 2016, no Brasil o processo eleitoral é distinto, envolvendo candidatos de diferentes partidos, enquanto nos Estados Unidos apenas dois partidos monopolizam as atenções: os Democratas e os Republicanos. Por aqui, de um lado, Geraldo Alckmin, o escolhido pelo PSDB, possuía a maior coligação, mais tempo de propaganda obrigatória e recursos fartos. Do outro, o PT hesitava em indicar Fernando Haddad enquanto aguardava uma possível chance de o ex-presidente Lula participar do pleito.

Condenado por corrupção e respondendo a outros processos na Justiça, Lula havia perdido parte de sua popularidade e corria o risco de sofrer desgastes com a Justiça durante a campanha, forçando o PT a decidir por uma chapa formada por Fernando Haddad, do PT, e Manuela D'Ávila, do Partido Comunista do Brasil (PCdoB). Apesar do nome, era o Partido Democrático Trabalhista (PDT), do candidato Ciro Gomes, o partido mais próximo do regime chinês naquele momento.

Pragmático, o Partido Comunista Chinês via mais chances na vitória de Ciro, e o enxergava como uma pessoa próxima dos interesses da China no Brasil. Em Pequim, partidos de esquerda de diferentes países se reuniam com o PCCh para discutir as alternativas no Brasil e também se antecipar às eleições americanas de 2020, com o intuito de minar as chances de Donald Trump. Recebi a informação de que o PCCh convidava brasileiros filiados ao PCdoB, PT, PSol e PDT para as reuniões, embora nem sempre houvesse representantes de todos os quatro partidos nos encontros. Outras reuniões mais amplas envolviam filiados ao Partido Democrata (Estados Unidos), ao Partido Socialista (França), ao Partido Trabalhista (Reino Unido) e representantes de partidos comunistas de Rússia, Vietnã e Laos, além de serem abertas para cubanos e norte-coreanos.

Ao mesmo tempo que eu mantinha contato com um francês do Partido Socialista, também conversava esporadicamente com diplomatas e ex-diplomatas chineses, formando opiniões repassadas mais tarde para Dean, Dimitri e Valentina. Quando Jair Bolsonaro passou a ocupar a liderança nas pesquisas, percebi um movimento na mídia estatal chinesa para coletar informações que o desabonassem. A ordem inicial era identificar brasileiros alinhados com a ditadura chinesa dispostos a conceder entrevistas contra o candidato do Partido Social Liberal (PSL).

Eu também conversava frequentemente com amigos jornalistas e assessores de imprensa do Brasil, colhendo informações frescas que eu compartilhava com os colegas chineses, já que, entre os jornalistas brasileiros contratados pela mídia estatal sina, eu era o único naquele momento a ter vivido em Brasília e trabalhado diretamente com política e com o governo brasileiro. A grande imprensa brasileira tinha apenas um lado nas eleições de 2018: e era contra Jair Bolsonaro.

Mesmo assim, o deputado federal que havia alcançado projeção nacional durante o processo de *impeachment* de Dilma Rousseff, entre 2015 e 2016, angariava cada vez mais simpatia popular com suas posições muitas vezes polêmicas, mas que representavam os anseios da maior parte da população brasileira. Eu observava cada passo das campanhas a 17 mil quilômetros de Brasília, do outro lado do mundo, e no início estava cético quanto às reais chances do candidato.

Ainda no começo das campanhas, falei com assessores e publicitários de diferentes partidos, em particular do PSDB, e expressei minha opinião de que Geraldo Alckmin teria chance de vitória com uma única condição: se conseguisse uma vaga no segundo turno contra Jair Bolsonaro. Para isso, precisaria superar Ciro, Haddad e Marina, que chegou a ocupar o segundo lugar nas pesquisas de intenção de voto. Ouvi de todos os assessores do PSDB que eles iriam enfrentar o candidato do PT no segundo turno, fosse ele Haddad ou Lula.

Naquele momento, descortinei o isolamento do *establishment* político quanto ao fenômeno popular Jair Bolsonaro, e passei, pela primeira vez, a cogitar a possibilidade de vitória do ex-capitão do Exército. Embora pertencesse ao chamado baixo clero do Congresso, Bolsonaro havia sido o deputado federal mais votado do Rio de Janeiro em 2014, e cumpria seu sétimo mandato como parlamentar em Brasília.

No dia 5 de setembro de 2018, o instituto de pesquisas Ibope divulgou mais uma de suas pesquisas, apontando Jair Bolsonaro na liderança com 22% das intenções de voto. No dia seguinte, 6 de setembro, uma quinta-feira, o candidato foi esfaqueado por um militante de esquerda durante ato de campanha na cidade de Juiz de Fora, em Minas Gerais. Na véspera da comemoração da Independência do Brasil, um ex-filiado do Partido Socialismo e Liberdade (PSOL), cravou uma faca no abdômen do único candidato que conseguia arrebanhar uma multidão de apoiadores por cada cidade onde passava.

A faca perfurou o intestino de Bolsonaro, que perdeu muito sangue até chegar ao hospital, onde foi submetido a uma cirurgia de duas horas que salvou sua vida. O agressor, Adélio Bispo de Oliveira, acabou preso imediatamente pela polícia, e afirmou ter agido por motivações pessoais, sem orientação de um mandante do crime, versão contestada pela opinião pública brasileira após uma junta milionária de advogados chegar à cidade mineira para defendê-lo. Afinal, se o agressor era um "lobo solitário", quem estaria custeando uma defesa tão cara? Esse era um questionamento comum em todas as redes sociais do Brasil, mas a mídia tradicional brasileira sempre evitou esse assunto.

A matilha

Antes de acionar minha rede internacional de contatos, eles me acionaram. As mensagens chegaram de acordo com o movimento de rotação da Terra. A facada foi desferida durante a tarde no Brasil, hora do almoço nos Estados Unidos, então as primeiras mensagens a chegar via WhatsApp foram de meus contatos no Brasil, Colômbia, Chile, Peru, países da América Central e os Estados Unidos.

No momento da facada, eu estava dormindo, era madrugada na China. Na sequência, vieram as mensagens dos meus contatos na Austrália, Japão e Coreia do Sul. Eu mal dava conta de ler todas, já que dezenas chegavam quase ao mesmo tempo. Então, a seguir, vieram mensagens de Bangladesh e, finalmente, da Rússia. Comecei a me concentrar nos interlocutores mais íntimos, e meu entendimento nas primeiras horas encontrou ressonância entre aqueles que há décadas estudam história, política e comunicação, os mesmos que leram obras de Marx,

Gramsci e Saul Alisnky, além de acompanhar os passos dos partidos socialistas e o histórico recente da imprensa.

A mídia já havia comprado a conveniente versão do "lobo solitário" e ponto--final. Era a melhor narrativa levando-se em consideração que o criminoso, assim como seu grupo de apoio e coordenação, não atingiu seu objetivo. E qual era esse objetivo? Assassinar o candidato Jair Messias Bolsonaro? Não exatamente, essa era uma das possibilidades, mas não a melhor para seus adversários na política e nos meios de comunicação. Tirá-lo da disputa daquela forma, num caixão, era desejável para alguns grupos, mas haveria uma probabilidade alta de o assassinato gerar forte comoção popular, levando o vice na chapa, Hamilton Mourão, a herdar os votos de Bolsonaro.

Ao analisar os fatos, concluímos, após exposição de ideias em um grupo de seis estrangeiros experientes nesses assuntos, que o objetivo do grupo terrorista era tentar matar Bolsonaro ou feri-lo com gravidade o suficiente para acabar com suas chances de retornar à disputa naquele ano. Mas o principal objetivo consistia em gerar um mártir para a oposição. Ou seja, queriam forçar uma reação violenta da turba a ponto de Adélio Bispo ser morto pelos seguranças armados, policiais ou, melhor dos mundos, ser massacrado pelos apoiadores de Bolsonaro, com o máximo de crueldade possível. Com toda a mídia presente, além de pessoas filmando com seus smartphones, as cenas do esperado assassinato brutal de Adélio preencheriam toda a narrativa da imprensa brasileira, 90% dela contrária à eleição do candidato esfaqueado.

Nesse cenário idealizado pela matilha, Bolsonaro seria cuidado em um caro hospital enquanto familiares pobres de Adélio surgiriam de diferentes regiões para acompanhar seu velório, cercado de simplicidade e forte emoção, em algum cemitério de periferia onde se vê mais barro que gramados. Vizinhos surgiriam para dizer aos jornalistas que Adélio era um bom rapaz, iriam encontrar uma namorada com quem ele prometera se casar, seus familiares chorariam copiosamente sobre o caixão barato de madeira.

O mais importante ainda estaria por vir: devassar a vida dos agressores que tivessem executado Adélio, mostrando suas participações em brigas de torcida, atos de violência contra mulheres, envolvimento com milícias, declarações contra gays nas redes sociais e simpatia a grupos nazistas europeus. Os apoiadores do candidato, além dos policiais, seriam tachados pela esquerda como selvagens, fascistas, machistas, nazistas, bárbaros, ou seja, o tipo de gente, segundo a imprensa, violenta e perigosa. Já a facada, em si, seria ignorada.

O sonho da matilha, porém, não se concretizou. Adélio Bispo não foi linchado, nem sequer apanhou, levou alguns empurrões e logo um grupo de policiais e seguranças o imobilizou, protegendo-o contra apoiadores mais exaltados. As pessoas próximas à cena do crime perceberam que seria necessário manter o criminoso vivo para investigar o atentado.

Em um depoimento divulgado por autoridades policiais em novembro de 2020, dois anos depois do atentado, Adélio confessou o que já havíamos descortinado em Pequim em 2018: "Quando saí de casa, eu tinha certeza de que eu não voltaria, eu tinha essa certeza". Adélio contou que havia postado um adeus no Facebook, que ele imaginou ser a última postagem de sua vida. E continuou: "Pelo menos eu tinha certeza de que não sairia vivo. Eu acreditava nessa informação", admitiu. "Para a minha surpresa, estou vivo, né?", afirmou o criminoso que tentou matar a facadas o homem no qual milhões de brasileiros depositavam suas esperanças.

Adélio disse mais: "Eu esperava ser agredido pela polícia, fuzilado pela polícia, achei que ia tomar um monte de tiro literalmente".

O cenário do crime ideal que mapeamos em 2018 foi confirmado por Adélio dois anos depois: ele saiu de casa sem saber se terminaria o dia vivo ou morto, mas estava preparado para se sacrificar por uma causa política, morrendo agredido ou de alguma outra forma, talvez asfixiado, pisoteado, poderia levar uma ou mais facadas, levar um tiro ou mais tiros. Mas não deu certo para ele nem para os mandantes do crime, muito menos para a mídia. No dia do ataque do lobo nada solitário, a matilha dormiu com fome.

Independência ou morte

No momento do ataque contra Jair Bolsonaro em Minas Gerais era madrugada em Pequim, e acordei na manhã de 7 de setembro, dia da Independência do Brasil, com a notícia da facada em destaque em toda a imprensa internacional. Por coincidência, dois brasileiros estavam hospedados em meu apartamento naquela semana: uma jornalista de São Paulo, Denise, simpatizante da esquerda, e Mateus, um amigo paraibano da área de tecnologia da informação, apoiador de Jair Bolsonaro. Denise tinha saído para trabalhar bem cedo, então ficamos eu e Mateus buscando informações com amigos e fontes quando já era noite no Brasil.

Vi nas redes sociais simpatizantes de esquerda afirmarem que o atentado teria sido uma simulação, como se fosse possível enganar, ao vivo, milhares de pessoas, forjar as imagens filmadas por dezenas de celulares particulares, além de silenciar centenas de jornalistas, médicos, enfermeiros, motoristas e seguranças, sem mencionar os policiais militares, civis e federais que acompanharam todos os acontecimentos.

Mas a narrativa da falsa facada tornou-se uma alternativa da esquerda para tentar reverter a vantagem de Jair Bolsonaro ante seus adversários na corrida presidencial, vantagem ampliada depois do episódio divulgado à exaustão em todo o mundo. Na China, as *fake news* ganharam terreno com a atuação de jornalistas brasileiros junto a profissionais de imprensa de outras nações, como eu mesmo testemunhei em algumas conversas. Por felicidade, muitos jornalistas estrangeiros vinham até mim para confrontar as versões, e eu conseguia sustentar as informações verdadeiras, oferecendo quantas fontes fossem necessárias, e eles se convenciam de que houvera, sim, um atentado.

A ida de Jair Bolsonaro para o segundo turno já incomodava setores do Partido Comunista Chinês. Uma das maiores preocupações consistia na possível aproximação entre o futuro presidente brasileiro e Donald Trump, fortalecendo uma reação internacional contra os interesses chineses. Nas semanas de campanha para o segundo turno, a mídia estatal chinesa, sob encomenda da direção do PCCh, veiculou entrevistas com professores, jornalistas e analistas políticos brasileiros de esquerda que faziam ataques ao candidato líder nas pesquisas. Nas entrevistas ensaiadas, as fontes brasileiras, teoricamente neutras, eram unânimes ao se referir ao candidato como populista e fascista.

De certa forma, buscavam influenciar, ainda que cientes de suas limitações, a opinião pública brasileira, sem nenhum sucesso. O objetivo principal, no entanto, seria preparar a opinião pública chinesa para mais um embate internacional contra um potencial novo inimigo externo. A recente experiência com Trump havia traumatizado os ditadores do PCCh, que agora se apressavam em antecipar as justificativas para combater o novo aliado dos Estados Unidos.

Na imprensa estrangeira, como a francesa e a espanhola, já se viam expressões como o "Trump Tropical" para definir Jair Bolsonaro, um movimento coordenado entre a mídia e partidos de esquerda de todos os continentes. Os brasileiros, pouco habituados a consumir narrativas de jornalistas estrangeiros, elegeram Jair Bolsonaro no dia 28 de outubro de 2018 com 55,13% dos votos válidos, enquanto seu adversário, Fernando Haddad, recebeu 44,87% dos votos válidos no segundo turno.

PCCh mostra os dentes

Os brasileiros ainda celebravam o resultado das eleições quando o governo chinês mandou um recado tão duro quanto grosseiro via editorial no jornal estatal *Diário do Povo*, principal porta-voz do regime comunista, com publicações em diferentes idiomas, incluindo o português. Sob o título "Nenhuma razão para o 'Trump Tropical' interromper as relações com a China", o editorial do dia 29 de outubro de 2018 pretendia continuar interferindo na escolha da população brasileira e ameaçava o novo governo em formação.

Segundo o texto, "o custo econômico pode ser pesado para a economia brasileira, que acaba de emergir de sua pior recessão da história", em referência à hipótese de o Brasil optar por uma política de relações bilaterais alinhada ao estilo de Donald Trump. O resultado de uma eleição no Brasil nunca sofrera uma retaliação tão clara de um governo estrangeiro, sobretudo um regime que diz se orgulhar da cooperação econômica com o Brasil.

Após a repercussão negativa nas redes sociais brasileiras, onde eleitores cobravam uma reação imediata do presidente eleito contra o posicionamento de Pequim, recebi uma ligação do ministro-conselheiro da Embaixada da China no Brasil, Qu Yuhui, solicitando uma ajuda para amenizar o mal-estar causado pelo editorial irresponsável do *Diário do Povo*.

— Aquilo é mais uma opinião pessoal que um editorial do *Diário* — disse Rui, a quem sempre tratei por seu nome brasileiro. — Foi um artigo pessoal infeliz, não é uma posição do governo, entende? Você pode fazer essa informação chegar aos filhos do presidente, e se possível para o presidente, por favor? — ele me pediu.

Embora eu estivesse em Pequim, possuía contatos indiretos com dois filhos do presidente eleito. Comprometi-me a ajudar, pedindo em troca que aquele tipo de editorial não voltasse a se repetir durante a transição dos governos, ou perderíamos a confiança. Ele concordou e repetiu que fora um episódio isolado, pois o interesse da China era sempre cooperar com o Brasil. Ele finalizou me perguntando quando eu estaria no Brasil para um encontro.

— Em dezembro ou janeiro — respondi. — Assim que eu definir a data informarei a você, Rui.

Dessa forma, mantivemos nosso bom relacionamento de tantos anos, pelo menos até a eclosão da gripe de Wuhan.

Para cumprir minha parte no acordo, acionei contatos da equipe de transição em Brasília, que levaram a mensagem a um dos filhos de Jair Bolsonaro.

Como resposta, recebi a seguinte declaração: "Os chineses podem ficar despreocupados, temos muito trabalho aqui e nem vimos o artigo. Só ficamos sabendo pela imprensa brasileira, mas não gerou impacto no nosso trabalho". Repassei a informação para o diplomata chinês, que ficou agradecido.

Depois do resultado da eleição, que ensejaria mudanças no Brasil, comecei a cogitar uma volta a meu país. Pesava contra minha decisão de morar no Brasil o fato de eu não ter um emprego, enquanto na China eu estava renovando meu contrato com a CRI por mais um ano, com um ligeiro reajuste no salário. Além disso, depois de anos fora do Brasil, eu percebia ainda mais claramente o isolamento da América do Sul em relação ao restante do mundo, em especial nas questões econômicas, de infraestrutura, educação e tecnologias.

Neste começo de século, o Brasil estava se descolando da realidade mundial nos quesitos inovação e competitividade. Eu ficava um ano inteiro fora do Brasil, e quando voltava, passava sempre uns dias na Europa ou nos Estados Unidos. Era inevitável sentir uma leve depressão ao desembarcar em solo brasileiro e perceber um ritmo mais lento no desenvolvimento do país em relação ao resto do mundo. O desemprego e a criminalidade crescentes, causa e consequência do agravamento econômico, desmotivavam até mesmo férias mais longas no país. Será que eu conseguiria me readaptar?

Voltar para o país de origem em um momento de mudanças constitui um tiro no escuro, é necessário calcular bem os riscos. De qualquer forma, por segurança, renovei o contrato na rádio, pois a assinatura dos documentos deveria ser imediata. Caso eu mudasse de ideia, tentaria encerrar amigavelmente minha parceria já de longa data com a Rádio Internacional da China. A minha relação com quase todos os colegas chineses era excelente, apenas alguns eram problemáticos, a exemplo do subchefe do departamento, Luís Lee, um bajulador nato que conquistou sua posição não por mérito, mas por rezar a cartilha da rede de mentiras, impressionando seus superiores com números no mínimo duvidosos.

Refleti um pouco e concluí que qualquer decisão só poderia ser tomada depois das minhas férias no Brasil, onde eu poderia sentir o clima real das mudanças no país. Eu tinha direito a 36 dias de férias, pois já havia acumulado novamente um volumoso número de folgas referentes aos plantões. Mesmo assim, Luís Lee pediu para eu retornar antes do Natal, pois meus colegas brasileiros haviam solicitado férias no período. Ora, vejamos, meus dois colegas brasileiros eram socialistas, nenhum deles cristão, um deles distanciado da família, que certa vez me disse: "Eu não perderia meu tempo passando férias no Brasil". Ou seja, pediram folga no Natal apenas para me azucrinar mesmo. Eles já não eram muito meus fãs, e passaram a desejar minha ruína após a derrota do candidato por eles apoiado, Fernando Haddad.

O gay albanês

Dois episódios naquele ano de 2018 me puseram a refletir quanto à insegurança de se viver em uma ditadura impiedosa, responsável pela morte de milhões de pessoas.

Pode-se dizer que é uma prática comum os profissionais estrangeiros abandonarem o emprego na China sem avisar os empregadores, a fim de evitar a multa de rescisão contratual.

Em 2018, uma jornalista uruguaia do departamento de Espanhol, Laura Sala, desapareceu numa sexta-feira e não voltou mais. Nem respondia às mensagens ou ligações. Ficamos preocupados, pois ela dividia apartamento com uma colega espanhola que estava de férias na Espanha. Como Laura justificou sua falta na sexta-feira dizendo estar gripada, nossa preocupação aumentou, ela poderia estar desacordada dentro do próprio apartamento. Passamos a segunda-feira toda tentando localizá-la, sem sucesso. Na terça-feira, no entanto, fomos informados de que ela estava bem de saúde, e bem longe também, em Buenos Aires.

Laura simplesmente abandonou o emprego depois de cinco anos, planejou tudo para não levantar suspeitas. Eu havia me encontrado com ela no edifício onde morávamos apenas dois dias antes do sumiço. Inclusive ela arquitetou seu plano para coincidir com as férias da amiga espanhola, assim ninguém a veria arrumando as malas e recolhendo itens para se mudar às escondidas. Um ano depois de abandonar o emprego, Laura voltou a trabalhar na mídia estatal chinesa. Ela vive hoje em São Paulo, recebendo salário do governo chinês para divulgar notícias distorcidas do Brasil em espanhol.

Certa manhã daquele mesmo ano de 2018, chegamos ao trabalho na CRI sentindo o desfalque de outro de nossos colegas, Tony B., jornalista albanês que também vivia na China por quase cinco anos. A diferença é que Tony não havia abandonado o emprego como fizera nossa colega uruguaia. Tony fora simplesmente deportado pelo regime ditatorial, sem chance de defesa ou contestação. Eu havia estado com ele naquela semana na academia da CRI, onde fazíamos exercícios físicos com certa frequência.

Depois do ocorrido, recebemos informações desencontradas nos corredores da rádio, havia certo inconformismo com a rapidez do despacho do nosso colega, um jornalista comprometido com seu trabalho e com os resultados, até onde sabíamos. Falei com um colega africano muito bem relacionado na rádio, e com outro, russo, e ambos decidiram buscar informações. O africano havia testemunhado a deportação, pois era vizinho do albanês em nosso prédio. "Ele chegou ao apartamento acompanhado de dois policiais chineses muito educados, dominavam inglês e ficaram esperando o Tony arrumar as malas para levá-lo ao aeroporto", contou-me.

Outros policiais ficaram na porta do prédio, ao lado dos carros destacados para a deportação. De acordo com a informação dos oficiais, Tony havia sido flagrado em uma festa dentro de uma casa noturna onde circulavam drogas e garotas de programa. Após uma denúncia, os policiais chegaram ao local e foram recebidos com agressividade pelos clientes, muitos deles estrangeiros. Tony teria se envolvido em uma briga generalizada entre clientes e policiais, que suspeitaram do consumo de drogas, embora ele não portasse nenhum entorpecente, muito menos marcas da suposta briga. As autoridades decidiram deportá-lo para não abrir uma investigação mais aprofundada que poderia levá-lo à prisão. A Embaixada da Albânia também recebeu um comunicado sobre a deportação e concordou com a decisão. Essa foi a primeira versão.

A segunda, transmitida a mim pelo colega russo, baseava-se em supostas denúncias contra Tony por integrar um grupo de estrangeiros associados a chineses interessados em protestar contra o regime comunista chinês. "Como assim?", questionei. "Quem protesta contra o regime aqui? E por qual motivo?" Recebi uma resposta inesperada: o grupo coordenador do protesto desejava se manifestar contra a perseguição aos homossexuais pelo governo chinês, e se organizava para lançar o protesto em uma data comemorativa nacional.

Agora, sim, tudo fazia sentido: a festa, de fato, ocorreu, como pudemos comprovar dias depois com novas evidências. Circulavam drogas? Não, hipótese descartada por quem convivia com Tony e seus amigos. Ou seja, o regime ditatorial não iria tolerar nenhum levante de homossexuais dentro de seu território. O tema é tratado como um tabu na China continental. Há gays e lésbicas na China, mas eles "optam" pela discrição e evitam expor suas preferências. Na emissora onde trabalhávamos, apenas um chinês entre dois mil assumia abertamente sua orientação, ele trabalhava no serviço italiano. Segundo seus colegas, era um dos melhores profissionais do departamento, mas jamais iria ascender na carreira por ter assumido sua opção sexual.

Um colega do Departamento de língua portuguesa, o brasileiro Diego G., não assumia sua homossexualidade abertamente no trabalho, embora frequentasse as festas gays com os diplomatas da Embaixada brasileira em Pequim. Alguns chineses do nosso departamento sabiam da sua condição, mas fingiam desconhecer, "desde que ele se comportasse como um heterossexual no ambiente de trabalho". Diego, gaúcho, indignou-se com a deportação do colega, mas não ousou defender sua causa nem o amigo albanês deportado, ficou calado para manter o emprego.

No meio acadêmico, conheci duas professoras universitárias chinesas lésbicas, uma morava em Pequim, a outra em Lanzhou (兰州), capital da província de Gansu. Nenhuma delas assumia publicamente sua homossexualidade, uma era solteira e vivia sozinha, a outra morava com a namorada, a quem apresentava como sendo apenas sua amiga. Uma de minhas alunas chinesas também me contou, após se graduar, que era lésbica. Ela se mudou para Portugal com sua namorada chinesa, a fim de evitar perseguições e preconceito em sua pátria.

Além da homossexualidade, o divórcio constitui outro tabu social na China. Durante meses observei o comportamento de uma colega tradutora chinesa nos almoços e jantares. Ela costumava fazer as refeições sozinha, enquanto outros grupos de colegas, todas mulheres, compartilhavam mesas. Isso acontecia porque ela era divorciada havia três anos e, por esse motivo, as colegas não a convidavam para as refeições. Ou ela mesma se resignava para não ser exposta a nenhum constrangimento. Da mesma forma, ninguém a convidava para as festas de aniversário das crianças, das quais só participavam mulheres casadas ou jovens solteiras.

Essas histórias na China são por demais tristes, eu poderia escrever um livro inteiro sobre o tema, mas me custaria bastante do ponto de vista emocional. A cada nova história a mim apresentada, eu passava dias angustiado pensando naquilo. Quando vivia lá, pesquisei o número de divórcios no país, e fiquei surpreso com os resultados. Embora muitas províncias dificultem o acesso a essas estatísticas, em Pequim o índice chega a 39%, comparável às grandes metrópoles ocidentais. Em 2020, o país registrou o recorde de 8,6 milhões de divórcios durante o ano. Mais que discrição, o comportamento social sobre esses assuntos pende para hipocrisia.

A Interpol silenciada

O mundo rifou o Tibete, abandonou Taiwan à própria sorte e fechou os olhos ante o extermínio de uigures para não ferir o humor do Partido Comunista Chinês.

Qual o limite da desfaçatez do Ocidente perante os desmandos da organização mais mortífera da história da Humanidade? Fiz essa pergunta a mim mesmo várias vezes, e cito um dos casos mais emblemáticos da corrupção sistemática de autoridades mundiais com a finalidade de não melindrar Pequim.

Você já ouviu o nome Meng Hongwei? Se o mundo fosse um lugar menos dissimulado, você o conheceria. Nascido em Harbin, na China, Meng tornou-se presidente da Interpol em 2016, um motivo de orgulho para os chineses e de muita celebração na ditadura comunista, pois o partido acabava de emplacar um aliado no topo da renomada polícia internacional. Dois anos depois, mais precisamente no dia 25 de setembro de 2018, sua esposa, Grace Meng, que estava na França, recebeu uma mensagem do marido sugerindo que ele corria perigo. A mensagem trazia apenas o emoji de uma faca.

Seu marido, Meng Hongwei, o Número Um da Interpol, desembarcou na capital chinesa naquele dia vindo da França, país sede da entidade. Depois de pisar em solo chinês, ele desapareceu. Seu paradeiro manteve-se desconhecido por doze dias, para o desespero de sua esposa, enquanto a mídia internacional cobria o caso com profunda timidez, ignorando os apelos da esposa pela vida do marido. No 13° dia, finalmente Meng reapareceu divulgando uma mensagem de renúncia ao cargo de presidente da Interpol. Simultaneamente, o Partido Comunista se manifestou, afirmando que Meng havia sido preso no âmbito de uma investigação de corrupção.

O comportamento da imprensa só não foi mais subserviente que o de governos de todo o mundo, emudecidos diante da ousadia da China de prender não um cidadão chinês, e, sim, o presidente da mais prestigiada força policial internacional, da qual fazem parte agentes de dezenas de países de todos os continentes. "Não há razão para eu suspeitar que algo tenha sido forçado ou errado", limitou-se a declarar à época o secretário-geral da Interpol, o alemão Jürgen Stock. Certo, senhor Stock, o presidente da sua entidade desaparece, ninguém sabia se ele estava vivo ou morto, um partido conhecido por exterminar desafetos o mantém incomunicável e você acha isso tudo normal?

O sinistro episódio do desparecimento do presidente da Interpol, somado à deportação do jornalista albanês, pesavam na balança da minha decisão entre continuar vivendo na China ou voltar para o Brasil. O mês de novembro já estava terminando, eu arrumava minhas malas para as férias sem saber se essas malas um dia voltariam para a China. Em poucas semanas, eu deveria decidir se o casamento com Pequim chegaria ao fim ou se teríamos uma segunda chance.

PARTE V

De volta ao Brasil

29. Brasil ou China?

Eu havia planejado passar uns dias em Moscou e Roma antes de desembarcar em São Paulo para rever a família. Meus superiores chineses esperavam que eu retornasse a Pequim na véspera do Natal, a tempo de trabalhar bem no dia 25 de dezembro. Para os chineses, o Natal é um dia qualquer, embora a data tenha se tornado uma festa mais conhecida nas grandes metrópoles, em particular por seu apelo comercial.

Naquele dezembro de 2018, a executiva da Huawei, Meng Wanzhou, foi presa em Vancouver, no Canadá, a pedido de autoridades norte-americanas. A polícia estava prendendo ninguém menos que a filha de Ren Zhengfei, o ex-militar chinês, fundador da Huawei. Meng foi para a cadeia acusada de fraude bancária e de ter induzido bancos a processarem transações para a Huawei que violavam as sanções dos Estados Unidos ao Irã. A prisão da executiva de uma empresa que se diz privada levou o governo chinês a retaliar com a prisão de dois cidadãos canadenses, Michael Spavor e Michael Kovrig.

Além disso, a diplomacia ditatorial chinesa revelava mais uma vez sua agressividade em território brasileiro, ainda no governo de Michel Temer, semanas antes de Jair Bolsonaro assumir a presidência. Em dezembro de 2018, os taiwaneses organizaram um torneio no Clube de Golfe de Brasília, localizado às margens do Lago Paranoá, distante apenas cinco quilômetros do Palácio do Planalto, sede do governo brasileiro.

No meio do torneio, começaram a chegar chineses ao clube, alguns deles diplomatas, exigindo que a competição fosse encerrada de imediato e as bandeiras de Taiwan, retiradas de todo o local. Os chineses estavam irados e ameaçavam tanto os taiwaneses quanto os funcionários do clube. Em território brasileiro, na capital do Brasil, os chineses já se sentiam à vontade para afrontar os cidadãos de Taiwan, assim como os trabalhadores brasileiros e autoridades locais, já que a polícia fora acionada para tentar conter os diplomatas nada sutis da China. Eles diziam ser uma afronta à política de "China Única" e iriam acionar o Itamaraty.

O presidente do Clube de Golfe de Brasília, Atílio Rulli, viu-se em uma sinuca de bico. Ao mesmo tempo que havia se comprometido com os taiwaneses, não poderia abalar sua relação com os chineses, alguns deles associados ao clube. Habilidoso e mais diplomático que os próprios diplomatas comunistas, Atílio conseguiu encontrar um meio-termo: o torneio continuaria, assim como a premiação e confraternização promovida por Taiwan, mas as bandeiras seriam retiradas, apaziguando os ânimos dos ferozes diplomatas.

Atílio se saiu bem, manteve-se firme e marcou um ponto importante com os dois lados. Embora tenha se zangado com a atitude dos chineses, ele não poderia ser duro como gostaria. Afinal, além de presidente do Clube de Golfe de Brasília, era ninguém menos que o diretor de Relações Públicas e Governamentais da Huawei no Brasil.

O episódio revelava a agressividade do governo chinês ao impor suas condições e agir à margem da lei em território brasileiro, tratando o Brasil como um capacho dos seus caprichos. Da mesma forma, a Embaixada ocupa ilegalmente uma área de 13 mil metros quadrados (o equivalente a dois campos de futebol) no bairro Lago Sul, às margens do Lago Paranoá, em Brasília, na QL 12, uma das posições mais privilegiadas da cidade. O endereço serve como residência do embaixador chinês, onde joguei futebol por alguns anos sem saber da ilegalidade.

Em 2017, um assessor do governador do Distrito Federal, Rodrigo Rollemberg, entrou em contato comigo em Pequim para saber se eu poderia conversar com os diplomatas chineses. O objetivo seria interceder para convencê-los a desocupar a área invadida para a finalização de um projeto de lazer chamado "Orla Livre". As palavras "livre" e "China" não se comunicam há sete décadas. Os donos das demais mansões do bairro reclamaram, mas aceitaram e cederam ao cumprimento da lei, determinando que os terrenos não poderiam chegar até as águas do lago.

Com os chineses não teve jeito. Irredutíveis, eles mantiveram a apropriação ilegal da área, quase abriram uma nova crise diplomática e obrigaram o governo do DF a mudar o projeto que conectaria quatro quilômetros da orla, desde o Morro da Asa Delta até o Pontão. Tal usurpação de terra pública por uma nação estrangeira seria impensável em Pequim.

Portanto, afirmar que o regime chinês está invadindo terras mundo afora não se trata de mera força de expressão.

O bunker do lúpulo

Depois de passar por Moscou e Roma, finalmente desembarquei no Brasil e de imediato comecei a passar por uma bateria de consultas e exames de rotina, como sempre fazia nas minhas férias. Os anos na China me renderam quatro cálculos renais, revelou o ultrassom. Eu havia saído do Brasil com uma pedra nos rins e voltei com cinco. As águas de Shijiazhuang e Pequim, altamente mineralizadas, poderiam ter de alguma forma contribuído para a patologia que já me causara dias de extrema dor. O urologista havia me oferecido algumas opções, como tentar extrair todas as pedras ou apenas as maiores, deixando para o organismo a tarefa de expelir as pequenas. Notícias ruins podem trazer alguma vantagem, naquele caso significaria estender a minha temporada no Brasil para cuidar da saúde.

Comuniquei a minha chefia em Pequim. Eles não ficaram nem um pouco felizes, sugeriram um tratamento na China, o qual descartei de imediato. Eu conhecia muito bem os hospitais chineses, estive em vários deles na província de Hebei e Pequim. Havia frequentado os melhores. Além dos públicos, também hospitais particulares, e nem de longe se equiparavam à qualidade dos hospitais privados do Brasil. Assim, eu permaneceria em meu país natal até resolver essa questão.

O médico brasileiro entraria em um período de recesso, assim, a cirurgia só poderia ser agendada para o começo de janeiro. A mudança de planos permitiu uma viagem para Brasília depois do Natal, onde ocorreria a cerimônia de posse do novo presidente do país, no primeiro dia de janeiro de 2019. Ao mesmo tempo, eu conseguia cumprir, a distância, alguns plantões de notícias do meu trabalho na rádio, e também era capaz de revisar textos da revista. Nos dias em que eu não trabalhava, a CRI abatia meus dias de folga ou descontava do meu salário.

Faltando três dias para a posse presidencial, prestigiei a cervejaria de meu amigo Moura, Clube do Lúpulo, aberta havia meses e bastante movimentada. Aos poucos, o local ia se convertendo em um ponto de encontro entre os simpatizantes de direita na capital brasileira. Com três pisos, o bar-restaurante tinha espaço suficiente para se beber, jantar, ouvir música ou, no andar subterrâneo, realizar reuniões privativas sem risco de escutas ou a presença indesejada de jornalistas bisbilhoteiros. Para aproveitar minha passagem por Brasília, Moura convocou uma reunião na sala privativa, na qual eu poderia oferecer uma palestra informal sobre a China.

Entre os convidados havia empresários, diplomatas, membros do novo governo em formação e professores universitários, um total de 25 pessoas, algumas vivendo no Brasil, outras, no exterior. Levamos a conversa madrugada adentro, regada a cerveja artesanal e bacon caramelizado. Os assuntos abordados envolveram os negócios chineses, os interesses do Partido Comunista, os créditos sociais, o massacre de uigures e o papel do governo brasileiro. Naquela noite, compartilhamos abundantes e ricas informações trazidas por todos os participantes.

Na noite seguinte, antevéspera da posse presidencial, voltei à cervejaria para me despedir do amigo Moura, havia a possibilidade de eu retornar para a China em janeiro. Naquela noite, nenhuma reunião estava programada em seu estabelecimento, mas o movimento no bar era grande e Moura corria de um lado a outro para oferecer um bom atendimento aos clientes. De repente, ele parou e me chamou.

— Rafa, quero muito que você conheça uma pessoa. E quero que ele também conheça você — disse ele.

Moura então me apresentou ao jornalista e youtuber Adam dos S., um ex-seminarista carioca cujo portal, o *TimeLine* (TL Notícias), de linha editorial conservadora, estava crescendo tanto em audiência quanto em importância, na contramão da realidade dos meus amigos da mídia tradicional, demitidos de seus empregos, vítimas da crise instalada em jornais, revistas, rádio e TV. Até então, eu não sabia quem era o jornalista nem conhecia seu canal, mas parecia que tínhamos muito a conversar.

— O bunker está livre hoje, vocês podem ficar lá à vontade — Moura nos falou.

Então descemos e nos instalamos nos confortáveis sofás da sala privativa, atendidos com exclusividade por um dos garçons.

Lá embaixo, isolados, trocamos informações em ritmo voraz, ele me falava com entusiasmo sobre teologia, filosofia e a política norte-americana, enquanto eu o abastecia com informações sobre a imprensa, a China e a geopolítica asiática. Quando imaginei estar na hora de fechar a conta, ele pediu uma costelinha de porco para jantarmos, já era madrugada, e continuamos ali embaixo, tomando os derradeiros copos de cerveja IPA sem perceber que o bar já estava fechado e os últimos funcionários se preparavam para ir embora.

Subimos para o térreo, onde Adam chamou um uber para levá-lo até o local onde se hospedara. Nessa hora, Moura apareceu para se despedir e nos falou algo em tom profético:

— Eu só quero uma coisa, que vocês trabalhem juntos — disse-nos. — É sério, estou pedindo, vocês precisam trabalhar juntos.

Rimos, Adam entrou no carro e foi embora. *Talvez eu volte a vê-lo algum dia*, pensei. Aquela história estava só começando.

Encontros na capital

Eu já me preparava para retornar a São Paulo nos primeiros dias de janeiro de 2019 quando recebi o laudo de uma biópsia feita na véspera da viagem a Brasília. Era um pequeno câncer de pele, para ser mais específico, um carcinoma basocelular nas costas, uma lesão das mais frequentes em pessoas de pele clara. Boa parte da minha família do lado paterno, de origem italiana, lida rotineiramente com isso há décadas; a biópsia apenas documentou a minha iniciação. Cancelei a cirurgia para a retirada dos cálculos renais e pus-me a resolver essa nova encrenca. Avisei novamente a rádio em Pequim, pedi uma licença médica temporária. Os chineses já estavam fartos dessa situação, mas com saúde não se brinca e adiei minha volta à China novamente.

Eu poderia me submeter a um tratamento que duraria semanas, quiçá meses, ou então optar por uma cirurgia. *Quanto antes resolver, melhor*, pensei, assim, procurei um cirurgião plástico no início de janeiro. Já fui para a consulta em jejum, preparado para qualquer emergência.

— Preciso operar o quanto antes — expliquei ao médico.

— Pode ser agora? — perguntou ele.

— Agora?! Tá bom, vamos lá — eu concordei e saímos da sala de consulta direto para um pequeno centro cirúrgico.

No dia seguinte, enviei toda a documentação a Pequim, inclusive fotos da lesão na pele e imagens de antes e depois da cirurgia. Assim consegui uma breve licença. Pelo menos, eu poderia cuidar da saúde enquanto decidia meu futuro. O tempo extra no Brasil também me possibilitou encontros com diplomatas chineses. Eles queriam ouvir minhas análises sobre o começo do governo Bolsonaro. Em troca, me falavam um pouco sobre os interesses chineses e a chegada do novo embaixador, Yang Wanming.

A permanência estendida em Brasília me permitiu, ainda, encontrar Pagani, o amigo da Polícia Federal, que acabara de retornar ao Brasil vindo da Itália, onde fizera um curso para aperfeiçoar seus conhecimentos de italiano. Combinamos uma maratona de cafés para conseguir dar conta de tantos assuntos pendentes, e ele começou com uma informação importante:

— Esse novo embaixador chinês ficou quatro anos na Argentina. Ele atuou nos bastidores para acabar com a possibilidade de reeleição do presidente Maurício Macri, você vai ver — revelou Pagani. — Sua missão no Brasil será aumentar os contatos e negócios diretamente com parlamentares e governadores dos estados, assim ele poderá desestabilizar o governo federal, algo parecido com sua atuação na Argentina.

Fazia todo sentido. Macri havia mantido boas relações comerciais com a China, mas a volta dos Kirchner ao governo possibilitaria negociatas impensáveis durante a administração Macri. Cristina Kirchner aceitou em 2019 ser vice na chapa para eleger Alberto Fernández, considerado pelos analistas políticos uma marionete da vice-presidente. Cristina, segundo meu informante, comprometera-se a atender aos pedidos dos oficiais chineses, cada vez mais insaciáveis na compra de propriedades e empresas argentinas. Pagani acertou sua previsão, Fernández conseguiria derrotar Macri nas eleições daquele ano.

Infiltração midiática

No Brasil, a imprensa começou 2019 com uma grande preocupação. Ao contrário do que ocorre nas grandes economias industrializadas, onde a mídia encontra financiamento no setor privado, no Brasil a mídia depende dos recursos públicos para manter as contas em dia. A crise nos meios de comunicação já se alastrava pelo mundo desde o fim da bolha da internet, no início deste século. A situação nas redações brasileiras era de penúria, com seguidas demissões e cortes de gastos. O cenário já desolador iria se agravar se o novo presidente mantivesse seu compromisso de campanha de reduzir os gastos do governo com verbas publicitárias.

Indignados, os donos dos conglomerados de mídia do Brasil declararam guerra ao presidente recém-empossado. A ordem nas redações foi bastante clara: divulgar ao máximo todos os problemas do governo, atacar o presidente da República e seus ministros, assim como ignorar os resultados positivos. O governo chinês se aproveitou da debilidade dos veículos de comunicação do Brasil e começou a assediá-los com propostas de parcerias para trocas de conteúdo e vantagens comerciais com empresas chinesas. Estava aberta a porta para aumentar a presença da propaganda da ditadura comunista no Brasil.

O mês de janeiro ainda me reservava uma reunião de última hora, inesperada. No dia 30 de janeiro, me encontrei com Priscila S., diretora de comunicação de uma empresa chinesa. Ela fora contratada para o cargo havia alguns meses, mas ainda não tinha se habituado ao estilo de trabalho chinês, então, por intermédio de uma amiga, marcamos um encontro, no qual eu a ajudaria voluntariamente com orientações sobre o modo chinês de se comunicar. Ela ficou extremamente agradecida e me convidou para conhecer o escritório da empresa. Assim, conheci o escritório em Brasília de uma empresa-chave para a expansão da China em todo o mundo: a Huawei.

Comentei sobre o episódio com Pagani, que repassou a informação a seu grupo de agentes estrangeiros. Eles concluíram ser uma excelente oportunidade para infiltrar um aliado dentro de uma das empresas estratégicas na obtenção de dados internacionais pelo governo chinês. Por outro lado, para evitar uma eventual cilada, eu deveria manter a cautela e não tomar a iniciativa de buscar emprego em nenhuma empresa chinesa por ora, já que meu contrato com a CRI ainda estava em vigor. Nas semanas seguintes, observaríamos o comportamento da Huawei, e eu precisava ser paciente, esperar um novo convite. Esperei dias, semanas, meses...

Hora de decidir

Minha licença médica estava chegando ao fim e eu precisava decidir se continuaria no Brasil, desempregado, ou se voltaria para China, onde tinha um salário garantido e um confortável apartamento à minha espera, no qual deixei boa parte das minhas roupas, casacos, presentes, mobília, livros e artigos pessoais. Eu já havia enviado duas caixas com itens que pretendia guardar no Brasil, mas elas nunca chegaram, porque passaram pelas mãos dos Correios, da Receita Federal e da Anvisa, alguns dos órgãos mais incompetentes, burocráticos e corruptos do Brasil. Esse tipo de situação me desestimulava a permanecer no país.

Por outro lado, poucos expatriados conseguem ficar mais de três ou quatro anos na China. Muitos estrangeiros brincam que sofremos da síndrome chinesa, e começamos a sentir uma comichão para ir embora. Um dos motivos, preciso mencionar, de tão surreal soa improvável para quem nunca viveu na China, mas a verdade é que as constantes cusparadas dos chineses, quase sempre dos homens, começam a dar nos nervos depois de um tempo. Um turista normalmente terá pouco contato com o desagradável hábito dos locais, mas quem mora na China convive com isso diariamente. Foi o único lugar em todo o mundo onde vi placas de "Proibido cuspir" afixadas em ônibus, restaurantes, saunas, piscinas, entre outros lugares. Jogando futebol, então, era um festival de perdigotos por todo o campo.

Nem sempre os avisos são respeitados, em especial nos restaurantes genuinamente chineses localizados nos bairros. Neles, normalmente há uma pequena lixeira ao lado de cada mesa, onde os clientes dispensam os guardanapos de papel, alguns ossos, restos de comida e aproveitam para dar as tradicionais cusparadas. Expelir a saliva é o de menos, o maior problema é o preâmbulo da catarrada, o som aterrador do prefácio. Sabe quando o motorista erra a marcha do carro? Então, o barulho é mais ou menos esse, só que dura mais tempo, dá para ouvir a uns cem metros de distância. Quando a pessoa dá uma puxada dessas atrás de você, a sensação é de que seremos cobertos por um balde de expectoração.

O costume nacional é muito mais marcante entre os homens. A nova geração de moças das grandes cidades felizmente parece ter crescido condicionada a não repetir a grosseria dos rapazes. Além disso, quase nenhuma jovem chinesa fuma, enquanto a maioria dos rapazes chineses são fumantes, e muitos justificam as cusparadas como uma questão de saúde pública. O hábito é tão disseminado que o governo chinês lançou uma campanha para as Olimpíadas de 2008, ordenando a suspensão das escarradas em Pequim durante os jogos, a fim de não assustar os milhares de turistas esperados para o evento.

Acreditem, no primeiro ano morando na China a gente acha estranho, mas aceita. Depois, no segundo ano, nos habituamos e passamos a ignorar. Mas em algum momento do terceiro ano somos acometidos por uma forma irracional de repugnância, talvez concentremos toda sorte de insatisfação em um único ato, e temos vontade de sair correndo cada vez que ouvimos o som gutural emergindo de traqueias alheias.

A poluição e a falta de liberdade completavam o desencanto crescente com a vida em Pequim. Durante meses eu acordava deprimido, me perguntando o que eu fazia naquele país, trabalhando para uma ditadura. Era penoso sair da cama, o desânimo tomava conta do corpo e da alma. Ao abrir as cortinas da sala, eu me deparava com uma massa intransponível de poluição. Nem conseguia enxergar o cemitério de Babaoshan (八宝山), distante apenas quatrocentos metros do meu prédio.

Nos poucos dias ensolarados, com céu limpo, eu saía de meu apartamento para uma caminhada até o parque Laoshan (老山), que significa "velho monte". Eram 35 minutos de caminhada em ritmo acelerado até chegar ao mirante do parque, no topo do velho monte, de onde conseguia avistar boa parte da cidade, inclusive os arranha-céus do centro novo de Pequim, a vinte quilômetros do parque. Mas nove a cada dez dias eram poluídos, e a cortina de fumaça cinza-esbranquiçada limitava nossa visão a poucos metros de distância.

Essas lembranças só aumentavam o meu dilema: Brasil ou China? O problema é que, caso eu encerrasse meu contrato recém-renovado, era grande a chance de precisar pagar uma multa rescisória. Pesei todos os prós e contras e, assim, arrumei minhas malas para voltar à China, retomar meu lugar no emprego e me aconchegar novamente no apartamento de Shijingshan. Faltando poucos dias para o embarque, solicitei uma quebra de contrato com o abono da multa, era minha última cartada.

O departamento de português enviou uma resposta quando eu já estava em São Paulo, a caminho do aeroporto. Era um "sim", eles haviam aceitado a condição, eu só precisava quitar o aluguel do meu apartamento naquele mês. Conhecendo o vaivém das decisões chinesas, embarquei do mesmo jeito, pois passaria alguns dias em Madri antes de seguir rumo a Pequim. Já em Madri, consegui a confirmação oficial, eu não precisava mais voltar para a China. Em vez de pegar meu voo para Pequim, embarquei para Roma, onde passei alguns dias, um deles exclusivamente dedicado ao Museu do Vaticano, de onde só saí após ser expulso pelo guarda, pois o museu já estava fechado havia quinze minutos.

De Roma, embarquei de volta para o Brasil, ainda sem saber o que o destino me reservava. Ao mesmo tempo, eu sentia a contradição entre o alívio e o pesar por encerrar meu ciclo na China. Eu sentiria saudades dos costumes, das tradições e das festas chinesas, do povo simpático, sorridente e curioso, dos jardins bem cuidados, das flores na primavera e da neve no inverno. Sentiria muita falta da culinária, do pato de Pequim e do frango xadrez, do arroz frito e do baozi no fim de tarde. Mas não sentiria nenhuma falta do regime ditatorial que oprime seu povo e espalha insegurança por todo o mundo. Nenhuma falta.

30. A mansão comunista

Após o retorno ao Brasil, segui a rotina de consultas e exames médicos, cuidando da saúde enquanto buscava um emprego e analisava a possibilidade de lançar um curso *on-line*. Comecei a pesquisar o assunto disposto a reinventar minha carreira, mudar de profissão se preciso fosse. Meus amigos jornalistas continuavam a perder seus empregos e se lançavam em negócios próprios, quando não sucumbiam à depressão.

Em julho de 2019, viajei novamente a Brasília para rever os amigos, reativar meu *networking* e prospectar negócios. Reencontrei um velho amigo gaúcho já cansado da profissão. "Sabe, no passado eu pensava que nessa idade já estaria perto de me aposentar. Agora, acho que irei trabalhar a vida toda, até cair de velho", lamentou-se. O futuro para a profissão de jornalista era cada vez mais inóspito, eu já estava prestes a me organizar para deixar o Brasil novamente quando, em agosto, fui a mais um dos fantásticos churrascos de domingo na casa do meu amigo Moura, e reencontrei Adam, do canal TL, meses depois de a gente se conhecer.

Quando o churrasco estava no auge, precisei me despedir para ir à missa. Convidei Adam.

— Com essa roupa? De bermuda? Não, não posso entrar assim em uma igreja — disse ele.

— Vamos, a gente assiste à missa do lado de fora — insisti.

Ele topou e seguimos de carona para a igreja, de fora assistimos à celebração conduzida por um padre polonês, um tradicionalista devoto de Santa Faustina. Depois de encerrada a missa, caminhei com Adam pelas quadras próximas à igreja.

— Você fica em Brasília até quando? — perguntou ele.

— Devo ir embora dentro de dois ou três dias — respondi.

Adam pediu para eu não ir antes de uma reunião.

— Vou ligar para você amanhã, vamos conversar mais — disse ele antes de entrar no táxi.

Segui caminhando por mais trinta minutos na noite de clima agradável de agosto, sentindo uma brisa fresca até chegar ao apartamento da amiga onde eu estava hospedado.

No dia seguinte, segunda-feira, conforme combinado, Adam me ligou.

— Você pode vir até a sede do TL hoje à noite? — perguntou.

— Sim, mas tenho uma reunião marcada às oito horas da noite — respondi.

— Então venha para cá depois da reunião, não importa a hora. Vou encaminhar a localização.

E assim ficamos combinados. Por volta das 22 horas, saí da reunião no bairro Sudoeste, tomei um uber e, seguindo a localização enviada por Adam, rumamos para uma casa no Lago Sul. Como estava tudo muito escuro, não conseguíamos enxergar os números nas casas do bairro, um problema comum em Brasília. Mas eu já estava próximo, na rua certa, então liguei para ele. Adam atendeu e disse que sairia até a rua para nos sinalizar o local correto. Perfeito, deu certo.

As luzes da garagem estavam apagadas quando entramos, tudo muito escuro, víamos apenas a pequena brasa vermelha do seu cigarro. Adentramos mais um pouco até chegar ao interruptor e Adam acendeu as luzes. De súbito, olhei ao redor e não pude acreditar no que estava vendo. Fechei os olhos, abri-os novamente, parecia estar vivendo uma realidade paralela:

— Vocês alugaram a casa que era usada pelo Partido Comunista Chinês?! — exclamei.

Era a casa onde antes morava meu amigo Cheng. Eu havia participado de inúmeros churrascos ali com chineses, entre eles empresários, executivos, diplomatas e professores do Instituto Confúcio, a maioria filiados ao PCCh.

— Não, não é. Você deve estar confundindo. Nós alugamos de um japonês — respondeu ele.

Caí na gargalhada.

— Ele não é japonês, é um senhor chinês, eu sei quem ele é.

Mostrei algumas fotos minhas na casa, algumas confraternizando com os amigos chineses.

Realmente inacreditável, o Lago Sul, bairro nobre de Brasília, tem em torno de nove mil casas, e justamente aquela que serviu de reduto para reuniões de comunistas chineses havia se tornado uma trincheira da direita brasileira. Depois daquele dia, passei a enxergar o destino como o maior de todos os zombadores. Imbatível.

Cumprindo a profecia

— Será que a casa tem microfones? — Adam me perguntou. — Caramba, estamos grampeados pelos chineses — disparou a falar preocupado.

Tratei de tranquilizá-lo, pois o dono da casa era um chinês interessado apenas no dinheiro do aluguel, sem filiação no Partido Comunista, de acordo com as minhas fontes. A casa, que no Brasil é considerada uma mansão por suas dimensões, abrigava o estúdio do TL e os escritórios da empresa. No andar de cima, Adam morava com a família, enquanto os quartos de baixo eram ocupados por funcionários e hóspedes. Cumpria com as mesmas funções dos tempos em que Cheng morava ali, unindo empresa e residência no mesmo lugar.

Passada a surpresa, fomos direto ao assunto, ele me explicou como funcionava o seu negócio, que eu estava mesmo querendo entender. As fontes de receita eram basicamente quatro: os cursos virtuais, as doações *on-line*, a monetização via internet e as assinaturas da revista *on-line*. Os sócios queriam crescer justamente nesse último segmento, a revista, para não depender tanto de outras fontes.

Analisei os números do portal e da revista, somados eles passavam a casa de dois milhões de leitores por mês.

— Adam, vocês estão mais que habilitados a obter anúncios de estatais e do governo — expliquei. — Há sites com menos tráfego recebendo verba publicitária estatal.

— Não, você está louco? Se a gente já é vigiado e perseguido sem receber dinheiro público, imagina se recebêssemos? — respondeu ele.

Até então, eu desconhecia essa perseguição, mas ele estava coberto de razão. Aquela situação toda era inédita para mim, um modelo de negócios completamente inovador. A imprensa tradicional demitia a rodo, já a nova mídia liderada por jovens empreendedores crescia um pouco a cada mês, lutando para manter sua audiência sem depender do apoio de empresas nem do governo. Quem bancava o negócio eram os espectadores. Para a mudança da sede do portal do Rio Grande do Sul para Brasília naquele ano de 2019, três pequenos empresários do Distrito Federal investiram o equivalente a 5 mil dólares cada um, e organizaram a mudança. Eles queriam que o *business* crescesse para recuperar o investimento. Mas onde eu entrava nessa história?

— Eu quero que você assuma o comando do jornalismo e aumente o número de inscritos na revista — propôs Adam. — Não temos muito dinheiro como você pode ver em nossos balancetes, mas vamos oferecer um bom acordo para trazer você para cá.

De fato, o faturamento da empresa era o suficiente para pagar apenas o piso salarial aos contratados. Todos ofereciam sua cota de sacrifício para manter o negócio funcionando, apostando que no futuro seriam recompensados. Meus rendimentos no Brasil antes de me mudar para a China seriam irreais para os padrões de um pequeno negócio, então conversamos e aceitei receber metade do valor do meu passe no mercado. Afinal, eu já completava seis meses sem rendimento fixo, e o tal contato da Huawei ou de qualquer outra empresa chinesa parecia improvável. Já haviam se passado sete meses desde a minha reunião com Priscila, a diretora da Huawei.

Duas semanas depois, a profecia de Moura se confirmou, comecei o trabalho no Canal TL em parceria com Adam, assim como Moura havia nos pedido nove meses antes — o período de uma gestação. No primeiro dia de trabalho, mal cheguei à empresa e iria começar o *Jornal da Manhã* ao vivo, e Adam pediu para eu participar. Eu nunca tinha assistido a um boletim de notícias do canal, achei se tratar de algo rápido, coisa de dez minutos, então perguntei só para confirmar:

— Quanto tempo dura?

E veio a resposta:

— Mais ou menos uma hora e meia.

O quê?! Uma hora e meia? Como assim? Onde estava o poder de concisão dessa gente?

Na verdade, trata-se de um formato totalmente diferente do jornalismo tradicional. Durante o programa comentávamos as notícias e os fatos mais importantes, assim como tecíamos análises, dávamos a nossa opinião ao vivo, falávamos sobre política e economia; meu parceiro de bancada abordava bastante a filosofia, uma de suas especialidades, depois líamos as perguntas e os comentários de quem nos assistia, eram milhares de pessoas a cada boletim, um sucesso, e tudo era novo para mim.

Esse sucesso todo partindo de um estúdio improvisado na garagem de uma casa, sem ar-condicionado, em que o emaranhado de fios era literalmente empurrado para debaixo do tapete ou escondido atrás dos tapumes forrados com lã acrílica para o isolamento acústico. Brincávamos que se um dia houvesse um curto-circuito no estúdio, o cogumelo atômico seria visto do espaço.

A improvisação era tanta que logo na primeira semana, minutos antes de começar o jornal da noite, o único ventilador do estúdio parou de funcionar. Ele garantia o esfriamento do computador para que não travasse durante a transmissão. Não deu outra, o equipamento travou e assim teríamos de cancelar o programa. Contudo, tínhamos em mãos um vídeo exclusivo que precisava ir ao ar naquela noite, então saí correndo do estúdio e comecei a bater na porta dos vizinhos; fui de casa em casa, pedindo um ventilador emprestado. Na terceira casa, consegui. Voltei com o aparelho, religamos o computador e entramos ao vivo. A audiência naquela noite foi fantástica, e para compensar o esforço exigi que instalassem um ar-condicionado no estúdio. Fui atendido, os sócios estavam empenhados em crescer.

Iniciante em jornalismo, a minha equipe era extremamente esforçada, mas pouco experiente e de certa forma ingênua. Adam tinha se mudado havia meses para Brasília, a política era recente em sua vida, ele caía em armadilhas fáceis, como confiar em fontes de passado desonesto, deputados federais sem escrúpulos e oportunistas interessados em se aproximar do governo. Esse lado pueril atrapalhava a qualidade do trabalho, a ponto de eu ver minha imagem associada a um conteúdo não raramente de credibilidade duvidosa, com matérias e comentários que iam ao ar antes de passar pela minha aprovação, e esse tipo de exposição me incomodava bastante.

Em minha carreira de até então duas décadas como jornalista, assessor de imprensa e executivo de relações públicas, sempre primei pela discrição, tanto no setor público quanto no privado. Nunca tirei fotos com minhas fontes, fossem elas atletas, artistas, políticos ou celebridades, nem cientistas ou empresários, conforme já mencionei. Jornalista de verdade não é a estrela das matérias, muito menos tiete, fã, bajulador ou deslumbrado. Atuando durante anos em empresas brasileiras, norte-americanas e chinesas, calculo que meu trabalho tenha sido visto por mais de 350 milhões de pessoas de pelo menos dez países, incluindo Brasil, Argentina, Estados Unidos, China, Rússia, Portugal, Angola e Espanha. Mas eu mal aparecia, a função primordial de um jornalista é antes de tudo comunicar com eficiência, não ficar famoso. Conheço muita gente séria no mercado que se comporta assim há mais de vinte, trinta anos, profissionais tão eficientes quanto discretos.

No novo trabalho, pela primeira vez eu expunha minha imagem a um grande público no Brasil, sendo assistido por milhares de pessoas todos os dias. Nossos vídeos eram recortados por seguidores que os espalhavam pelas redes sociais.

Depois dessa exposição, a chance de eu ser contratado por uma empresa chinesa para coletar mais informações estava enterrada para sempre, eu pensava. Na verdade, nem dava tempo de refletir muito, porque eu ajudava com as pautas, apresentava dois boletins por dia e editava toda a revista, incluindo os artigos dos colaboradores. Sobrava pouco tempo, e quando restava alguma energia depois do segundo boletim, encerrado por volta das 22h, íamos tomar uma cerveja no Clube do Lúpulo.

A casa no Lago Sul também virou ponto de encontro de figuras públicas — passavam por ali deputados, membros do governo, admiradores do programa, professores, padres, teólogos e estudantes —, a casa vivia cheia, sobretudo à noite. Durante o dia, íamos com frequência colher informações no Congresso Nacional, no Palácio do Planalto, nas embaixadas e nos ministérios. Na semana anterior ao começo da rotina exaustiva de trabalho, aluguei às pressas um pequeno *flat* em um condomínio à beira do Lago Paranoá, e no dia em que ia alugar um carro, meu amigo Cheng me convidou para tomar um vinho na casa dele, no Lago Norte.

— Você não precisa alugar nada agora, fique com um dos meus carros — disse ele.

Veja só, o modesto ex-professor de mandarim havia se convertido em um pequeno-burguês com ares de magnata. Eu poderia escolher entre um Audi, um Volvo e uma BMW, tentei recusar, mas chinês quando insiste está querendo provar sua amizade. Acabei ficando com o Volvo, grande, potente e confortável. Eu me comprometi a devolver o carro em uma semana, mas Cheng viajou em seguida e deixou o carro comigo por três meses.

Evitei comentar sobre a casa onde eu iria trabalhar, ou seja, sua ex-casa. Ao menos naquele momento era importante manter o endereço da empresa sob sigilo, tamanha era a hostilidade da mídia e de parlamentares de oposição contra o TL. Estávamos zelosos com a segurança da família que ali morava, incluindo duas crianças, uma de dois anos e outra recém-nascida.

Vinte dias depois de iniciar essa nova fase da minha carreira, que na realidade pareciam meses de tanta coisa que fazíamos, recebi uma mensagem de Priscilla S., diretora da Huawei. "Olá, estou em Xangai, semana que vem volto para o Brasil. Irei para Brasília e gostaria de encontrá-lo." *Bom*, pensei, *ela deve estar passando por novos problemas com os chineses.* Marcamos um almoço antes de o mês de setembro terminar. Priscilla desconhecia a presença de membros do Partido Comunista na empresa, melhor para ela. Por outro lado, sem saber a quem de fato prestava seus serviços, ela não entendia direito a elaboração de relatórios confusos, muito menos a despropositada estratégia de comunicação.

Achei que conversaríamos novamente sobre seus problemas. Engano meu.

— Estou saindo da empresa e quero que você me substitua — disse ela.

Fiquei surpreso. Era uma boa notícia, mas em um momento ruim. Caramba, por que ela não decidiu isso dois meses antes? Assim, eu não teria iniciado meu trabalho no Canal TL. Tive de recusar a proposta, mas ela insistiu, insistiu como uma chinesa, Priscilla já havia aprendido alguma coisa com os asiáticos.

— Está bem — falei para ela —, vou iniciar uma conversa com o departamento de Recursos Humanos da Huawei, mas só para saber qual é a proposta, não me comprometo a trocar de emprego neste momento.

Ela agradeceu e voltou para São Paulo animada, pedindo para eu enviar meu currículo o quanto antes. O trabalho na gigante de tecnologia chinesa era tudo o que eu precisava para fechar meu círculo de informações. Eu teria passado por todas as melhores fontes da ditatura: o Instituto Confúcio, uma universidade chinesa, a mídia estatal chinesa e, agora, uma empresa que se diz privada, mas na verdade é controlada pela ditadura. De qualquer forma, eu não queria deixar o meu trabalho no TL depois de tanta confiança em mim depositada. A indecisão iria me consumir por dias.

A diretora de RH da empresa chinesa me enviou uma proposta salarial que, embora muito atraente, estava abaixo dos meus rendimentos de 2015, quando troquei o Brasil pela China. Então as ofertas foram aumentando, e a empresa insistiu em agendar uma entrevista. Marquei em um restaurante do Lago Sul, perto do meu trabalho, pois não teria tempo de me deslocar até outro bairro. Eles aceitaram, fui entrevistado por três pessoas: o vice-presidente da Huawei no Brasil, Steven Shen; sua auxiliar, Zhuli; e o diretor de Relações Públicas e Governamentais, Atílio Rulli, aquele responsável por contornar a confusão com os chineses no Clube de Golfe.

Na mesma noite, combinei uma reunião de emergência com Pagani no Clube do Lúpulo — reservei um horário na sala privativa, um dos poucos lugares onde teríamos privacidade e segurança para conversar. Contei a ele o que estava acontecendo. Pagani me pediu para aguardar até a manhã seguinte, pois iria pedir a opinião do seu grupo de agentes estrangeiros. No dia seguinte, garantiram a Pagani que os chineses haviam me procurado por indicação de Priscilla, e desconheciam a linha editorial do TL, abertamente anticomunista e pró-Taiwan.

Portanto, faz-se importante repetir: não devemos subestimar nossos oponentes, nem superestimar. Os chineses estavam na prática bastante desinformados sobre o lugar onde eu trabalhava. Fiz uma contraproposta salarial que, somada aos benefícios, quase duplicava a minha renda. A Huawei aceitou, eles tinham pressa, pois eu precisava assumir como diretor antes da realização de um grande evento de tecnologia em São Paulo. Avisei sobre a demissão ao meu time no TL, minha saída prematura caiu como um balde de água fria no canal, estávamos realmente indo bem juntos. Para não deixá-los na mão, garanti que continuaria participando de alguns boletins de notícias à noite e ajudaria na edição da revista como voluntário, sem receber nada por isso.

Assim, rescindi o contrato com o TL muito antes do previsto, sem revelar qual seria meu novo emprego, para evitar ser tachado de traidor ou agente duplo. Naquele momento, eu não podia descortinar minhas intenções, eu conseguira com muito custo manter o sigilo das minhas ações por quatro anos consecutivos, precisava de apenas alguns meses na Huawei para decifrar como a empresa servia ao Partido Comunista.

31. O comando foice e martelo

Com vista para o Parque da Cidade, o amplo e moderno escritório da Huawei em Brasília se dedicava principalmente aos contratos com o governo, relações governamentais, comunicação e vendas. Lá estava lotado o vice-presidente da empresa no Brasil, Steven Shen, um executivo de perfil discreto e comportamento um pouco dissonante da dinâmica da empresa. Depois de todo o meu aprendizado sobre o *modus operandi* do Partido Comunista, percebi logo na primeira semana que Steven era o mais graduado do partido no escritório de Brasília. Sua assistente, Zhuli, cujo nome internacional é Lilia, reunia as características de uma profissional competente, porém submissa, o típico perfil de uma pessoa orientada para ajudar um membro do partido, sem ser filiada ao PCCh.

Acumulando duas atividades simultâneas, na Huawei e no TL, eu mal tinha tempo de encontrar Pagani, mas mesmo assim combinamos um almoço para trocar informações. No encontro, mencionei ao amigo policial que Steven era a pessoa destacada pelo Partido Comunista para atuar em Brasília, uma informação que ele já tinha. Ele queria saber os planos da empresa para o 5G no Brasil, e me comprometi a obter as informações o mais rápido possível. Ficamos de almoçar novamente dentro de duas semanas.

No dia seguinte, parti para São Paulo, onde participaria da Futurecom, um dos mais importantes eventos de tecnologia do Brasil. A Huawei era a patrocinadora máster da feira, com um estande incomparavelmente maior que o de seus concorrentes, localizado logo na entrada do evento, impressionando os visitantes. A ocasião significava ao mesmo tempo a minha estreia no cargo e uma apresentação oficial à equipe da Huawei em São Paulo e aos jornalistas de economia e tecnologia que atuam na capital paulista.

Distante quatro anos do mercado brasileiro, percebi a diferença abissal da atuação da mídia no decorrer daquele período. Em reuniões, recebi jornalistas de revistas, jornais e portais de internet, além de repórteres de rádio e TV, assim como youtubers, influenciadores e organizadores de eventos. Todos, sem exceção, misturavam conteúdo editorial com interesses comerciais sem nenhum constrangimento. Era um sinal claro do desespero dos meios de comunicação. À beira da falência, a mídia transformara seus jornalistas em vendedores, eles precisavam casar a pauta com um patrocínio. A notícia? Às favas com a notícia, basta pagar a mídia para ela falar o que você quiser. O pudor? Ora, que pudor? Estava tudo misturado: informação com dinheiro, artigos com pagamentos, opinião com nota fiscal.

Empresas chinesas em franco crescimento se aproveitaram da situação para impor sua propaganda disfarçada de notícia, sempre a serviço do PCCh. A proporção dos investimentos de empresas chinesas na comunicação e divulgação tem sido muito maior que a de suas rivais estrangeiras na última década. Somente em 2019, a comunicação da Huawei tinha um orçamento de 14 milhões de reais para publicações na imprensa brasileira, um valor que aumentava a cada ano. Isso sem contar a verba para os grandes eventos, para a compra de passagens aéreas, para as diárias em hotéis caros e jantares oferecidos a jornalistas nos restaurantes mais badalados. Para efeito de comparação, uma de suas principais concorrentes possuía 3 milhões de reais de orçamento destinado a publicações na imprensa.

Na feira, eu circulava por diferentes espaços me reunindo com jornalistas, além de visitar os estandes dos parceiros da Huawei, sobretudo as operadoras de telefonia Vivo, Claro e TIM, as mais interessadas no 5G chinês. Em meio a milhares de pessoas, acabei cruzando justamente com Roberto S., funcionário de uma empresa de tecnologia e, pasmem, primo de Adam dos S., do TL Notícias. A situação inusitada gerou momentos de tensão, ele olhou diretamente para o meu crachá, onde se lia "Huawei" em destaque. Ficou um tempo em silêncio, e finalmente falou:

— Ah... então você está trabalhando aí, eu não sabia.

Pois é, meu segredo chegava ao fim, não havia mais como omitir a informação. Naquela mesma noite, Adam me ligou.

— Opa, tudo bem? Eu precisava falar contigo. Você está em Brasília? — perguntou.

— Pare de fingir, Adam, você sabe onde eu estou. O que você quer?

Então tivemos uma conversa inicialmente tensa, depois longa e franca, embora eu tenha exercitado a criatividade para não lhe contar 100% das minhas reais motivações. Por fim, combinamos de não misturar os interesses. Para manter a informação em sigilo, eu não poderia revelar meu novo emprego à audiência no

TL, que teria dificuldade em entender. Era melhor manter a discrição para conseguir concluir minha missão. Depois de conversados, prosseguimos com a parceria no canal.

Minha equipe na Huawei era bem reduzida, praticamente limitada a estagiários, mas eu contava com uma agência de comunicação norte-americana no apoio, a Jeffrey Group, por intermédio de seu escritório em São Paulo. Os profissionais brasileiros da agência eram qualificados, ágeis e dedicados, mas desconheciam por completo os métodos chineses, bem como os interesses da empresa controlada pelo Partido Comunista. Como era de se esperar, a equipe da Jeffrey possuía conhecimento zero de guerra política e de táticas de guerra irregular. Era uma vantagem para mim, pois eu não seria vigiado por colegas, e uma desvantagem para eles, que se desdobravam para oferecer um bom serviço sendo que os chineses não davam a mínima para os resultados concretos.

Já os resultados irreais, sim, isso lhes interessava bastante. Dentro da cadeia de mentiras já abordada anteriormente, os chefes da Huawei membros do partido demandavam relatórios falsos. Claro que eles não declaravam em alto e bom som que os relatórios deveriam ser fraudados, mas impunham as famosas mágicas contábeis. "O aumento de presença na mídia este mês deve ser de 5%, e as matérias com viés positivo precisam subir 15%. Já as reportagens negativas têm de cair 13%", dizia Steven, fabricando números a esmo para impressionar seu chefe imediato, que por sua vez reunia todos os relatórios fraudados da América Latina para impressionar seu chefe dos escritórios internacionais, que por sua vez fraudava... enfim, já deu para entender, a rede de incompetência e mentiras se desenrolava até chegar bem próximo do CEO da empresa.

Nenhum dos chineses em Shenzhen, cidade-sede da Huawei, seria capaz de contestar os números oferecidos por Brasil, México, Chile, Argentina, Colômbia etc. Apenas uma auditoria internacional longa e cara poderia desmascarar todos os ineptos executivos comunistas da empresa. E o mais importante: quem se interessava? Os resultados da empresa pareciam melhorar a cada ano. Contando com o apoio de políticos corruptos e operadoras de telefonia interessadas apenas no lucro, a Huawei fechava contratos milionários pelo mundo, amparada pelas embaixadas chinesas responsáveis por aplicar chantagens mundo afora, no melhor estilo "aprovem o 5G ou haverá retaliação".

Um dos políticos brasileiros mais próximos de empresas chinesas naquele momento era o governador do estado de São Paulo, João Doria, um entusiasta do regime que trucidou mais de 60 milhões de pessoas. Em agosto de 2019, Doria anunciou durante viagem a Xangai a construção de uma fábrica da Huawei no Brasil, responsável pelo investimento de 800 milhões de dólares no estado. Foi uma notícia e tanto, divulgada à exaustão pela mídia cooptada tanto pelo governo paulista quanto por empresas chinesas. Assim, todos os lados capitalizaram em cima do anúncio. O único problema é que a notícia da nova fábrica era FALSA.

Veja bem, Doria precisava oferecer uma notícia bombástica no momento em que começava a atacar o presidente da República. Em 2018, o político paulista inventou a parceria "Bolsodoria" que lhe assegurou a vitória na disputadíssima eleição estadual, mesmo sem a anuência do candidato à Presidência. Já no ano seguinte, interessado em concorrer ao Planalto em 2022, Doria começou a atacar o presidente.

O anúncio do investimento da Huawei causou uma tremenda dor de cabeça ao departamento de Comunicação da empresa chinesa, formada por Priscila S. e o time da Jeffrey, ou seja, brasileiros desconectados da guerra política. Doria capitalizou junto ao seu eleitorado, os comunistas capitalizaram junto aos seus chefes e os jornais receberam dividendos, deixando a notícia desaparecer naturalmente. Já a fábrica, essa não seria construída. A lógica impostora do comunismo acabara de ser empregada com sucesso por um político brasileiro.

O que os funcionários brasileiros pensavam disso? Bem, na base da Huawei no Brasil ninguém detinha esse tipo de informação. O pessoal técnico, como engenheiros e vendedores, sempre se manteve bem ocupado em suas funções, visando resultados. Muitos já haviam percebido a falta de lisura da empresa, mas ninguém sabia, por exemplo, que seus núcleos eram comandados pela foice e o martelo.

E os diretores brasileiros? Bom, esses não sabiam nada até eu entrar na empresa. Com o passar do tempo, eu os informei. Contudo, entre o salário e o desenvolvimento do país, escolheram o salário. Eles tinham contas a pagar, dívidas a quitar. Quiçá um dia mudem de lado, afinal, nenhum deles se mostrava confortável com a situação. Já era bastante embaraçoso conviver com a incompetência dos superiores chineses, e ainda por cima descobriram ser chefiados por filiados ao Partido Comunista. Ninguém ficou feliz.

Créditos sociais, a ameaça

Quando completei um mês na Huawei, começava a reunião dos Brics em Brasília, eu participaria pela segunda vez do evento, dessa vez não como jornalista, mas sim palestrante. O esquema de segurança na capital brasileira era menos rigoroso que o visto em Xiamen, na China, dois anos antes, pude observar isso de perto, já que a comitiva do presidente russo, Vladimir Putin, se instalou perto do local onde eu me exercitava, e o aparato de segurança se mostrava bem discreto.

Convidado a palestrar em uma das conferências, o vice-presidente da Huawei, Steven Shen, pediu-me para substituí-lo faltando apenas duas horas para começar o evento, sobrecarregando ainda mais minha agenda lotada daquele dia. Indignado e sem tempo de preparar uma palestra, minha desforra seria expor a empresa ao ridículo para, assim, me livrar de futuros pedidos de última hora.

Falando a um público de 200 pessoas, entre eles autoridades de diferentes países, contei como alguns chineses se comportavam no trabalho, incluindo o ambiente da Huawei, as dificuldades de adaptação e o amadorismo reinante. Enquanto eu falava, percebi chineses desconcertados à minha frente, outros baixaram a cabeça e passaram a se concentrar em seus smartphones. Eu tinha plena consciência do impacto das minhas palavras. Para os chineses, aquele era um caso de extrema vergonha, que eles chamam de perder a cara, ou 丢脸 – *Diūliǎn* em mandarim, situação levada a sério por eles.

Os estagiários da Huawei, pobrezinhos, não faziam ideia do que estava acontecendo. Ao fim da palestra, um brasileiro se aproximou e me felicitou pela palestra.

— Você não pode estar falando sério — eu respondi. "Essa palestra tinha o objetivo de não agradar ninguém" — concluí.

Ele se afastou sem jeito, era só mais um puxa-saco querendo dinheiro de empresas chinesas para patrocinar um evento. No dia seguinte, a embaixada da China em Brasília fez contato com pessoas que haviam assistido à palestra para saber suas opiniões sobre meus comentários. A partir de novembro de 2019, a ditadura comunista começou a observar meus passos dentro do Brasil, mas só recebi essa informação no ano seguinte, de um agente infiltrado nos meios chineses.

Pensei que a palestra do Brics ao menos me livraria de novas obrigações de última hora, engano meu. Dias depois, delegaram-me a missão de levar para a China cinco jornalistas brasileiros de alto gabarito para entrevistar o fundador e CEO da Huawei, Ren Zhengfei (任正非), o ex-militar do Exército de Libertação Nacional da China (ELN) cuja filha estava presa no Canadá acusada por diferentes crimes. Tudo na Huawei era feito de última hora, a empresa se orgulhava de um sistema de autosserviço em que o funcionário resolvia tudo. O próprio funcionário comprava bilhetes aéreos, reservava hotéis, organizava passeios, convidava jornalistas, definia almoços e jantares, isto é, se virava sozinho.

Fora da empresa, todavia, a vida transcorria dentro de um planejamento onde pessoas normais organizavam com antecedência sua agenda pessoal e profissional. Os jornalistas precisavam me dar a resposta em dois dias, pois embarcaríamos na semana seguinte, começo de dezembro, época do ano em que pululam eventos, férias e viagens para uma parcela significativa de jornalistas. Mas os chineses tinham de impressionar seus chefes com urgência, e o estresse chegou a níveis perigosos. Diante das respostas negativas dos jornalistas brasileiros, afinal muitos se sentiram desrespeitados pelo convite em cima da hora, Steven me chamou para uma conversa na sala dele.

— Rafael, você precisa levar os jornalistas para a China, você é obrigado a levá-los — esbravejou, em um tom de agressividade até então inédito para mim.

Minha resposta também seria inédita em toda a sua vivência na empresa.

— Steven, você está louco? Você quer o quê, sequestrar os jornalistas, amordaçá-los e enfiá-los num avião? Você está pensando que isso aqui é a China? — perguntei, enquanto ele me olhava incrédulo. — Olha só, o Brasil ainda é um país livre, por mais que vocês desejem transformá-lo em uma ditadura. E preste bem atenção, irá uma jornalista ou dois, dê-se por satisfeito. Se quiser mais, se vire. E quer saber de uma coisa, eu vou almoçar, estou cansado de ficar aqui — encerrei o assunto e virei as coisas, deixando a sala.

Steven saiu da sala me seguindo, aos berros, falando inglês e com ameaças de demissão, atravessamos a recepção e ele me seguiu até o *lobby* do elevador. Nesse momento, me virei de novo para ele, sem testemunhas, mas ciente das câmeras de vigilância. Apontei o dedo para ele e falei:

— Escute aqui e escute bem. Você pode perder alguns créditos sociais com o seu governo. Eu nao. Entao, aceite minha proposta de levar uma jornalista ou perca mais pontos.

— Crédito social, como assim? Do que você está falando? — perguntou-me transtornado, tremendo, gaguejando.

Naquele momento, senti pena, e prossegui:

— Olha só, Steven, fizemos o nosso melhor. Todos os jornalistas convidados já tinham programação, conseguimos ainda uma profissional qualificada no mercado, faremos uma boa entrevista. Comunique isso aos seus chefes. Na próxima, eles nos avisam antes e levaremos vários profissionais, o.k.?

Dei um tapa no seu ombro e segui para o elevador. Steven ficou parado no mesmo lugar, ainda tremendo, olhando para o nada. A porta do elevador se fechou, desci para almoçar um merecido filé malpassado com fritas.

De volta ao solo chinês

Antes de embarcar para a China, no entanto, outra questão movimentava o escritório da Huawei em Brasília. O deputado federal Eduardo Bolsonaro havia requerido uma audiência pública para debater temas envolvendo a implantação do 5G em diferentes países, inclusive o Brasil, e convidou a Huawei a participar dos debates, juntamente com representantes da Qualcomm, Nokia, Ericsson, Google e da Agência Nacional de Telecomunicações (Anatel).

O convite, nas empresas sérias de diferentes países para as quais prestei serviço, leva a um planejamento sóbrio e ao envolvimento de um pequeno grupo de profissionais. Na Huawei, a simples presença na audiência da Câmara dos Deputados criou uma celeuma de proporções transnacionais não só pelo fato de a empresa ser adepta de práticas poucos convencionais, mas também porque representava aos comunistas da companhia uma chance de mostrar serviço aos seus superiores. Assim, eles movimentaram os escritórios de Brasília, São Paulo, Buenos Aires, México, Bruxelas e Shenzhen, trouxeram meia dúzia de burocratas chineses incapazes de decifrar o que seria uma audiência pública, além de seus capachos sempre prontos a anotar cada detalhe e a convocar reuniões emergenciais desnecessárias.

Esse tanto de burocratas e assessores não servia para nada. Aliás, servia só para atrapalhar o nosso trabalho, pelo menos Atílio e eu tínhamos experiência com dezenas de audiências públicas por nós acompanhadas durante décadas. Para os membros do Partido Comunista Chinês, aquele teatro caro e vigarista lhes renderia alguns pontos de crédito social, e todos passariam o fim de ano sonhando com os bônus salariais do ano seguinte.

Um ex-deputado federal, Daniel Vilela, atuava como consultor extraoficial da Huawei. Ele não era contratado diretamente pela empresa, mas sim por uma espécie de fundação de tecnologia integralmente financiada pelos chineses. Oficialmente, sua função se resumia a prestar serviços gerenciais, mas na realidade ele recebia o dobro do salário de um deputado federal para executar o *lobby* da Huawei em Brasília. Daniel era um dos poucos a nos ajudar de fato no planejamento para a audiência pública.

A audiência, realizada em novembro de 2019, transcorreu sem nenhum incidente, e o deputado Eduardo Bolsonaro, filho do presidente da República, manteve uma postura neutra, que lhe rendeu elogios entre os executivos da Huawei. Dias depois, o deputado federal convidou alguns membros do escritório da Huawei em Brasília para visitar seu gabinete na Câmara, momento no qual esclareceu algumas dúvidas pendentes da audiência pública. Novamente, tudo transcorreu em clima de cordialidade, havia até então uma relação harmoniosa entre o parlamentar e os rottweilers do Partido Comunista Chinês.

No começo de dezembro, embarquei para a China com a jornalista Maria Cristina F., do jornal *Valor Econômico*, e nos acompanhava um assessor de imprensa da Jeffrey, o Vitor C., um dos mais preparados da nossa equipe. Maria Cristina é uma jornalista experiente e conhecia bem a empresa que a convidara. No entanto, assim como a quase totalidade dos jornalistas, mostrava-se alheia aos assuntos envolvendo espionagem industrial, roubo de patentes e desrespeito à propriedade intelectual. É claro que nada disso interessava ao Grupo Globo, dono do jornal *Valor*, decidido a inviabilizar o governo brasileiro e, se possível, derrubar o presidente. Todos os jornalistas precisavam levantar essas bandeiras ou iriam para o olho da rua.

Dos três brasileiros nessa viagem, eu era o único a conhecer a China, a falar mandarim e a entender de assuntos que eles nunca tiveram acesso anteriormente. De novo, essa situação me ajudava, pois eu tentaria encontrar meu amigo e informante chinês Theo em Shenzhen, aquele aluno que me ajudou no primeiro ano como professor universitário em Shijiazhuang. Ele havia conseguido um trabalho em Hong Kong, cidade vizinha a Shenzhen, e iria ao meu encontro em uma das minhas poucas noites da cidade.

Maria, Vitor e eu chegamos a Shenzhen, no sudeste chinês, em uma manhã de temperatura amena, oriundos de uma viagem cansativa de 36 horas, com passagem por Zurique e desembarque em Hong Kong. Mal botamos os pés no hotel, depois de passar uma noite praticamente em claro, e saímos na mesma hora em direção a Dongguan (东莞), percorrendo mais 75 quilômetros em uma confortável Mercedes reservada exclusivamente para nós. Em Dongguan nos juntaríamos aos demais jornalistas latino-americanos e espanhóis convidados para a *press trip* de última hora.

Nos dias em que passamos na China, visitamos a fábrica de chips e celulares da Huawei, além do recém-inaugurado campus de pesquisa de Dongguan, que homenageia cidades, universidades e localidades famosas da Europa, continente admirado pelo fundador da empresa. Dentro do campus, um trem leva funcionários e visitantes de um lado para o outro, dadas as dimensões grandiosas das instalações. Tudo muito bem cuidado e novo, porém *fake*, exagerado e fora de contexto.

No time que controla a comunicação da Huawei, todos os chineses são filiados ao Partido Comunista e precisam se reportar a Pequim. Já os relações-públicas estrangeiros, sejam do México, Colômbia, Argentina ou Peru, são profissionais contratados para cumprir as demandas pouco claras da empresa. Muitas vezes, são pagos para transmitir informações incorretas, ainda que involuntariamente, porque de fato desconhecem a verdade sobre os temas de que tratam.

Com bastante cuidado e zelo, orientado pelo russo Dimitri e por meu amigo Pagani, vulgo CSI, consegui penetrar em um círculo bastante fechado da empresa, um grupo de funcionários que corre risco de extinção tão logo seja descoberto. Eram os únicos a reconhecer o uso dos *backdoors* nos equipamentos da Huawei com a finalidade de coletar informações não autorizadas. Ou, traduzindo para uma linguagem simples: o uso de recursos tecnológicos ilegais para espionar. Por outro lado, há um grupo de estrangeiros muito bem pagos para omitir essas informações e distorcer a verdade. Entre eles, os mais acionados são o finlandês Mika Lauhde e o brasileiro Marcelo Motta.

Ambos conhecem as práticas nada ortodoxas da Huawei, embora Motta tenha me transmitido a impressão de ignorar as reais aplicações das informações coletadas. Quando nos conhecemos, ele não fazia ideia de que seus chefes imediatos compartilhavam todos os seus registros com a cúpula do partido em Pequim. Na sua visão, a postura da companhia explicava-se pela competitividade entre os players do mercado de telecomunicações.

Já Mika Lauhde continua sendo uma referência em 5G nos eventos de todo o mundo, sempre em defesa da gigante chinesa. Seu cargo atende pela pomposa descrição de vice-presidente de segurança cibernética e privacidade, e relações públicas globais. Sua renda, mesmo mantida em sigilo dentro da empresa, atinge a cifra de US$ 2,5 milhões por ano entre salários, bônus e benefícios. Nos anos de trabalho árduo, como 2019, o *board* da Huawei concordou em lhe pagar mais meio milhão de dólares para garantir o empenho de Mika na defesa de uma empresa acusada de delitos e práticas criminosas em países de vários continentes.

Na única noite em que consegui sair sozinho do hotel, por pouco tempo, eu me encontrei com Theo em uma vila localizada a cerca de vinte minutos de caminhada de onde estávamos hospedados. Nesse espaço de tempo, saí de um bairro requintado e caro e passei por uma espécie de "portal", algo comum nas metrópoles chinesas. Isto é, quem circula de carro, sobretudo os estrangeiros, só consegue ver as maravilhas do país, edifícios imponentes, ruas cristalinas de tão límpidas, jardins bem cuidados e alta tecnologia a cada esquina. Mas os poucos estrangeiros que se esgueiram pelas ruelas escuras dessas cidades descobrem a China real, onde almoçam e jantam os trabalhadores daqueles hotéis opulentos.

Nessa vila tipicamente sina nos sentamos para eu matar a saudade da verdadeira comida chinesa, um legítimo frango xadrez (宫保鸡丁) acompanhado de arroz frito, o chaofan (炒饭). Tudo muito simples, no estilo caseiro, e por isso mesmo delicioso.

— Huawei, hein? Quem diria? — disse-me Theo rindo, e mostrando seu celular desligado, antes de enrolar o aparelho em uma capa laminada e enfiá-lo em sua mochila para trancá-la em um guarda-volumes no caminho para o restaurante.

— Pois é. Como você pode ver, cheguei à etapa final — respondi. — E você, não é perigoso atravessar de Hong Kong para a China continental para me encontrar? Isso não ficará registrado na imigração? — indaguei.

— Não — Theo me respondeu, mostrando-me um passaporte sul-coreano com a sua foto.

— Eu não sabia que você tinha origem coreana — comentei, um tanto surpreso.

— Eu também não, hahahaha — ele falou, e desatou a rir.

Eu ri junto, ele estava se superando, desenvolvendo todas as capacidades para se tornar um agente de inteligência em outro país.

Theo me recomendou ficar na Huawei somente o tempo suficiente de coletar as informações necessárias para concluir o mais importante: que qualquer tecnologia de informação, como o 5G ou as próximas a surgirem ao longo dos anos, sempre servirá como um meio de espionagem não só para a Huawei, mas também para outras empresas chinesas. O mesmo artifício poderá ser usado por companhias estrangeiras. A diferença é que as empresas chinesas são obrigadas a repassar as informações sigilosas ao governo chinês, isto é, ao Partido Comunista, representando um grande risco para a segurança e a estabilidade internacional.

Ele me contou sobre o seu trabalho em Hong Kong, e evitou assumir seu envolvimento com os protestos realizados naquele ano de 2019 na ex-colônia britânica.

— Digamos que sou um aliado nos bastidores — ele me falou.

Tomamos uma cerveja Tsingtao lager para relembrar os velhos tempos em Shijiazhuang, nos despedimos com um abraço forte, algo raro entre os chineses, mas aceitável para aqueles com experiência internacional. Voltei cedo para o hotel, pois no dia seguinte haveria a entrevista com o fundador e CEO da Huawei, Ren Zhengfei.

Quanto a essa entrevista, eu jamais deveria ter confiado no bom senso da minha equipe da Jeffrey. Havíamos demandado uma lista de Q&A (perguntas e respostas) que poderiam ser utilizadas pelo chefão da Huawei para demonstrar, durante a entrevista coletiva, certa proximidade e simpatia pelo Brasil. O fuso horário de onze horas entre Brasil e China revela-se um grande inconveniente quando precisamos lidar com assuntos urgentes. Mas meus soldados eram bem treinados, pensava eu, e não revisei a íntegra do material. Lembro-me de, na primeira versão, ter notado uma menção à Parada Gay de São Paulo, uma das maiores do mundo.

Mandei retirar, é óbvio. Os progressistas dos meios de comunicação de São Paulo acham que o mundo gira em torno de Pinheiros. Equivalem-se aos jornalistas de Manhattan, trancafiados em uma bolha, incapazes de compreender como vive e o que almeja a maioria da população chinesa ou brasileira. *Parada Gay?* pensei, *esse pessoal não consegue mesmo sair da bolha.* Ora, qualquer tentativa de Parada Gay na China ensejaria uma fileira de tanques pronta para transformar a comunidade homossexual em um tapete de cadáveres.

Mesmo que Ren tocasse no assunto, soaria despropositado, falso, além de representar um risco de trazer à tona temas delicados ao regime ditatorial chinês. A equipe entendeu minhas considerações e eliminou a questão do relatório. Porém, não consegui ler a versão final a tempo de impedir um novo desastre. A equipe da Jeffrey abriu seu livro de clichês sobre o Brasil e incluiu temas como samba, futebol e Carnaval no manual de mensagens recomendado ao CEO da Huawei. Maldita bolha!

Com a delicadeza de um rinoceronte numa sala de cristais, o todo-poderoso comunista da Huawei afirmou na entrevista que “o Brasil poderia se dedicar mais ao samba”. Eu queria desaparecer da sala naquele momento, percebi a jornalista brasileira anotando cada palavra de Ren quando o chinês desandou a falar asneiras. É claro que o comunistão não tinha a menor ideia do que era o Carnaval brasileiro ou o samba. Suas declarações se baseavam nas orientações da assessoria de imprensa, um fiasco completo. No dia seguinte, a mídia brasileira destacou: “Brasil deve focar no samba e deixar tecnologia para empresas, diz presidente da Huawei”.

Ora, ora, os esquerdistas ocidentais de fato se comportam como idiotas úteis em tempo integral. Na China, esse tipo de gente é chamado jocosamente de 白左, ou esquerda branca, cuja pronúncia em pinyin é *Bái zuǒ*, englobando todo tipo de bucha de canhão ocidental apto a vestir uma camiseta com a cara de Che Guevara sem conhecer uma só ação do ativista argentino. A lista da "esquerda branca 白左" inclui artistas, atletas, estudantes e ativistas, professores, sindicalistas, feministas, viciados em drogas, membros de ONGs e ambientalistas, entre outros grupos instrumentalizados para segregar a sociedade em guetos e defender interesses políticos, mesmo desconhecendo o mínimo de política.

O Bái *zuǒ* nem sequer suspeita que passaria a eternidade na prisão se promovesse uma marcha da maconha em Pequim. E caso portasse mais de cinquenta gramas de qualquer droga considerada ilícita seria executado dentro de poucos meses, sem chance de apelação. "Ah, mas e se o traficante for estrangeiro?", você deve estar se perguntando. Resposta: execução. E se for uma droga leve? Execução. E se o portador da droga tiver quinze anos de idade? Execução. Enfim, a esquerda branca serve perfeitamente aos interesses chineses. Ela forma um exército de idiotas úteis capazes de se imolar para defender os interesses do Partido Comunista. Mal sabem que sua pele branca tatuada se transformaria em abajur de uma repartição socialista na primeira tentativa de contestar o comunismo legítimo, sempre intolerante com os caprichos e delírios *made in Hollywood.*

32. Turismo viral

O ano de 2020 entraria para a história da Humanidade por conta da disseminação de um vírus originado na China no ano anterior, 2019. Logo na primeira semana de janeiro, recebi informações desencontradas de Pagani sobre a suspeita de uma nova doença na China. Ele também havia recebido informações pouco confiáveis, com contornos de teoria da conspiração. Mesmo assim, ficamos atentos. Eu era diretor de uma das maiores empresas chinesas, e sondei com meus colegas executivos de origem oriental sobre os rumores vindos de Wuhan. As respostas evasivas deixavam clara a necessidade de omitir as informações já conhecidas pela cúpula do PCCh.

— Por que você está me perguntando isso? Ninguém está falando sobre isso na empresa, só você — disse-me uma diretora chinesa lotada no México.

— Ora, não lhe parece óbvio? — respondi. — Trabalhamos em uma empresa chinesa, esse tipo de informação pode impactar nos negócios da companhia, precisamos elaborar respostas preventivas a uma eventual crise — expliquei.

Aparentemente, ela entendeu minha preocupação e o assunto deu-se por encerrado, mas meus questionamentos seriam levados a instâncias superiores, como manda o manual do partido. Meus passos dentro da empresa passaram a ser acompanhados com maior rigor.

Fora da empresa, eu continuava participando rotineiramente dos boletins de notícias do TL, um dos canais mais críticos ao regime ditatorial chinês. Por que os comunistas me mantinham dentro da empresa? Levantei essa questão a Pagani. Ele já havia abordado o assunto com seus colegas estrangeiros. A resposta mais aceita era a de uma possível tentativa de corrupção. Ou seja, os socialistas esperavam que eu traísse meu país para me aliar aos interesses do regime ditatorial. Erraram feio.

Na segunda quinzena de janeiro, os rumores nos grupos de agentes estrangeiros já haviam se confirmado. Um novo vírus infectara dezenas, talvez centenas de pessoas na cidade de Wuhan, capital da província de Hubei, gerando vítimas fatais. O vírus espalhava-se em uma grande cidade, dessa vez não era no campo. Contudo, Pequim se negava a trazer o assunto a público, gerando um grande risco de epidemia mundial.

E como se daria essa propagação do vírus? Simples, não há nada de elaborado nem muito complexo. A China se tornou a maior emissora de turistas estrangeiros neste início de século. O governo chinês flexibilizou algumas regras, tornando as viagens internacionais cada vez mais comuns para os cidadãos do país. Qualquer pessoa que viajou para Europa, Estados Unidos, Canadá ou Austrália nos últimos anos sabe do que estou falando. Há uma horda de chineses em cada destino nessas regiões.

Vamos aos números. Em 2001, cerca de dez milhões de chineses viajaram para fora do país, ficando longe do topo do ranking mundial, liderado pelos viajantes alemães e norte-americanos. Entretanto, em 2018, esse número saltou para 141 milhões de viagens internacionais efetuadas por cidadãos chineses, tornando o país líder mundial na emissão de turistas estrangeiros. O ritmo de crescimento se manteve em 2019, com 12 milhões de chineses deixando as fronteiras do país a cada mês. Aplicando a mais prosaica aritmética, chegamos ao número de 24 milhões de chineses circulando fora da China em apenas dois meses.

Isso é mais que o suficiente para contaminar todo o planeta. Para espalhar um vírus, a China não precisaria lançar mísseis, armas biológicas nem pombos-correio. Bastava permitir que seus cidadãos viajassem pelo mundo. Pois bem, o governo chinês levou cerca de dois meses para divulgar ao mundo que sua população estava sendo contaminada por um vírus pouco conhecido, com potencial de levar uma parcela de seus infectados à morte. Nos dois meses em que o Partido Comunista se manteve em silêncio, pelo menos 24 milhões de chineses circularam pelo globo terrestre levando o vírus a cada grotão do planeta.

No mês de fevereiro de 2020, durante um comentário político ao vivo na internet, assistido por milhares de pessoas, destaquei: "Dentro de alguns meses, alguns líderes mundiais como Trump, Bolsonaro e Boris Johnson serão considerados culpados pelas mortes causadas por um vírus surgido na China". Hoje, é fácil chegar a essa conclusão, a notícia ficou até velha, mas naquele momento fui tachado de leviano e precipitado por parte da minha audiência. "Como assim?", diziam, "é impossível culpar qualquer outra pessoa além do próprio governo chinês".

Ao analisar as imagens disseminadas pela China no começo da epidemia em Wuhan, percebi algo fora do normal. Primeiro, as pessoas desmaiavam na rua, caíam pelas calçadas, eram carregadas por enfermeiros vestidos com roupas impecáveis em ambulâncias bem equipadas, enquanto parentes choravam, gritavam e se lamuriavam ao redor. Depois, os canais chineses veicularam imagens de hospitais com paredes brancas e iluminação intensa, médicos e enfermeiros vestindo uniformes recém-saídos do armário, paredes límpidas e instalações novas em folha.

Ora, quem conhece o sistema de saúde chinês e os hospitais do país sabe muito bem que aquelas imagens guardavam um alto teor de encenação, atores assumiam o papel de pacientes ao mesmo tempo que os hospitais lembravam cenários de seriados televisivos. Essas imagens passaram a circular pelas redes sociais e eram reproduzidas maciçamente pela mídia tradicional no Ocidente, sem nenhum critério editorial. A histeria passou a dar o tom da cobertura jornalística, impondo o terror imediato em povos de todos os continentes. O cenário era perfeito para quem desejasse implantar medidas de exceção.

Nesse momento, entrou em ação o fantoche da China na Organização Mundial da Saúde: o etíope Tedros Adhanom. Ele seria o porta-voz extraoficial do Partido Comunista Chinês, ditando os rumos sanitários por todo o mundo. A China aprendeu desde muito cedo a relevância de controlar as organizações internacionais. E aprendeu da pior forma, sentindo na pele. No dia 18 de setembro de 1931, os japoneses lançaram um ataque na Manchúria, controlando a região ao norte da China. No ano seguinte, os chineses recorreram à Liga das Nações solicitando sanções econômicas contra os invasores. Já era 1933 e nada havia sido feito. O Japão seguia no controle daquele território chinês.

No fim da década seguinte, depois de assumir o governo do país e todo o seu território, o Partido Comunista Chinês reconhecia a importância de penetrar nas entidades internacionais, mas a Guerra Fria atrasou suas pretensões. Após o colapso da União Soviética, nos anos 1990, a China tratou de avançar com sua agenda internacional, conseguindo alcançar seus objetivos na virada para o século XXI. Hoje, a China comunista controla direta ou indiretamente posições estratégicas nesses organismos, impondo seus interesses a outras nações, como o mundo pôde perceber nas tratativas da OMS sobre o vírus de Wuhan.

A mídia norte-americana, obstinada em impedir a reeleição de Donald Trump, não iria desperdiçar a oportunidade. De imediato, condenou as definições "vírus chinês" e "gripe chinesa" para se referir à epidemia surgida em Wuhan. O termo "coronavírus" também cedeu espaço na mídia mundial à expressão técnica "Covid-19", neutralizando nos meios de comunicação qualquer relação com o país onde a pandemia se originara. Curiosamente, meses mais tarde, os jornalistas que se recusavam a usar a expressão "gripe chinesa" não hesitaram em adotar as definições "variante brasileira", "variante britânica" ou "variante africana". Um show de hipocrisia.

Na Huawei, as viagens dos funcionários chineses prosseguiam sem alteração, com exceção aplicada aos funcionários lotados no Brasil que chegassem da China, colocados em quarentena por uma semana. Uma nova audiência pública, dessa vez agendada no Senado Federal, trouxe ao Brasil um enorme grupo de chineses e estrangeiros que atuavam na China, no México e na Europa. A preocupação com a imagem da Huawei e o 5G era mais importante que as medidas sanitárias impostas em território brasileiro. Para piorar, membros do governo federal recebiam os chineses recém-chegados de seu país, como o vice-presidente da República, general Hamilton Mourão, e o então secretário-executivo do Ministério da Ciência, Tecnologia, Inovações e Comunicações (MCTIC), Julio Semeghini.

A delegação chinesa encontrava as portas abertas na Esplanada dos Ministérios e conseguia reuniões fora da agenda dos ministros e secretários, atendendo às chantagens do embaixador chinês Yang Wanming. Nos bastidores, o embaixador ameaçava com retaliações comerciais caso o Brasil ousasse recusar o 5G chinês. A tensão estava se elevando, criando indisposição nos gabinetes de alguns parlamentares brasileiros e também no Itamaraty, chefiado pelo ministro Ernesto Araújo.

Toda a tropa de chineses e estrangeiros veio para o Brasil à toa, pois já sabíamos de antemão que a audiência pública não ocorreria no mês de fevereiro de 2019, em decorrência da agenda lotada do Senado Federal. Só que os estrangeiros não tinham conhecimento da agenda do Congresso, e vieram alarmados pelo presidente da empresa no Brasil, Wei Yao, por sua vez instigado pelo vice-presidente da companhia no país, Steven Shen, meu superior imediato. Lembram-se da cadeia de mentiras e bajulações? Pois bem, nesse caso vivenciávamos sua aplicação na prática.

Wei Yao é o típico filiado do partido que galgou posições na hierarquia por contar com parentes bem-posicionados no governo chinês. Bonachão e desligado, nunca passou uma imagem de segurança entre seus comandados na subsidiária brasileira. Na verdade, isso pouco lhe importava. Wei estava de olho em um cargo fora do Brasil, talvez na América do Norte, com sorte na Europa ou poderia obter uma nova posição de prestígio na China.

E Steven ambicionava o mesmo, então a dupla movimentou dinheiro, tempo e recursos humanos da empresa para alcançar seus interesses particulares. Eu sabia disso, Atílio sabia, Carlos Lauria também, e ninguém mais. Aquelas duas semanas improdutivas para uma parte da equipe que veio ao Brasil custaram para a empresa pelo menos 30 mil dólares, o equivalente a 150 mil reais. Para uma empresa cujo faturamento declarado chegou a 136 bilhões de dólares em 2020, com um crescimento de 10,9% em plena pandemia, 30 mil dólares parecem migalhas.

Entre as pessoas que vieram, naquele período, ao Brasil para pouco produzir estavam Mika Lauhde e Marcelo Motta, ambos alheios ao adiamento da audiência pública no Senado. Como uma empresa consegue crescer jogando dinheiro pela janela dessa forma? Afinal, se isso acontece no Brasil, também se repete em outros países, isso é um fato. Mas as gigantes empresas chinesas apaniguadas pelo Partido Comunista gozam de certas vantagens, algumas complementares entre si. Entre elas, vale listar três:

1. Um imenso mercado interno cativo, cada vez mais fechado para empresas estrangeiras;
2. Total desprezo pelas leis e acordos internacionais, que lhes asseguram uma vantagem competitiva insuperável;
3. A corrupção desenfreada de políticos, autoridades e empresas estrangeiras, permitindo a propagação e o crescimento de empresas chinesas no mundo todo.

Assim, as empresas chinesas e o governo chinês, gêmeos univitelinos, expandiram seus domínios por décadas a fio sendo pouco incomodados por governos de outros países ou entidades internacionais. E, a partir de 2020, passaram a contar com um vírus conveniente, que beneficiou única e exclusivamente a China.

Para o resto de nossa vida

No meio do teatro pré-audiência pública, havia uma mobilização incessante para viabilizar a viagem dos convidados da Huawei para o Mobile World Congress (MWC), a maior feira anual do setor de telecomunicações, realizada na cidade espanhola de Barcelona. A minha delegação deveria contar com pelo menos dez jornalistas brasileiros, além de assessores auxiliares, fotógrafos e motoristas. Os hotéis da cidade catalã já contavam com pelo menos 95% de lotação, assim como todos os voos para a cidade, de qualquer itinerário, um cenário que se repetia todos os anos.

Alheios aos alertas sobre o vírus de Wuhan, os chineses continuavam a investir tempo e dinheiro no evento, mas acabaram assistindo aos seus principais rivais cancelando a participação no evento por precaução em relação à nova gripe originada na China. Uma a uma, Nokia, Samsung, Ericsson, entre outras grandes corporações, anunciaram sua desistência com semanas de antecedência. Mas a Huawei se manteve firme e pressionava a coordenação do evento para manter sua realização. Assim, continuamos reservando hotéis, carros e restaurantes caríssimos para recepcionar os convidados da empresa, entre eles executivos, empresários, deputados, senadores, jornalistas, membros do governo federal e de agências reguladoras, entre outros.

A força-tarefa só foi desmobilizada no dia 12 de fevereiro de 2020, quando os organizadores da MWC anunciaram oficialmente o cancelamento da feira. Em nota, justificaram a decisão por considerarem pertinente a preocupação global em relação ao surto do novo coronavírus. Nesse dia, eu estava em Florianópolis, capital de Santa Catarina, participando de um evento pela Huawei, enquanto minha equipe da agência Jeffrey monitorava a assessoria de imprensa a partir de São Paulo. Em contato com o escritório de Brasília, fui informado de reuniões na capital do país envolvendo executivos da empresa com o vice-presidente da República, Hamilton Mourão, e com os ministros da Ciência e Tecnologia, Marcos Pontes, e da Economia, Paulo Guedes.

Horas depois de receber essa informação, recebi mensagens de Adam, do TL, perguntando se eu sabia de alguma reunião envolvendo funcionários da Huawei e ministros. Achei mais seguro falar pelo telefone e liguei para ele em um dos intervalos no evento. No entanto, eu não poderia dar uma informação até então confidencial, ou meus colegas de empresa saberiam quem havia sido a fonte. Os níveis de tensão estavam aumentando, eu já não tinha mais interesse em continuar na empresa, já havia coletado as informações necessárias. A conversa, nesse contexto, também foi tensa.

— Como você conseguiu essas informações? — perguntei.

— Uma secretária do Guedes nos ligou, ela é nossa fonte. E ela já sabia das demais reuniões.

— Certo, então você tem a informação e tem as fontes. Alguns assessores dos ministérios também estão sabendo, basta confirmar com eles, vocês não encontrarão dificuldades.

E assim encerramos a ligação. No *Boletim da Noite*, Adam criticou os membros do governo que abriam exceções em suas agendas para as reuniões com uma empresa investigada por espionagem em diversos países, em meio ao surto de coronavírus. Eu sabia que as repercussões seriam as piores possíveis para mim dentro da companhia, mas estava disposto a enfrentar as consequências. Em meu retorno ao trabalho no escritório de Brasília, no dia 16 de março, Atílio veio direto a mim cobrar satisfações.

— Você passou as informações para os jornalistas? Ninguém sabia, só nós — disse ele, inconformado.

Então respondi:

— Só nós? Você quer dizer só nós dentro da empresa, certo? No governo, outras pessoas tinham as informações, e os jornalistas possuem fontes dentro dos ministérios, é impossível esconder reuniões de ministros com empresas privadas. Além disso, você sabe que é obrigatório constar na agenda do governo, mesmo que posteriormente — rebati.

Atílio concordou, tudo o que eu dissera era verdade. Contudo, ele não estava satisfeito, seu comportamento mudou a partir daquele dia. Carlos Lauria, outro diretor veterano, também se mostrava desconfortável com o que se passara. De qualquer forma, não tivemos muito tempo para conversar, o trabalho estava acumulado e eu participaria de várias reuniões naqueles dias, uma atrás da outra, a mídia não parava de pedir dinheiro: CNN, Band, *Folha de S.Paulo, Estadão, Correio Braziliense*, enfim, era uma fila de meios de comunicação passando o chapéu diariamente desde que eu havia iniciado o meu trabalho na companhia, havia cinco meses.

As notícias sobre a gripe chinesa tomavam conta do noticiário, ao mesmo tempo que cada dia de trabalho representava um tormento para mim. Na quarta-feira, dia 18 de março, o deputado federal Eduardo Bolsonaro postou uma mensagem no Twitter responsabilizando o governo chinês pela disseminação do vírus pelo mundo, ecoando o sentimento de milhares de brasileiros e estrangeiros nas redes sociais. O comentário gerou reação imediata do embaixador chinês, Yang Wanming, que respondeu com a peculiar agressividade diplomática da Chancelaria Chinesa, exigindo que o deputado se desculpasse. Além disso, de forma imprudente, em tom ditatorial e ameaçador, o embaixador comunista afirmou que as declarações iriam "ferir a relação amistosa China-Brasil", mencionando ainda que haveria "consequências".

Naquela noite do dia 18, li as postagens, parei tudo o que estava fazendo e refleti. Eu já havia confirmado que o Partido Comunista Chinês controla todas as grandes corporações chinesas e cada movimento dentro delas. Além disso, confirmei que 100% das informações obtidas pela Huawei, de forma lícita ou ilícita, eram automaticamente compartilhadas com as altas hierarquias do partido, com o serviço de inteligência do PCCh e com as Forças Armadas chinesas. Assim, nada mais me restava a não ser concluir essa etapa da minha vida e me livrar dos grilhões que me conectavam ao regime ditatorial de Pequim. Então tomei uma decisão crucial: posicionei-me nas redes contra o embaixador comunista que desejava calar um parlamentar no Brasil, e defendi o direito à liberdade de expressão.

Não satisfeito, à 00h02 do dia 19 de março, no começo da madrugada, enviei uma mensagem diretamente ao braço direito do embaixador, o então amigo chinês Rui. Contestei a postura do embaixador, e cheguei a questionar se era ele mesmo o autor das postagens, ou se alguém havia assumido suas contas nas redes sociais. Rui respondeu de imediato, ele me devolveu o questionamento, perguntando se o deputado havia sido prudente em suas considerações. Depois da nossa rápida conversa, o embaixador apagou uma das postagens no Twitter. Eu me despedi cordialmente, ciente de que a nossa conversa teria repercussões dentro da diplomacia chinesa.

Depois de encerrar a troca de mensagens com Rui, mandei uma mensagem a Pagani, que ainda estava acordado e atento às reverberações nas redes sociais. Então, escrevi para o amigo policial:

"Aposto 100 reais que serei demitido da Huawei amanhã."

"Pois eu aposto 200 reais que não vai", respondeu, para a minha surpresa. No entanto, continuou: "Sei que vou perder a aposta, mas você precisará do dinheiro mais do que eu", o bastardo do CSI riu da minha demissão iminente. Mas tudo bem, precisávamos descontrair um pouco.

No dia seguinte, fomos convocados para uma reunião pela manhã, os executivos da Huawei em Brasília, eu incluído, e a chefia pediu pontualidade. No dia 19 de março de 2020, entrei na sala de reunião principal e meus colegas não tinham sequer coragem de me olhar nos olhos. Steven, nosso chefe chinês, comportava-se da mesma forma. Ele baixou o olhar em direção à longa mesa de madeira e disse:

— Precisamos de ideias para retaliar o Brasil.

Então, Atílio me encarou pela primeira vez naquela manhã. Ele não conseguiu esconder seu espanto diante da declaração do executivo filiado ao Partido Comunista. Durante a reunião, Steven também nos informou que a empresa iniciaria um sistema de rodízio de funcionários para trabalhar em *home office*.

Ao fim da reunião, dirigi-me para a copa para pegar uma xícara de café. Atílio chegou pouco depois e tivemos a breve conversa que relato no início desta obra. Ele disse:

— Mas quem pode retaliar um país é somente outro país, nunca uma empresa.

Sim, tudo o que eu já sabia agora ficava claro para ele também. Nação, empresa, Estado, governo, regime, partido, tudo se mistura na China comunista, e quem controla cada passo é a Executiva do Partido Comunista Chinês em Pequim. Assim, os interesses da Huawei, da Tencent, do Tik-Tok, da Haier, do Kwai, da Petrochina, da Xiaomi, entre tantas outras grandes empresas chinesas, se confundem com os interesses do regime ditatorial. Nada funciona sem suas digitais. Levei anos desvendando a China, sua cultura e suas tradições, para entender que o povo chinês provavelmente seja a maior vítima da ditadura comunista.

Quando retornei à minha estação de trabalho, atravessando o extenso salão acarpetado do escritório de Brasília, Renata R., do RH, disse que haveria outra reunião com Steven. Eu sabia que chegava o momento de finalizar a minha missão. Entramos no escritório de Steven, ele tremia mais que de costume, pediu-me para me sentar, e me disse com sua voz hesitante:

— Sabe... nós estamos reformulando a área de comunicação da empresa, e... bem, o que eu queria te dizer é que talvez seu cargo...

— Deixe de conversa, Steven — eu o interrompi. — Nós dois sabemos o que aconteceu, e você não tem opção. Vamos agir como homens e acabar logo com isso. Obrigado pela confiança, agora vou recolher minhas coisas enquanto aguardo os documentos da Renata para assinar.

Levantei-me e já assinei os primeiros documentos da rescisão contratual ali mesmo. Demos um aperto de mão e virei-me para sair.

— Depois vamos combinar um almoço. Entrarei em contato — disse ele, naquilo que é quase um ritual para os chineses: oferecer um almoço. Steven nunca cumpriu com o combinado, ele tinha ordens expressas de não me encontrar mais.

Enquanto eu recolhia meus papéis, documentos e canetas, senti um alívio reconfortante. Minha história com a China comunista se encerraria ali, e eu me tornaria um pária para o Partido Comunista Chinês, mais uma foto na lista negra de Pequim, *persona non grata* nos jantares e partidas de futebol promovidas pela embaixada. Eu sabia das dificuldades a enfrentar dali em diante, precisaria me reinventar como profissional e reestruturar toda a minha carreira.

O preço a ser pago não seria nada baixo, mas a liberdade é um bem inegociável, sobretudo quando conhecemos por dentro a máquina do Partido Comunista Chinês. A escolha iria se revelar inequívoca ao longo dos meses. Jamais me seria permitido o privilégio da dúvida no tocante à minha lealdade aos valores cultivados há milênios pela Civilização Ocidental. A vida, a partir daquele momento, se encarregaria de revelar o acerto de minha escolha.

vista para entrar no hotel onde nossa equipe de reportagem estava hospedada em
amen. Cúpula do Brics elevou a segurança na cidade, e eu já me divertia com as
vistadoras. Setembro de 2017.

rnalistas brasileiros entrevistam executivos da Huawei no escritório da empresa em
asília.

Estande da Huawei em evento na cidade de São Paulo, em 2019. Ditadura chinesa apos
na tecnologia 5G para continuar infiltrada em países do mundo inteiro.

Jornalistas estrangeiros conhecem centros de pesquisa da Huawei na China, em dezembro de 2019, quando o vírus já havia sido detectado em Wuhan.

33. O vírus que separa, une

Gregório morava no apartamento logo acima do meu durante nossa adolescência na Asa Norte, em Brasília. Foram quase sete anos nessa condição, dos quais por quatro anos fomos melhores amigos. Natural, pois nossos quartos eram separados por nada além de um fino piso de concreto, a gente se via logo cedo, saindo no elevador rumo ao colégio, embora estudássemos em escolas diferentes. Com ele, vivi grandes aventuras e encrencas, saíamos em passeios de bicicleta, ou nas mobiletes com as quais nos sentíamos motoqueiros, experimentando uma liberdade única na Brasília da virada dos anos 1980 para 1990, um estilo de vida que já não existe mais.

Lutávamos caratê e nos metíamos em confusões com as gangues rivais, mas a culpa nunca era nossa, dizíamos. Os motivos das brigas eram quase sempre meninas de outras quadras ou disputa de território, algo bastante inexplicável. Mas quem explica os adolescentes?

Drogas? Nunca. Nossa turma gostava mesmo era de esportes, principalmente futebol, vôlei e natação. Gostávamos de conquistar meninas e de ir pescar em algum rio próximo, viajávamos juntos quando possível, adorávamos ver filmes no cinema ou em casa — alugávamos as fitas nas locadoras para assistir no videocassete dos nossos pais. Acampávamos de vez em quando, e recorríamos às bebidas alcoólicas somente quando nossos pais viajavam. Era uma espécie de ritual de passagem, um clássico da juventude, porque naquela idade nenhum de nós apreciava o sabor da cerveja nem do vinho barato, muito menos da cachaça, do uísque ou da vodca. A única coisa que descia bem era uma caipirinha carregada de gelo e açúcar.

Temos algumas fotos da época das nossas peripécias, todas elas reveladas em papel fotográfico, de um mundo ainda sem câmera digital. E não existia internet, sobrava tempo para ler livros e histórias em quadrinhos. Vez ou outra, como adolescentes cheios de testosterona e convívio em excesso, Gregório e eu também nos estranhávamos. Desentendimentos normais, nada sério, porque dias depois estávamos juntos de novo, prontos para mais diversão e situações imprevisíveis das quais juntos precisávamos nos safar.

E um dos atritos ocorreu por causa de uma menina. Nós firmamos um pacto de um jamais namorar a ex-namorada do outro. Mas isso acabou acontecendo, por obra do destino faltando pouco tempo para a minha mudança. Isso mesmo, minha família decidiu se mudar para o estado de São Paulo, e eu deixaria meus amigos de Brasília para trás. Porém, manteríamos contato escrevendo cartas. Só que eu me mudei antes de selar a paz com Gregório, e nossa amizade, a distância, esfriou. Porém, nada mudaria as lembranças daqueles tempos em que desenvolvemos nossa autoconfiança e nos divertíamos sem pensar no amanhã.

Quando eu deixei Brasília, éramos meninos, quando regressei, onze anos depois, éramos homens. O aperto de mão já era diferente. Na adolescência, nosso cumprimento mais parecia um código secreto com movimentos de funk, durava cerca de vinte segundos, era um sinal da amizade exclusiva. Quando nos reencontramos depois de tantos anos, o cumprimento havia se resumido a um aperto de mão, olhos nos olhos, vozes encorpadas, respeito pelo passado e, pronto, seguimos cada um por seu caminho.

Pouco tempo depois de regressar a Brasília, eu havia reativado o contato com todo o grupo de amigos da nossa adolescência. Gregório, por seu turno, manteve-se distante de todos nós, levava uma vida quase de ermitão. Deixou de ser um adolescente extrovertido para se tornar um adulto discreto, introspectivo até, mas sempre educado, polido.

Não seria eu a mudar seu jeito, não naquele momento, poucas pessoas se aproximavam da sua bolha particular, mas pelo pouco que sabíamos, ele convivia bem com sua solidão. Solidão parcial, vale registrar, pois continuava sendo um filho amoroso e dedicado à mãe, por quem mantinha verdadeira devoção, e o sentimento era mútuo. Sua mãe, Selma, sempre foi perdidamente apaixonada pelo filho.

Anos depois, Gregório ensaiou uma reaproximação justamente quando eu ia me mudar de novo, desta vez para a China, em 2015, então ele começou a me enviar mensagens vez ou outra. Na realidade, isso aconteceu com várias pessoas que haviam sumido da minha vida por anos. As minhas fotos na China de certa forma despertaram seus interesses, algo bastante compreensível. Quando retornei da China, o efeito ironicamente se reverteu, muitas pessoas se afastaram de novo. Encarei tudo com normalidade. Porém, bastou eu começar a aparecer nos boletins de notícias da internet para muitos se aproximarem novamente, dessa vez manifestando curiosidade. O vaivém de amigos não parou por aí.

Algumas amizades desapareceram de vez, avessas ao programa voltado para o público de direita. A maioria dos amigos simpatizantes da esquerda se evaporou. Eu mal tinha tempo para pensar nessa volatilidade dos amigos. Os boletins de notícias seguiam aumentando seu número de seguidores semana após semana, e o grande salto ocorreu com o noticiário do vírus descoberto em Wuhan, na China. Milhões de pessoas do Brasil e do mundo se interessavam em acompanhar uma cobertura descolada da mídia tradicional. A elas não interessavam os velhos jornais, revistas, emissoras de rádio e TV, tampouco os portais de notícias atrelados à imprensa convencional.

As respostas para muitas questões vieram pelas mãos da nova mídia, desvinculada de partidos políticos, avessa a ONGs e desobrigada, por consequência, a atender às demandas de empresas ou governos, já que sua renda provinha exclusivamente dos seus seguidores. Com meu perfil profissional mais comedido, menos visceral, consegui arrebanhar alguns milhares de admiradores que diziam confiar no que eu dizia. Isto é, eu estava transmitindo credibilidade.

O vírus chinês (ou coronavírus, ou Covid-19) chegou a todos os confins da Terra acompanhado da sua propaganda de terror, gerando histeria na maior parte da população mundial. O cenário catastrófico em que as pessoas precisariam se separar e viver trancafiadas dentro de casa gerava um sentimento de desunião entre amigos e familiares. Netos e avós, tias e sobrinhos, mães e filhos, ninguém mais poderia se ver como antes. O sentimento de separação, para muitos, revertia-se em união para outros. No meu caso, fiz novos amigos, assim como pessoas que estavam distantes reapareceram. Até as maiores tragédias nos trazem boas notícias. Por exemplo: a partir dessa época, março de 2020, as mensagens de Gregório se tornaram mais frequentes. Para mim, era uma ótima notícia.

Os pacientes que fumam

Quase todas as pessoas que me visitaram na China passaram a me chamar de profeta após presenciarem pessoalmente fatos por mim narrados antes da viagem. "Rafael, eu me sinto vivendo numa série em que você é o roteirista", disse meu amigo jornalista Márcio enquanto me visitava em Pequim. "Eu entrei no banheiro e aconteceu exatamente o que você me falou antes da viagem. Um chinês iria urinar bem ao meu lado, mesmo com o restante do banheiro vazio, e iria dar uma conferida no tamanho do que eu segurava com a minha mão", relatou Márcio, rindo, divertindo-se com a história.

O que mais surpreendia meus amigos nessas profecias da vida real eram os casos envolvendo o hospital vizinho ao edifício onde eu morava em Pequim, um centro médico conceituado na capital chinesa, o Hospital de Olhos da China, da Academia de Ciências Médicas Chinesas (中国中医科学院眼科医院). Entre os pacientes históricos da Academia consta ninguém menos que Mao Tsé-Tung. Embora tenha sido fundado como hospital oftalmológico e mantenha o nome original, agora ele atende a inúmeras especialidades além da oftalmologia, incluindo clínica geral, ginecologia, otorrinolaringologia, urologia, cardiologia, neurologia e até odontologia, entre outras áreas da medicina.

Nos arredores desse conceituado hospital, quase diariamente víamos seus pacientes zanzando tranquilamente pelas ruas vestindo os pijamas com o emblema da instituição, e pouco depois regressavam aos seus quartos dentro do hospital. Parece piada, mas não é. Alguns deles saíam até com aquela mangueirinha do soro, a agulha enfiada na veia da mão, muitas vezes deixavam o local por alguns minutos para fumar, ou tomar uma cervejinha na venda do outro lado da avenida, alguns se espreguiçavam sob o sol enquanto batiam papo com um familiar na rua, manuseavam dinheiro sem preocupação, tomando uma latinha de Coca-Cola.

Na primeira vez que vi aquela cena, fiquei estupefato, depois comecei a rir da situação. Quanto ao tabagismo desenfreado, isso já não me surpreendia mais. Em nossas peladas de futebol, por exemplo, adotávamos o sistema de dez minutos para cada partida, a fim de garantir a rotatividade dos times. E o que os nossos colegas atletas chineses faziam assim que deixavam o campo para um breve intervalo? Acendiam um cigarro, claro. Alguns voltavam ao campo com o cigarro aceso, só se desfazendo da bituca após a última tragada.

Com pelo menos 350 milhões de fumantes, dos quais 98% são homens, os tabagistas chineses não conseguem passar muito tempo longe do cigarro, mesmo que estejam doentes e internados em hospitais. Nós, expatriados vivendo na China, nos habituamos tanto com essas cenas a ponto de elas se tornarem parte da nossa rotina. Mas quem visitava Pequim a passeio se surpreendia. Não me refiro aos turistas comuns, hospedados nos hotéis da zona turística, distantes da realidade do país, mas, sim, aqueles que ficavam em nossas casas, que passavam a conhecer o mínimo da verdadeira China. "Eu preciso te pedir desculpas, Rafa. Juro que não acreditei quando você me disse que os pacientes saíam de pijamas para dar uma voltinha", disse Kate, rindo ao presenciar a cena pela primeira vez, enquanto esteve hospedada em meu apartamento.

Nesse mesmo hospital, certa vez, precisei de uma consulta de emergência durante uma crise alérgica. Minha pele fora atacada por uma dermatite severa após dias seguidos de intensa poluição, e meu rosto se assemelhava a um camarão escaldado. Estava muito quente e vermelho. Chamei uma colega chinesa, a Suellen, fluente em português para me ajudar caso me faltasse vocabulário para explicar algum sintoma ao médico. Então a equipe médica concluiu que meu sangue estava quente, e precisaria ser extraído. Minha amiga consultou seu dicionário *on-line* e me deu a notícia:

— Está tudo bem, vão fazer uma sangria pela sua orelha.

Como assim? Sangria? Será que ela traduziu corretamente? Qual o próximo passo, irão colar sanguessugas pelo meu corpo?, eu pensava, recordando-me das técnicas medievais. Mas isso não era o pior. Levaram-me para uma sala onde o lençol da cama precisava urgentemente passar por uma máquina de lavar. Deitaram-me ali mesmo, naquele pano encardido, e trouxeram um instrumento rudimentar, rezei para ao menos estar esterilizado, e *crau!* Enfiaram uma agulha grossa atrás da minha orelha e começaram a retirar o sangue, apertando minha orelha sem dó. E sem anestésico nenhum, confesso que doía um bocado.

— Está funcionando — disse minha colega chinesa.

Quando pensei que o sofrimento havia chegado ao fim, *crau!* de novo, furaram a outra orelha. Mais drenagem, mais dor e os médicos e enfermeiros conversando entre si enquanto olhavam o meu rosto.

— Está melhorando muito, você está mais branquinho — falou minha colega.

É claro, pensei, *devo estar pálido de tanto sangue que drenaram.* Por fim, disseram me para tomar bastante água quente, como de costume, em seguida passei pelo caixa para pagar pelo atendimento medieval. Hospital pago? Claro, na China socialista não existe um SUS (Sistema Único de Saúde). O sistema é este: consultou, tratou, pagou.

A precariedade no atendimento médico era bem conhecida por nós, expatriados vivendo na China. Em 2018, nossa amiga colombiana Daniela sofreu um mal súbito durante um voo minutos antes da aterrisagem em Pequim. Uma equipe de socorro a despertou no aeroporto com o uso de adrenalina. O objetivo não era socorrê-la, mas, sim, saber se ela tinha dinheiro para pagar o hospital. Por sorte, seu pai era executivo de uma grande empresa chinesa instalada no Equador, e sua família inteira possuía convênio médico com cobertura em hospitais de diferentes países, incluindo a China.

Ela foi levada a um dos mais renomados e caros hospitais de Pequim, o Hospital da Amizade Sino-Japonesa, o *Zhōng rì yǒuhǎo yīyuàn* (中日友好医院). Como Daniela estava começando seu segundo semestre de estudo na China e dominava pouco do mandarim, nosso grupo de amigos decidiu se revezar para acompanhá-la. Formamos duplas. O primeiro turno seria das 7h até as 19h, e o segundo turno completava as doze horas restantes, auxiliando na tradução de sintomas e medicamentos quando interagíamos com médicos e enfermeiras, além de agir em caso de emergência.

Esse hospital caríssimo, cuja diária de internação com frequência passa de 2 mil dólares (o equivalente a 10 mil reais), se parecia com alguns outros que eu já conhecia na China. A recepção do hospital parece a de um hotel 5 estrelas. Mobília caríssima, arquitetura ousada, tudo novo, limpo e brilhante. Passou dali, no entanto, os bastidores são outros quinhentos. As paredes nunca estão limpas, bem como os uniformes dos médicos e enfermeiros. A iluminação deixa a desejar e a bagunça reina. Enquanto você é consultado, entram pacientes chineses fazendo perguntas, chega a ser engraçado. Ao menos no hospital sino-japonês havia equipamentos de primeira linha, pude identificar alguns fabricados na Alemanha, outros na Suécia e um no Japão. De resto, era um desastre. As paredes encardidas, a tinta descascando em alguns pontos, os acompanhantes tinham apenas o direito de entrar e ficar de pé. Isso mesmo, não havia sofá, poltrona nem cadeira para nos sentarmos nos quartos e corredores.

Depois do primeiro turno de sacrifício, passamos a levar banquinhos dobráveis, além de alguma coisa para comer, assim como água mineral, álcool em gel e papel higiênico. Não é brincadeira, nem papel higiênico repunham para nós. Acabamos limpando o banheiro com álcool e lenços umedecidos. Se os melhores hospitais privados da China são assim, tente imaginar os piores. Recebi relatos semelhantes de estrangeiros que viveram em diferentes regiões da China, cujas condições descritas por eles conseguiam ser muito inferiores às que vivenciei nos dez dias em que Daniela ficou internada. Quando ela se recuperou o mínimo suficiente para poder viajar, pegou um voo para a Colômbia, onde conseguiu um tratamento condizente para seu problema de origem cardíaca.

Agora, vamos voltar para o ano de 2020. Quando começaram a circular as primeiras imagens de pacientes do coronavírus na China, disparamos logo um alerta. Falei de imediato com colegas estrangeiros que moravam ou já haviam morado na China, e ninguém nunca tinha visto instalações como aquelas mostradas pela TV internacional. Era fato que a ditadura comunista mostrava ao mundo um cenário improvável. Se o interior dos hospitais não passava de estúdios instalados em algumas cidades chinesas, o que dizer dos pacientes, médicos e enfermeiros cobertos de roupas límpidas e máscaras recém-tiradas da embalagem? Suspeitávamos de que parte da trupe era formada por atores e figurantes contratados para gerar pânico nas audiências de outros países.

Veja bem, se os chineses contratam estrangeiros para enganar seu próprio povo, divulgam mentiras na TV em rede nacional, era mais que aceitável naquele momento contratar chineses para enganar estrangeiros, conforme já mencionei. O comunismo se alimenta da mentira, não consegue respirar sem ela.

O vírus, perigoso por si só, vinha acompanhado de um componente psicológico desenvolvido por diferentes governos totalitários ao longo da história. O medo e o estresse conseguem baixar a imunidade das pessoas, tornando-as mais vulneráveis à ação de quaisquer vírus, fungos e bactérias. Considerando que os diferentes vírus da gripe se aproveitam de sistemas imunológicos debilitados, milhões de seres humanos de todo o mundo se tornaram vítimas mais suscetíveis à nova patologia. O vírus já circulava pelos quatro cantos da Terra quando Tedros Adhanom, da OMS, passou a quitar suas dívidas com o Partido Comunista Chinês. Assim, o mundo estava sucumbindo à primeira grande peste do século XXI.

Trilhões de dólares

Quando o deputado federal Eduardo Bolsonaro mencionou em sua rede social, em março, que o coronavírus havia se originado na China, recebeu ataques da Embaixada da China no Brasil, em uma ofensiva lançada pelos comunistas chineses e coordenada no Brasil pelo embaixador chinês, Yang Wanming. A hostilidade do diplomata chinês jamais fora testemunhada anteriormente no Brasil, pois nenhuma nação democrática adotaria resposta tão desequilibrada. Insuflado pelo Partido Comunista de seu país, o embaixador comportou-se dentro do Brasil da mesma forma que seus compatriotas tirânicos o fazem dentro das fronteiras sinas, como se o gigante sul-americano fosse um dos seus quintais.

A cena de imaturidade diplomática e o completo desapreço pelo respeito bilateral repetiu-se quando o então ministro da Educação, Abraham Weintraub, sugeriu que a China seria beneficiada com a crise epidêmica que disseminou pelo mundo. Novamente, o jagunço da ditatura chinesa saiu em defesa de seus chefes, bradando ameaças e exigindo um pedido de desculpas — que ele aguarda até hoje. A verdade é que tanto o deputado quanto o ministro foram até diplomáticos diante do mais genocida de todos os regimes.

Dias depois desses rompantes de Wanming, o pesquisador francês Luc Montagnier, prêmio Nobel de medicina, e um dos descobridores do vírus HIV, afirmou que o vírus chinês, chamado de SARS-CoV-2, resultou de uma tentativa de fabricar uma vacina contra o vírus da aids, segundo informações divulgadas primeiramente pela Agence France Presse (AFP). De acordo com Montagnier, a origem do vírus chinês pode ter decorrido de um acidente industrial, mas certamente no Laboratório Nacional de Biossegurança de Wuhan. Ou seja: quem devia e ainda deve desculpas ao povo brasileiro é o verborrágico embaixador chinês. E o governo chinês, por seu turno, deve esclarecimentos e indenizações a todo o mundo.

A cobrança dessa conta começou em 2020, em ações que podem levar anos até uma sentença em definitivo. Em meio a protestos globais no primeiro semestre do mesmo ano sobre o tratamento da China contra o surto de coronavírus, cerca de dez mil americanos assinaram uma ação coletiva contra o país asiático. O processo de 6 trilhões de dólares foi aberto pelo escritório de advocacia Berman Law Group, da Flórida, contra o Partido Comunista Chinês, alegando que os dirigentes comunistas não emitiram uma notificação oficial ao restante do mundo sobre o surto.

Ao mesmo tempo, políticos de diferentes países cobraram explicações da ditadura comunista, entre eles autoridades do Japão, da Austrália, da Alemanha, do Reino Unido e dos Estados Unidos. O governo chinês foi acusado de encobrir os riscos do coronavírus nas primeiras semanas da epidemia. Pressionada, Pequim negou o óbvio: o fato de que suprimiu informações que poderiam ter resguardado milhões de vidas em todos os continentes. Insatisfeitos com a resposta chinesa, escritórios de advocacia e *think tanks* nos países ocidentais passaram a demandar compensação financeira. Outra ação coletiva apresentada em nome de corporações de Las Vegas pede bilhões de dólares em danos estendidos a cinco empresas locais.

Simultaneamente, o Ministério das Relações Exteriores francês convocou o embaixador chinês na França por causa de um artigo que difama equipes de casas de repouso francesas. Na Alemanha, o tabloide alemão *Bild* publicou um artigo intitulado “O que a China nos deve”, fixando um valor de quase 150 bilhões de euros por danos infligidos ao país pela pandemia de coronavírus.

A fatura detalhada incluiu 24 bilhões de euros em receitas na área de turismo perdidas somente entre março e abril de 2020, 7,2 bilhões de euros em perdas para a indústria cinematográfica alemã, 1 milhão de euros por hora em custos para a Lufthansa e 50 bilhões em lucros perdidos por pequenas empresas alemãs. A Chancelaria Chinesa respondeu novamente com sua habitual ira, em uma carta aberta ao editor do *Bild*, Julian Reichelt, destacando que a China alertou o mundo desde os primeiros momentos sobre os perigos do vírus, rejeitando qualquer obrigação de pagar pelos danos. Também acusou o *Bild* por "nacionalismo, preconceito e hostilidade contra a China", a velha tática comunista do "acuse-os do que você é" — visto que alguns chineses, esses, sim, estavam agindo com racismo, proibindo a entrada de negros em shoppings e restaurantes.

A Austrália se juntou aos Estados Unidos pedindo uma investigação "internacional independente" sobre a resposta da China à pandemia de coronavírus desde o início do surto.

A então ministra das Relações Exteriores da Austrália, Marise Payne, disse que suas preocupações com a transparência de Pequim "estavam em um ponto muito alto". "Minha preocupação é com a transparência", disse Payne, acrescentando que a Organização Mundial da Saúde não deve conduzir a investigação.

Os cidadãos brasileiros, assim como organizações, empresas e instituições do Brasil, deveriam fazer valer seus direitos e buscar compensações financeiras decorrentes da irresponsabilidade chinesa. Trata-se, ainda, de uma forma de atingir o Partido Comunista Chinês, sem jamais tolerar novamente o comportamento totalitário, dentro das fronteiras brasileiras, de uma diplomacia tão problemática quanto desonesta.

34. Sobre vidas e almas

O fechamento de bares, restaurantes, shopping centers e do comércio de rua pegou os brasileiros de surpresa. A onda de cancelamento de eventos e adoção de *lockdowns* também surpreendeu o resto do mundo, incapaz de se organizar e reagir ante uma agenda tão bem articulada entre políticos com inclinações autoritárias, entidades internacionais, a mídia convencional e as *big techs*, como são conhecidas as grandes empresas de tecnologia, boa parte delas situada nos Estados Unidos.

No Brasil, uma série de mudanças na distribuição dos poderes começou a incomodar uma parte da população. O Supremo Tribunal Federal (STF) passou a interferir nos demais Poderes, sobretudo no Poder Executivo federal. Segundo a corte máxima do país, prefeitos e governadores gozariam de amplos poderes nas decisões sanitárias, sem a obrigatoriedade de respeitar as orientações do Executivo federal. Pelo contrário, poderiam sustentar suas ações nas recomendações da OMS, uma organização internacional.

Viu-se desde então a escalada de um estado judiciário, no qual juízes acionados por partidos políticos de oposição ou pelos Ministérios Públicos decidiam o que era "melhor para o cidadão", seguidas vezes ignorando artigos da Constituição Brasileira. A insatisfação aumentou entre trabalhadores, empresários e cidadãos brasileiros de uma forma geral. Grupos voluntários passaram a organizar manifestações contra as medidas de viés autoritário que ameaçavam os pequenos negócios e boa parte da economia.

O primeiro protesto em Brasília ocorreu no mês de março, reunindo cerca de quatrocentas pessoas, um número baixo. A partir de abril, os protestos começaram a ser quase semanais, aos domingos, e foram se espalhando por cidades de todos os estados do país. Em alguns eventos de Brasília, os manifestantes se concentravam na Praça dos Três Poderes, na frente do Palácio do Planalto, sede do

Poder Executivo federal. Lá, em um espaço público aberto, eram recepcionados pelo presidente da República, Jair Bolsonaro. As manifestações populares incomodaram os ministros do STF, que passaram a perseguir a população afirmando participarem de "atos antidemocráticos".

Segundo os membros da corte, os manifestantes demandavam uma intervenção militar. Nada mais descabido, pois apenas uma minoria, muitas vezes inexpressiva, carregava cartazes pedindo a intercessão dos militares. Não raramente esses indivíduos eram expulsos pelos demais manifestantes, que pediam para o pequeno grupo se afastar ou organizar seus próprios protestos. Mas a relativização da verdade já havia contaminado o supremo brasileiro.

Em uma medida inconstitucional, o então presidente do STF, Antonio Dias Toffoli, instaurou uma investigação criminal contra participantes dos atos, cujo objetivo seria perseguir, intimidar e calar cidadãos de uma forma inédita. O inquérito, que instaurava um estado judiciário no Brasil, revelava-se ilegal por diferentes aspectos, entre eles: subjetividade do fato a ser investigado; a indicação de um colega para conduzir os trabalhos (em vez da realização de um sorteio); a inexistência de atribuição do supremo para o caso; a violação do sistema acusatório; e, principalmente, violava a liberdade de expressão, garantida pela Constituição. A mídia, contrariada por não receber dinheiro do governo federal havia um ano, juntou-se ao STF na farsa do combate aos "atos antidemocráticos".

As manifestações não só continuaram como aumentaram de volume. Meu amigo Gregório começou a me enviar mensagens com mais frequência, ele havia se convertido em um espectador assíduo de um programa na internet em que eu analisava a cobertura jornalística, quando a mídia abandonou de vez o compromisso com os fatos para abraçar sem constrangimento a militância política. Afinal, o objetivo da imprensa consistia em dificultar a vida do governo brasileiro. Já nos Estados Unidos, a mídia lançava uma cruzada em favor de qualquer candidato democrata para as eleições de 2020. A finalidade era uma só: impedir a reeleição de Donald Trump. Todos os aliados estrangeiros do norte-americano deveriam ser igualmente golpeados. Como havíamos previsto, a culpa pelas mortes causadas pelo vírus chinês começou a ser depositada na conta de Jair Bolsonaro, Boris Johnson e Donald Trump.

Gregório estava inconformado com a situação e queria marcar um encontro para conversar. Tentamos inicialmente nos encontrar em uma manifestação, algo bastante difícil. Além do número cada vez maior de participantes nos atos, eu precisava colher informações durante os protestos, coletar depoimentos e registrar imagens, isso quando não falava ao vivo e atendia aos pedidos de pessoas que queriam tirar fotos comigo. As semanas foram se passando e percebemos ser inviável conversar no meio daquela multidão.

Gregório havia me contado em uma conversa que estava morando com sua jovem namorada, Paloma, na Asa Norte. Não era tão distante da minha casa, mas meu trabalho, sim, me obrigava a deslocamentos de até cinquenta quilômetros por dia, dificultando nosso encontro. Além disso, bares, cafés, shoppings e restaurantes estavam fechados, tornando escassas as opções de local para a gente se reunir. No mês de julho, eu havia programado uma viagem para a casa dos meus pais, no estado de São Paulo. Dias antes da viagem, eu e Gregório nos falamos rapidamente, trocamos opiniões sobre política, e combinamos de nos encontrar tão logo eu retornasse.

Porém, enquanto eu estava fora, nossos amigos de Brasília me enviaram mensagens afirmando que Gregório havia sido internado após contrair o vírus chinês. Fiquei preocupado, mas confiante de que ele em breve receberia alta. Ao descobrir o hospital em que ele havia sido internado, minha preocupação aumentou. A instituição seguia o protocolo sugerido meses antes pelo então ministro da Saúde, Luiz Henrique Mandetta, no caso de suspeita de gripe chinesa, que se resumia à recomendação de ficar em casa se tratando com dipirona. Caso sentisse falta de ar, o paciente deveria voltar ao hospital. Via de regra, quando a pessoa voltava, era internada em uma Unidade de Terapia Intensiva (UTI). Então, decidi enviar a Gregório uma mensagem quando eu ainda estava em São Paulo: "Você ficará bem. Assim que eu chegar a Brasília vamos nos ver".

Sua namorada, Paloma, começou a rascunhar um pequeno diário para entregar a Gregório quando ele deixasse o hospital. Era um registro diário de tudo o que ela fazia enquanto pensava nele, relembrava os momentos juntos, e escrevia sobre aquilo que ainda desejavam viver juntos. Dia após dia, ela acrescentava detalhes da sua rotina, se aventurava em versos de poesia, mencionava suas passagens pela igreja para rezar, desabafava sobre os assuntos do cotidiano e externava a saudade que sentia. Muita saudade.

Jovem e apaixonada, Paloma havia deixado sua cidade natal para viver com a pessoa com quem desejava passar o resto de sua vida. A família de Gregório também aguardava apreensiva pelos boletins médicos diários, repassados na íntegra para os demais familiares e amigos em grupos de WhatsApp, pedindo a todos orações pelo nosso amigo. Paloma contava os dias para estar novamente ao lado de

Gregório e, assim, retomar os planos de estudos e trabalho, suspensos em decorrência da Covid-19.

A mãe, dona Selma, o pai e as irmãs de Gregório, os familiares e amigos, todos nós ansiávamos por esse dia, o dia da alta médica. Uma de suas irmãs estava grávida, ele seria tio pela quarta vez, essa notícia o entusiasmava, um bebê a caminho era mais um motivo de celebração para toda a família. Na véspera da minha volta a Brasília, liguei para uma amiga nossa de infância, Alessandra, para me atualizar sobre o estado de saúde de Gregório.

— Como ele está? Reagindo bem ao tratamento? — perguntei.

— Parece que sim. Os médicos tentarão tirar a sedação amanhã ou depois — ela me respondeu com certo alívio.

Recebíamos, enfim, uma boa notícia. Alessandra ficou de marcar um encontro com os velhos amigos para relembrar os bons momentos da adolescência assim que os restaurantes voltassem a funcionar.

Chegando a Brasília, no dia 27 de julho enviei uma nova mensagem a Gregório: "Júnior [era como eu o chamava], como você está? Melhor? Estamos em oração". Naquela semana de trabalho intenso, acompanhei os boletins médicos enquanto me dedicava a restabelecer a rotina profissional. No dia 31 de julho de 2020, uma sexta-feira, Paloma cumpriu a rotina de ir à paróquia de São Francisco orar pela melhora de Gregório. Como sempre fazia, ajoelhou-se em um dos bancos no meio da igreja. Era hora do almoço, nenhuma brisa aplacava o calor incomum para o mês de julho. De repente, as portas da igreja bateram com força, como se houvesse um vendaval. Paloma olhou assustada pela janela, as árvores estavam imóveis. Seu coração acelerou.

Naquela mesma tarde, eu estava lendo as pautas para o programa que iríamos apresentar ao vivo pela internet, e também esperando o boletim médico diário com as atualizações sobre a saúde do nosso amigo. No lugar das informações cotidianas do hospital, recebi a notícia que custei a aceitar: Gregório havia sucumbido à gripe chinesa, morreu sem poder se despedir de ninguém, e sem que ninguém pudesse dele se despedir. Paloma não teve tempo de escrever o acontecimento da igreja em seu diário. As portas bateram no mesmo instante em que o coração de Gregório parou de bater.

As últimas mensagens que enviei ao meu amigo nunca foram lidas, porque chegaram quando ele estava sedado, inconsciente. De pronto, acometeu-me a sensação de profunda tristeza e impotência diante da morte daquele que fora meu melhor amigo nos anos inocentes mais saudosos da minha vida. Essa sensação era agravada pelo fato de termos marcado tantos encontros naquele ano que, por obra do destino e da enfermidade, não se concretizaram. O vírus que nos reaproximou por fim acabou nos afastando para sempre. A morte de Gregório abriu um buraco sob nossos pés, um buraco ainda maior para Paloma, que pela primeira vez via-se sozinha e desamparada na cidade de seu grande amor. O pequeno diário foi parar na gaveta, ainda úmido pelas lágrimas. Dona Selma perdeu seu único filho homem, aquele que mais lhe assistia e fazia companhia, que a acompanhava nas consultas médicas, a levava para viajar e para comer nos restaurantes de sua preferência.

O luto preencheu todo o grupo de amigos, como o fizera com tantas famílias mundo afora. O vírus originado em Wuhan separou mães e filhos, cancelou cerimônias de casamento, luas de mel e viagens planejadas por anos. A gripe chinesa fechou pequenos negócios em todo o mundo, quebrou setores da economia, inibiu investimentos e deprimiu empreendedores. Envenenou sociedades, dividiu cidadãos, espalhou pânico e desespero, suscitou uma histeria coletiva em que a racionalidade cedeu lugar a emoções primárias. Mais que vidas, o coronavírus ceifou almas.

Imprensa vermelha

Por motivos ainda a serem explicados ao longo dos próximos anos, o país de origem do vírus, a China, registrou um crescimento econômico vigoroso no mesmo ano em que a economia mundial sofreu perdas dramáticas. Em 2020, momento da eclosão da pandemia mais grave da história recente da Humanidade, os ricos ficaram mais ricos, e os pobres, mais pobres. Nesse período, o valor de mercado de duas empresas americanas, Apple e Microsoft, superou com folga o PIB de toda a África, ao mesmo tempo em que grupos de norte-americanos gritavam "vidas negras importam". Que vidas negras, afinal?

Jornalistas que se recusaram de maneira resoluta a citar a expressão "gripe chinesa", meses depois enchiam o peito para vociferar "variante africana", "cepa britânica", "variante brasileira". A ditadura chinesa vem cooptando jornalistas de todos os continentes para exaltar o regime comunista há anos. De acordo com um relatório publicado em maio de 2021 pela Federação Internacional dos Jornalistas, organização contemplada por profissionais de cinquenta países, o governo chinês ativou a mídia global logo no início da pandemia, usando uma infraestrutura previamente estabelecida. A estratégia levada a cabo durante anos por

Pequim inclui, segundo o relatório, "programas de treinamento e viagens patrocinadas para jornalistas de todo o mundo, acordos de compartilhamento de conteúdo que alimentam mensagens patrocinadas pelo país nos ecossistemas de notícias globais, memorandos de entendimento com sindicatos de jornalismo e aumento de plataformas de publicação".

Dessa forma, o governo totalitário estava pronto para desarmar quaisquer ataques da imprensa internacional. Nos anos em que vivi na China, conheci cerca de trinta jornalistas contratados pela mídia estatal comunista que também escreviam ou gravavam programas para grupos internacionais de comunicação, entre eles CNN, BBC, Russia Today, DW, France Presse e Reuters. Esses profissionais produziam conteúdo em dez idiomas diferentes, e precisavam defender o ponto de vista da ditadura se quisessem manter seus empregos e vistos de trabalho na China.

No mesmo período, de 2016 a 2018, conheci dezenas de jornalistas brasileiros, latino-americanos, africanos e asiáticos convidados pelo regime comunista para fazer cursos na China. Normalmente, os profissionais passavam semanas ou meses tendo aulas em Pequim sobre comunicação, jornalismo, política, economia, plataformas digitais, entre outros temas.

Incrível como um país no qual seus cidadãos são proibidos de acessar redes sociais estrangeiras se arvora o direito de ensinar comunicação a jornalistas de outros países. "Esses chineses são mesmo malucos", disse-me certa vez um jornalista convidado para um desses programas, enquanto conversávamos com colegas de países africanos e americanos. "Estão claramente tentando nos comprar com esses convites, eventos e viagens", outro deles completou, em referência aos presentes, às viagens que faziam por todo o país — sempre monitorados por capangas do regime —, e aos extravagantes jantares e convescotes regados a baijiu.

Já os jornalistas sem coleira, aqueles que ousam pensar ou contestar as atrocidades cometidas pela ditadura, são convidados a se retirar do país. De acordo com uma matéria publicada pela DW em abril de 2021, pelo menos vinte jornalistas estrangeiros foram expulsos ou forçados a deixar a China em 2020, número que tem aumentado desde 2015. No texto, Steven Butler, coordenador do programa para a Ásia do Comitê para a Proteção de Jornalistas, a recente sucessão de jornalistas estrangeiros expulsos da China revela o endurecimento da posição de Pequim em relação à imprensa livre. Um regime que se alimenta de mentiras e as espalha mundo afora parece ter muito a esconder, afirmam os jornalistas intimidados pelos jagunços de Xi Jinping.

Essa sequência de fatos leva a conclusões bastantes óbvias: o regime chinês está endurecendo o autoritarismo dentro de suas fronteiras e pretende expandi-lo a outras nações. Xi Jinping deu uma ordem bem clara a seus subordinados em 2018 para sacramentar suas ambições: arrancar Donald Trump da Casa Branca. Essa prioridade nas relações exteriores nunca foi segredo nos bastidores de Pequim. Um mandato a mais do republicano iria atrasar o cronograma de controle social do partido, de acordo com informações do círculo mais próximo do líder chinês. Com Trump fora da Casa Branca, as embaixadas chinesas agora mapeiam os países indóceis, e estão autorizadas a comprar, corromper e chantagear estrangeiros em busca de exterminar cada um dos opositores para, assim, implementar os objetivos da ditadura genocida.

Enquanto o Partido Comunista Chinês subsistir, o mundo não terá paz.

Epílogo

A cultura ancestral chinesa, cimentada por cinco milênios de história, nos desperta curiosidade e admiração. As artes e invenções, impérios e dinastias, culinária e mercadorias, pensadores e poetas chineses moldaram a construção de todo o ecossistema do Oriente e se expandiram para o Ocidente. Desde muito jovem, eu era uma dessas pessoas curiosas sobre o que ocorria do outro lado do planeta, sobretudo no Japão e na China. Quis o destino que minha geração alcançasse a vida profissional no exato momento em que a economia chinesa se expandia na velocidade dos seus trens-bala, e fui atraído pelos encantos de uma carreira promissora se investisse meu tempo estudando mandarim, apesar das ressalvas à ditadura que controla o país desde 1949.

Quanto mais admiramos o povo daquele país, mais abominamos seu carrasco, o Partido Comunista Chinês, reconhecido — por fatos e registros — como a organização que mais matou seres humanos em toda a História. Para o PCCh, a vida humana constitui um mero detalhe no intuito de se manter no poder, sendo natural o sacrifício de indivíduos do seu povo ou de povos estrangeiros para esse fim. Opositores políticos, religiosos, pensadores e homens livres configuram, portanto, inimigos naturais do regime.

O totalitarismo chinês revelou-se nas últimas décadas um ator global irresponsável. Muitas das ações dirigidas pelo Partido Comunista Chinês mostraram-se desestabilizadoras, minando a paz e a prosperidade em diferentes países. O descaso pela vida e o furor desenfreado pelo poder são capazes, sim, de desencadear toda sorte de problemas para o mundo, entre eles surtos, enfermidades e mesmo uma pandemia global que, a rigor, não deveria surpreender ninguém.

Durante uma década e meia, passei de mero curioso a estudioso dos assuntos chineses. Hoje, percebo que a dinâmica da geopolítica internacional nos obriga à atualização constante e imediata acerca de diferentes regiões do planeta, sob o risco de já estarmos ultrapassados tão logo sorvemos um assunto novo. Compreendo com clareza que o mundo precisa estar atento aos movimentos da China na Nova Era, como Xi Jinping batizou o atual estágio da ditadura comunista.

Nesses quinze anos de aproximação com a realidade chinesa, tornei-me ainda mais interessado no modo de vida dos asiáticos, com especial atenção aos chineses, representantes de um mundo à parte. Uma China livre fará bem não só aos chineses, mas também ao restante dos povos da Terra. Assim como cada uma das dinastias ancestrais da China, o jugo do Partido Comunista também conhecerá seu ocaso, talvez antes do que muitos imaginam. Alguns componentes precisam ser considerados nessa avaliação.

Primeiro, o apego inafiançável do ditador chinês pelo poder pode se tornar uma das causas de sua própria ruína. Tive a sorte de participar dos trabalhos do 19º Congresso do Partido Comunista da China, ocasião em que a agremiação colocou em prática a iniciativa de tornar Xi Jinping um ditador para sempre. Conforme abordagem desta obra, a reação de opositores e dissidentes terá como ponto de partida o terceiro mandato do presidente chinês, a se iniciar nos primeiros meses de 2023. Daí em diante, as ações irão se inflamar dentro e fora do território chinês, projetando impactos no resto do mundo.

Em 2024, a questão ocupará uma fatia importante da pauta das eleições dos Estados Unidos, e o novo (ou reeleito) presidente norte-americano terá de lidar com a conturbada situação chinesa no mandato com início previsto para janeiro de 2025. Caso conclua seu terceiro mandato, Xi Jinping chegará à etapa final desgastado por brigas internas no partido, investidas dos dissidentes, uma possível fragilidade financeira, e cobranças daqueles por seu grupo corrompidos. Se iniciar um quarto mandato, em 2028, Xi Jinping não o terminará. Seu crepúsculo trará consigo a ruína do que tiver restado do Partido Comunista.

A tecnologia, atualmente uma forte aliada do totalitarismo chinês, também poderá se converter em um de seus carrascos. Dela depende o crescimento econômico chinês, fator que coloca o governo em uma encruzilhada: de um lado, os avanços tecnológicos garantem o controle social, o desenvolvimento econômico e a espionagem internacional, como aquela ambicionada por intermédio do 5G; de outro, o domínio tecnológico dissemina informações que o governo autoritário preferiria manter distantes de seu povo, algumas delas referentes a liberdade e direitos humanos.

Por fim, as investigações sobre o vírus identificado primeiramente em Wuhan vivem seu estágio inicial. Mesmo a morte inesperada de médicos, jornalistas e cidadãos que foram testemunhas do início do surto serão incapazes de enterrar toda a verdade. Não obstante, o mundo ainda vive os efeitos do terror e da histeria semeados com a propagação da gripe chinesa. Ninguém sabe ao certo o que acontecerá quando acionarmos o botão "religar". Nos Estados Unidos, milhões de cidadãos hoje defendem ações como restringir o comércio com a China e exigir reparações.

Apesar dos esforços de Pequim, a propaganda comunista, que havia anos não encontrava barreiras pelo mundo, começa a ser questionada em muitos países. Em entrevista ao canal canadense Global News, em maio de 2020, o embaixador da China no Canadá, Cong Peiwu, declarou que a China seria vítima inocente de uma campanha de desinformação global que critica injustamente suas ações na pandemia. Ora, o diplomata parece ignorar que seu país ocultou a gravidade do novo coronavírus e prendeu médicos que alertaram sobre os riscos da transmissão entre seres humanos.

Em vez de trazerem esclarecimentos, os oficiais chineses partem para a vitimização e acusam o mundo de persegui-los, em uma estratégia que já não tem funcionado tão bem, como revela um estudo do instituto Angus Reid, sem fins lucrativos. Na pesquisa, o desapreço dos canadenses pela China atingiu um patamar inédito. Em maio de 2020, apenas 14% dos adultos no Canadá diziam ter uma opinião positiva sobre a China, metade do total verificado apenas seis meses antes (29%). Outros canadenses expressaram ceticismo em relação ao verdadeiro número de casos ocorridos na China e a quantidade de mortes provocadas pela doença.

No levantamento, 85% dos canadenses afirmaram que o governo chinês foi desonesto sobre o que aconteceu em seu próprio país. Além da pandemia, a opinião dos cidadãos do Canadá em relação à China diminuiu significativamente desde que o governo prendeu dois canadenses, em uma reação desproporcional à prisão no Canadá, a pedido dos Estados Unidos, da executiva da Huawei, Meng Wanzhou, filha do CEO da empresa.

Em 2020, apenas 11% dos canadenses avaliavam que o Canadá deveria concentrar seus esforços comerciais com a China, ante 40% em 2015. Além disso, quatro em cada cinco canadenses afirmaram que o Canadá deve impedir a gigante de tecnologia Huawei de participar da construção da nova rede de infraestrutura 5G no país. Os Estados Unidos já adotaram essa medida, enquanto o Brasil hesita em banir a empresa chinesa acusada em diferentes países de espionar os dados de cidadãos, de autoridades e das Forças Armadas.

O caminho da liberdade

O presidente do Instituto de Parcerias Conservadoras dos Estados Unidos, Jim Demint, lembrou num artigo que em 2001, quando era congressista cumprindo seu segundo mandato pela Carolina do Sul, a abertura do comércio com a China era a principal prioridade do então presidente republicano George W. Bush. Havia pressão sobre os republicanos no Congresso para apoiar a iniciativa de Washington de conceder à China o *status* permanente de nação mais favorecida, e permitir que ela se juntasse à Organização Mundial do Comércio (OMC).

Em uma decisão política difícil, mas coerente com o que acreditava, Jim votou favoravelmente à China, por acreditar que o poder do livre empreendimento, do livre mercado e do livre comércio traria liberdade ao povo chinês. "Eu não era globalista, sempre fui contrário à imigração ilegal e estava cético quanto a entrelaçar alianças estrangeiras", escreveu Demint.

"Eu acreditava que o comércio estabilizaria a economia da China e melhoraria sua política deplorável. A liberdade contagia. Eu tinha grandes esperanças não apenas quanto aos empregos e à riqueza que abundariam nos Estados Unidos, abrindo o imenso mercado chinês, mas também quanto aos benefícios que o comércio normalizado traria para os direitos humanos, as liberdades políticas e a segurança internacional para o povo chinês", rememora Demint. "Eu acreditava que o comércio livre e justo com a China seria uma vitória para todos. Eu estava certo sobre o livre comércio, mas errado sobre a China", concluiu, com atraso, o ex-congressista americano.

Não só os Estados Unidos, mas quase todas as nações convidaram a China para bailar no salão da economia global. Como resposta, durante duas décadas, o governo chinês traiu essa boa-fé e abusou desse privilégio. O Partido Comunista Chinês apenas mente, trapaceia e espiona.

A corrupção política reinante na China, por sua vez, expôs sua incompetência científica, a exemplo do desastre de Chernobyl na era soviética, e pode ter desencadeado a mais perigosa pandemia global. Por fim, após sete décadas de atuação do PCCh, assistimos atônitos a um governo que implementa campos de concentração racistas para punir minorias étnicas e religiosas.

O livre comércio não libertou o povo chinês. A boa vontade do Ocidente também não libertou o povo chinês do arbítrio comunista. Os efeitos da pandemia, contudo, somados à cizânia política criada para eternizar Xi Jinping no poder, constituem as oportunidades pelas quais o mundo livre esperava para demolir a última grande ditadura comunista surgida no século XX.

Yamazaki

Ainda em 2020, enquanto eu rascunhava projetos para os meses vindouros, recebi uma ligação de um número desconhecido. Desconfiado, não atendi. Minutos depois, a tela do meu celular brilhou novamente. Era o mesmo número. "Pode ser mais uma dessas ligações indesejáveis de propaganda", pensei. Então resolvi atender, mas sem dizer nada. Esperei alguns segundos, e a voz do outro lado me cumprimentou em chinês.

— *Ni hao!* — Apenas isso, seguido de um novo silêncio de segundos eternos. Respondi em português.

— Alô... gostaria de falar com quem? — E aguardei.

— Aqui é o Pagani, Rafa — respondeu e riu. (*Pagani e suas brincadeiras sem graça*, pensei.) — Esse é meu novo número só para informações confidenciais. Você é a primeira pessoa para quem estou ligando. Poderoso, hein? Registre-o aí, será usado só por um novo e seleto grupo — disse ele. E prosseguiu: — Olhe, venha até a minha casa amanhã à noite, quero conversar com você. Não é nenhum assunto em especial, apenas vamos bater um papo para distrair.

Na noite seguinte, uma terça-feira, fui até seu apartamento em Brasília. Ele estava só, a esposa havia viajado com os filhos. Levei alguns queijos e amendoim para podermos beliscar. Então, Pagani caminhou para trás de seu bar da sala, e olhou a parte de baixo do balcão, dizendo:

— Acho que eu sei o que você quer beber. — E tirou de baixo do balcão uma garrafa de Lagavulin 16 anos, um dos meus favoritos.

— Uau! Você me conhece bem mesmo. Onde você...

Antes que eu terminasse a pergunta, ele tirou outra garrafa do bar, dessa vez um Yamazaki 12 anos. Nunca uma escolha foi tão difícil e, ao mesmo tempo, prazerosa. Escolhi o *single malt* japonês, enquanto ele optou por mergulhar no uísque da ilha escocesa de Islay. Para acompanhar, dois charutos brasileiros Dona Flor, coronas, oriundos do tabaco colhido na Bahia. A conversa fluiu espontaneamente. Eu o agradeci pela confiança durante tantos anos, e pelas informações que me ajudaram a entender o tatame onde eu estava pisando. Pela primeira vez, expressei-lhe que eu gostaria de ter feito mais para retribuir e agradecer-lhe.

— Mais? Desde que eu o coloquei no grupo de cooperação internacional ganhei muitos pontos. Suas informações e análises ajudaram a entender melhor e a investigar a atuação do Partido Comunista em um bom punhado de países — revelou Pagani.

Fiquei impressionado com aquela conversa, porque até então eu me sentia um insosso grão de areia naquela praia banhada de riquíssimas informações e avaliações preciosas. O grupo reunia policiais, agentes de inteligência, diplomatas, tradutores, pesquisadores e oficiais de alto gabarito em governos de todos os continentes. Eu, com minha humilde participação, ainda fui capaz de agregar um pouco de conhecimento a essas pessoas.

— Além disso, você foi o único a participar dos trabalhos no Congresso do Partido Comunista — lembrou Pagani. — Cara, você vivenciou um momento histórico, estava lá dentro, talvez este seja um ponto de virada na geopolítica do século XXI.

É, pensei, até que ele tinha razão. Mesmo assim, eu percebia que todas aquelas pessoas contribuíam de forma efetiva para uma conscientização em nível global da necessidade de expor a escalada do Partido Comunista Chinês, que está conduzindo a China a um expansionismo inédito em sua história. Tão inédito quanto agressivo, diga-se, e por isso mesmo desastroso para a imagem do povo chinês, delineando uma grande mácula em sua milenar biografia. E, novamente, comentei:

— Vocês trabalham com isso diariamente, traduzem, produzem documentos e ofícios, investigam, comunicam governantes e orientam tomadores de decisões. Eu, bom, tudo o que eu faço é postar nas redes sociais e gravar vídeos — desabafei.

— Rafa, não se diminua assim. Vamos lá, vamos falar sério, o que você sabe fazer bem além de ficar se lamentando? — Pagani me provocou, para variar.

— O que eu sei fazer? — Fiz uma pausa. Cocei a cabeça. Passei a mão pela nuca. — Bom... eu sei escrever... — Outra pausa, e um pouco de ansiedade de minha parte.

— Escrever, certo? Então... o que você está esperando? — ele me disse e ergueu seu copo em um brinde.

O silêncio tomou conta do ambiente tomado pela fumaça dos charutos. Sua mão ainda estava suspensa com o uísque cintilando sob a luz tênue da luminária. Sim, parecia mesmo o cenário clichê de qualquer filme *noir*. Então, eu sorri. Finalmente, brindei e disse:

— Ei, Pagani, você ainda está me devendo duzentos reais da nossa aposta...

AGRADECIMENTOS

Agradeço a Deus e aos meus pais, Dona Nice e Sr. Fontana, por tudo.

Meus agradecimentos à Tathy, em especial, pelo apoio incondicional durante todo o processo de escrita, ao meu irmão, Maurício, pelo suporte tecnológico, bem como a toda a minha maravilhosa família, pelo alicerce emocional e todo o conjunto de valores que compartilhamos.

Aos amigos que trilharam comigo essa caminhada, Felipe, Bruno, Meira, Pedro e Laudelino, muito obrigado mesmo.

Pela confiança e motivação da nossa equipe da editora, um time sensacional, meus mais sinceros agradecimentos.

Às pessoas citadas nas páginas deste livro, minha gratidão por tornar essa história possível.

E, finalmente, àquelas pessoas que há tempos seguem meu trabalho, sempre incentivando (e ao mesmo tempo cobrando), obrigado pelo imenso carinho. Vocês são demais!

In memoriam
Fabi (1974 – 2021)
Júnior (1975 – 2020)

CAMPANHA

Há um grande número de pessoas vivendo com HIV e hepatites virais que não se trata. Gratuito e sigiloso, fazer o teste de HIV e hepatite é mais rápido do que ler um livro.

FAÇA O TESTE. NÃO FIQUE NA DÚVIDA!

ESTA OBRA FOI IMPRESSA
EM SETEMBRO DE 2021